PRA...

PRAWF
MOT

BETHAN GWANAS

Prawf Mot
Bethan Gwanas

ISBN : 978-1-913996-53-6

Dyluniad mewnol a dyluniad y clawr : Almon

Cyhoeddwyd gyda chymorth ariannol
Cyngor Llyfrau Cymru

Cyhoeddwyd gan
Gwasg y Bwthyn, 36 Y Maes, Caernarfon, Gwynedd LL55 2NN
www.gwasgybwthyn.cymru

DIOLCHIADAU

I Marred am benderfynu bod deunydd nofel yn y darn bychan i ddysgwyr glywodd hi fi'n ei ddarllen ym Maes D nôl yn 2012. 'Y Ci Drwg' yn 'Mynd Amdani', Cyfres Ar Ben Ffordd.

I Marred, Meinir a Huw Meirion am eu llygaid craff, eu sylwadau adeiladol, eu golygu manwl ac am fy helpu i gadw'r ffydd.

I Mirain Iwerydd am fwrw golwg dros yr hanner olaf i wneud yn siŵr fy mod i wedi cael y darnau am fod yn blentyn aml-hil yn iawn.

I Christine o'r Swistir am y llun o'i chi hyfryd Aramis, ac i Bedwyr ab Iestyn am ei ddylunio.

I bawb roddodd eu barn am y gwahanol gloriau a gobeithio bod y rhan fwya'n hapus efo'r dewis terfynol!

Ac yn fwy na dim na neb, i Del, fy ngast Gymreig am yr ysbrydoliaeth a thros 16 mlynedd o'i chwmni.

I deulu Tŷ Engan, Sarn ym Mhen Llŷn,
am adael i mi gael dros 16 mlynedd
o hapusrwydd efo Del.

'Plus je vois les hommes, plus j'aime les chiens!'

Lamartine

I love my dog
As much as I love you.
You may fade.
My dog will always come through.

Cat Stevens

Ci Defaid
Ti yw'r ffrind cywir, tirion, ti yw clust
     Iet y clos yn gyson,
   Ti wastad yw'r llygad llon,
   Ti yw Gelert y galon.

Idris Reynolds
(allan o *Draw Dros y Don*, Cyhoeddiadau Barddas, 2004)

This dog only, waited on,
Knowing that when light is gone,
Love remains for shining.

Elizabeth Barrett Browning
('To Flush, My Dog')

PENNOD 1

Mae'n gas gen i gyfadde hyn, ond mae symud yn mynd yn fwy a mwy anodd. Mae llusgo fy hun i fyny oddi ar fy ngwely ar lawr y gegin yn ddigon poenus, a damia, dwi'n meddwl mod i wedi cael damwain arall yn ystod y nos; mae 'na damprwydd oddi tana i. Ers talwm, mi fyddwn i wedi gallu llyfu fy hun yn sych cyn i Lea sylwi, ond mae'n anodd cyrraedd y pen yna y dyddiau yma.

Mi fydd hi'n dod lawr toc, dwi'n gallu ei chlywed hi'n symud fyny staer am fod y llawr pren yn gwichian. Ro'n i'n arfer gallu ei chlywed hi'n cysgu hyd yn oed. Ro'n i'n bendant yn gallu ei chlywed hi'n llnau ei dannedd, ond un ai mae hi wedi rhoi'r gorau i wneud hynny yn syth ar ôl codi, neu fy nghlyw i sydd wedi dirywio. Ers talwm, mi fyddwn i wedi llamu i fyny'r staer ati a'i gwylio yn gwthio'r brwsh bach gwirion 'na i mewn i'w cheg ac yn poeri stwff gwyn i mewn i'r sinc. Mi fyddwn i wedi ei dilyn yn ôl i'w llofft a'i gwylio hi'n gwisgo amdani, a phan o'n i'n ifanc ac yn wirion, mi fyddwn i wedi bachu un o'i sanau hi am hwyl a gwneud iddi redeg ar fy ôl i ar hyd y landing a'i

1

chlywed hi'n chwerthin a gweiddi 'Mot! Ty'd â honna'n
ôl, y diawl bach!' nes i'r chwerthin droi'n sŵn llai hapus ac
i'w hwyneb ddechrau sbio'n flin. Mi fyddwn i'n gollwng yr
hosan wedyn a syllu arni'n sori i gyd efo fy llygaid mawr
brown nes ei bod hi'n gwenu arna i eto.

Mi rown i'r byd am fedru rhedeg ar hyd y landing efo
un o'i sanau hi eto rŵan, ond mae dringo i fyny'r grisiau 'na
wedi mynd yn amhosib. Mae'n haws o lawer aros i lawr fan
hyn a pheidio symud nes bydd raid i mi.

Ro'n i methu peidio â symud pan o'n i'n gi ifanc; ro'n i
fel cnonyn, efo gormod o egni o beth coblyn. Ond mae gen
i gof o fod yn iau fyth, yn lwmpyn bach tew yn brwydro
efo fy mrodyr a chwiorydd am dethi Mam. Do'n i ddim
yn gallu symud yn dda iawn bryd hynny chwaith, a phan
fyddwn i'n cael 'damwain' fach, byddai Mam yn clirio'r
llanast bron cyn iddo fo ddigwydd – wel, ar y dechrau o
leia.

Fel'na mae'r rhod yn troi. Cylch ydi bywyd – un dieflig
i rai, mae'n siŵr, ond dwi'n ei weld o'n gylch reit daclus
fy hun. Dan ni'n dechrau'n araf a thrwsgl, yn dysgu fesul
tipyn sut i gerdded, yna rhedeg; wedyn, ar ôl blynyddoedd
o redeg i fyny ac i lawr y bryniau, dan ni'n arafu eto, nes
byddwn ni'n berffaith lonydd. Fel'na fu hi rioed, i bawb,
waeth faint o goesau sydd gynnon ni. Dwi'n berffaith
fodlon i 'nghylch i ddod i ben. Dwi wedi blino rŵan ac
yn gobeithio na fydd Lea'n trio gwneud i mi aros yma yn
hirach na ddylwn i. Dwi wedi cyfarfod gormod o gŵn sy'n
ysu am gael cau'r cylch unwaith ac am byth, dim ond bod

eu cyfeillion dwygoes yn gwrthod gadael fynd. Dwi'n dallt yn iawn, cofiwch, maen nhw ein hangen ni, tydyn?

*   *   *

Dydi 'mywyd i ddim wedi bod yn fêl i gyd. Niwlog ydi'r dechrau, 'nôl yn y beudy ar y fferm yn y bryniau. Tydan ni gŵn ddim yn gallu gweld i gychwyn: mae'n llygaid ynghau am bron i bythefnos ar ôl cael ein geni, a digon aneglur ydi bob dim am sbel wedyn. Dydan ni ddim yn gallu clywed am hir chwaith, a'r cwbl dwi'n ei gofio o'r dyddiau cyntaf – neu'n dychmygu mod i'n ei gofio – ydi cael fy rheoli gan fy nhrwyn – neu ryw reddf sydd ynon ni i chwilio am fwyd.

Roedd angen gwthio yn o arw i gyrraedd un o dethi Mam. Ro'n i'n un o chwech ci bach, a fy mrawd mawr trwm oedd wastad yno gynta. Os o'n i, drwy ryw wyrth, wedi cael gafael ar deth dda o'i flaen o, mi fyddai'n gwasgu fy mhen yn grempog wrth ddringo drosta i, ac yna'n fy ngwthio o'r ffordd. Dwi wedi gweld pobl ddwygoes yn ymddwyn fel'na hefyd dros y blynyddoedd, pan oedden nhw'n ddigon hen i wybod yn well. Natur ydi o ar y dechrau; doedd fy mrawd i ddim yn bod yn gas, dim ond edrych ar ôl ei hun oedd o, a'i reddf i lenwi ei stumog yn gryfach na dim ar y pryd. Dyna oedd yn gyrru pob un ohonon ni.

Gan ein bod ni'n sugno pob diferyn o faeth allan ohoni, aeth Mam yn denau, denau, ac ro'n i'n gallu teimlo ei hasennau wrth gropian drosti, ond roedden ni i gyd yn dal i fynnu sugno.

Yn ara bach, mi wnaethon ni ddechrau cerdded yn well, a chrwydro mwy. Doedd y byd yn lle cyffrous, llawn arogleuon a siapiau a synau difyr? Ond byddai Mam yn cadw llygad barcud arnon ni ac yn brysio i achub unrhyw un oedd ar fin disgyn i mewn i'r ffos neu gael ei wasgu dan olwyn tractor. Yn anffodus, welodd neb mo fy chwaer yn cropian dan fan y postmon nes i ni glywed y wich. A'r tawelwch wedyn. Roedd Mam yn rhy brysur i grio'n hir iawn ar ôl iddo fo ddigwydd, ond mi fyddai'n cyfarth ar bob un ohonon ni i redeg ati pan fyddai'n clywed sŵn y postmon yn cyrraedd o hynny mlaen, ac mi fyddai'r postmon ei hun wastad yn sbio dan y fan cyn gyrru i ffwrdd hefyd – am sbel o leia.

Dwi'n cofio gwirioni pan fyddai Robin, bachgen bach y tŷ mawr, yn dod aton ni cyn ac ar ôl ysgol i chwarae efo ni a'n mwytho a'n gwasgu'n gynnes, a ninnau'n gwichian a llyfu a chwerthin a chnoi nes ei fod yntau'n chwerthin a gwichian hefyd. Roedd Mam wedi dechrau cael llond bol o'n campau gwirion ni erbyn hynny, a dwi ddim yn ei beio hi; roedden ni fel corwynt efo dannedd.

Yn fuan ar ôl i ddynes swyddogol yr olwg stwffio nodwydd bigog, boenus i mewn i bob un ohonon ni, byddai pobl ddiarth yn dod i'n gweld ni: ffermwyr efo dwylo anferthol yn ein codi gerfydd ein gwar a chraffu arnon ni cyn ein gollwng yn ôl ar y gwellt gan ddeud bod gormod o gi Cymreig ynon ni, a doedd rheiny, yn eu barn nhw, yn dda i ddim i hel defaid; hen ledis yn gwenu arnon ni ond wedyn yn troi eu trwynau a phenderfynu y byddai ci defaid yn ormod o waith.

Fy mrawd mawr oedd y cynta i fynd, mewn landrofyr swnllyd efo tri chi mawr, budur yn y cefn, yn cynnwys un coch a gwyn, fel fi. Mi wnes i drio ei holi sut un oedd o am hel defaid ond chymerodd o ddim sylw ohona i. Wedyn diflannodd dwy o fy chwiorydd. Roedd hi'n od o dawel efo dim ond fi a fy chwaer leia ar ôl. Ond roedd hynny'n golygu ein bod ni'n cael llawer mwy o sylw Robin, yr hogyn bach o'r tŷ mawr. Roedd Mam yn gleniach efo ni hefyd, ar ôl iddi roi'r gorau i chwilio am y rhai oedd wedi diflannu. Roedd hynny wedi digwydd iddi droeon, mae'n debyg, colli ei phlant fesul un a dau fel'na, ond go brin bod rhywun yn dod i arfer efo colled o'r fath. Efallai mai dyna pam fyddai Mam mor drist, mor aml.

Mi fyddai hi a'r ddynes o'r tŷ mawr yn cega arna i yn aml; ro'n i mewn rhyw fath o drafferth o hyd. Mi ges i andros o row am redeg ar ôl yr ieir, ac mi driodd y ddynes roi cic i mi pan ddaliodd hi fi'n tynnu darnau mawr o ddefnydd gwyn oddi ar y lein ddillad. Ia, dwi'n gwybod bellach mai dillad gwely oedden nhw, ond roedd gen i lawer i'w ddysgu ar y pryd. Beth bynnag, ro'n i wedi llwyddo i gael un i lawr a'i droi yn farciau brown i gyd drwy neidio a dawnsio drosto fo, ac ro'n i wedi suddo fy nannedd i mewn i gornel un arall ac yn tynnu fel y diawl pan ddaeth hi allan o'r drws coch yn gweiddi a sgrechian. Mi daflodd lond bwced o ddŵr drosta i a wnes i mo hynna eto.

Bu bron i mi gael fy sathru gan y gwartheg un tro. Ro'n i'n cysgu yn yr haul ar ddarn cynnes o goncrit llychlyd pan ddaeth ugeiniau ohonyn nhw i'r buarth ar andros o ras. Oni bai am Beti yr iâr wen yn sgrechian a fflapian yn fy nghlust i, mae'n debyg y byddwn i wedi cael fy stompio a fy stwmpio yn rhacs. Mi redais i at Mam a thrio sugno arni am gysur, ond chwyrnu arna i wnaeth hi a dangos ei dannedd:

'Gad lonydd,' meddai'n oer i gyd, 'ti'n rhy hen i gael teth rŵan.' Erbyn meddwl, roedd gen i ddannedd reit finiog erbyn hynny ac mae'n siŵr mod i'n ei brifo hi.

Felly roedd hi a finna reit falch pan ddoth dyn a dynes a dau blentyn draw i chwilio am gi bach. Doedden nhw'n amlwg ddim yn ffermwyr, felly do'n i ddim yn siŵr faint o hel defaid gawn i ei wneud iddyn nhw, ond do'n i ddim yn poeni gormod am hynny, ro'n i jest isio rhywun i'w garu, a rhywun i 'ngharu i. Dan ni i gyd yr un fath, waeth faint o goesau sydd gynnon ni.

Bu'r teulu yn fy myseddu i a fy chwaer yn arw, a deud pethau fel 'O, sbia ciwt!' wrth i mi wyro fy mhen i'r ochr fymryn (do'n i ddim yn dwp); 'Mae o fel babi llwynog!' (doedd gen i ddim syniad be oedd llwynog ar y pryd) a 'Mami! Plis gawn ni hwn? Mae o'n ffyni!' wedi i mi ddechrau troi mewn cylchoedd ar ôl fy nghynffon (ro'n i wedi sylweddoli bod hynny'n plesio pob dwygoes ifanc). Ond do'n i ddim yn siŵr be i'w wneud pan glywais i'r ddynes yn deud: 'Wel, ydyn, maen nhw'n ddel, ond ydyn nhw'n *house-trained*?'

Doedden ni ddim wrth gwrs, ond mi ddywedodd dyn y tŷ bod cŵn defaid yn glyfar ac yn hawdd eu dysgu, ac mi benderfynodd y teulu fynd â fi adre efo nhw. Ro'n i wedi gwirioni cymaint, wnes i anghofio ffarwelio efo Mam a fy chwaer druan, ac roedd Robin wedi diflannu yn ôl i'r tŷ yn fuan ar ôl clywed: 'Mami? Gawn ni alw fo'n Fang? Fel yn Harry Potter?' Ges i wybod yn ddiweddarach ei fod o wedi diflannu cyn iddo fo godi cywilydd arno'i hun yn crio o flaen pawb.

Ond do'n i'n malio'r un botwm corn am hynny ar y pryd: dyna'r tro cynta i mi gael enw, hyd yn oed os oedd o'n un hurt, a dyna oedd y tro cynta i mi gael mynd mewn car o unrhyw fath. Ro'n i wedi cynhyrfu gymaint, mae arna i ofn i mi gael damwain ar lin Melanie, yr hogan fach. Roedd Martin, ei brawd hi, yn meddwl bod y peth yn hynod o ddoniol, ond doedd Melanie a'i mam ddim. Dwi bron yn siŵr bod y fam 'na wedi cymryd yn fy erbyn i o'r funud honno mlaen achos ro'n i methu gneud dim yn iawn ar ôl cyrraedd y tŷ chwaith.

Doedd o ddim byd tebyg i'r beudy lle ro'n i wedi cael fy magu tan hynny. Os oedd 'na arogleuon difyr wedi bod yn y tŷ hwn ryw dro, roedd 'na arogl diarth, diflas yn eu cuddio nhw bellach. Roedd y lloriau i gyd un ai'n llithrig neu'n hynod o feddal efo carped yr un lliw â llaeth, efo dodrefn meddal, sgwishlyd oedd yn wych i'w cnoi, a gardd fechan oedd yn fwd i gyd am fod y plant yn chwarae pêl-droed yno bob cyfle. Oedd, roedd ôl fy nhraed i dros bob man ar ôl i mi fod yn yr ardd efo nhw, ond nid fy mai i oedd hynny, naci? Mi wnes i fy ngorau i benio'r bêl yn hytrach na'i brathu ar ôl difetha tair pêl, ond roedd hi mor anodd cofio yng nghanol yr hwyl a'r rhialtwch. Dwi'n meddwl eu bod nhw'n dechrau difaru fy ngalw i'n 'Fang'.

O, a dydi'r busnes peidio gneud dy fusnes yn y tŷ ddim ond yn gweithio os ydyn nhw'n gwybod sut i dy ddysgu di. Doedd gan y rhain ddim syniad. A phan fyddwn i'n eistedd am oriau wrth y drws cefn yn aros i rywun fy ngadael i allan, hyd yn oed yn gwichian ac udo a chrafu'r drws, roedden nhw i gyd yn rhy brysur efo'u ffonau a'u iPads a'r weiars yn eu clustiau i sylwi arna i. Wedyn fi oedd yn cael y bai! Dyna pryd ges i fy mhelten gyntaf: pelten gas, galed nes bod fy mhen i'n troi.

Buan y pylodd yr hwyl a'r chwarae cychwynnol, ac er nad o'n i'n rhy hapus i gael fy ngwisgo mewn dillad doli, o leia ro'n i'n cael sylw. Ond mae rhai plant yn colli diddordeb mewn teganau, anifeiliaid, bob dim, pan fydd ganddyn nhw ormod o ddewis, ac roedd chwarae gemau cyfrifiadur yn llai o drafferth na chi ifanc. Doedd dim angen bwydo cyfrifiadur na mynd â fo am dro. Ar ôl sbel, roedd bywyd yno mor ddiflas a rhwystredig, cnoi fy nheganau yn rhacs oedd yr unig bleser mewn bywyd. Felly pan ddois i o hyd i esgid bigog efo gwaden goch ar waelod y grisiau, ro'n i'n meddwl mai tegan arall i mi oedd hi. Yn anffodus, un o esgidiau newydd, drud y ddynes oedd hi ac roedd 'na andros o ffŷs wedyn. Do, mi ges i belten arall gynno fo a chic gynni hi. Mi faswn i wedi cael cic arall tasai'r plant ddim wedi sgrechian arni i stopio.

Yn sied yr ardd gysgais i y noson honno. Mi fues i'n crynu am hir a chrio ei bod hi'n ddrwg iawn, iawn gen i, ond doedd neb isio gwybod ac yn y diwedd, mi griais fy hun i gysgu.

Y bore wedyn, ro'n i'n ôl yn y car coch. Ro'n i'n gallu deud o'r ffordd roedd y dyn yn osgoi fy llygaid i nad mater o fynd am dro oedd hyn. Roedd hi'n berffaith amlwg eu bod nhw am gael gwared ohona i, a phan welais i ein bod ni'n ôl ar y ffarm, do'n i'n synnu dim. Ar un llaw, ro'n i'n falch o fod yn ôl, ond ar y llaw arall, ro'n i'n teimlo'n fethiant. Dim ond pethau sy ddim yn gweithio neu ddim yn ffitio sy'n cael eu gyrru'n ôl i'r siop, ynde? Erbyn heddiw, dwi'n sylweddoli pa mor lwcus o'n i: mi allai'r dyn yn hawdd fod wedi fy ngyrru i ganol nunlle a fy ngadael i yno. Mae 'na bobl ddwygoes creulon iawn i'w cael; dwi wedi cyfarfod ambell un dros y blynyddoedd, a dwi hefyd wedi cyfarfod cŵn gafodd eu gadael, rhai wedi eu clymu i ffens neu goeden am ddyddiau yn y gwynt a'r glaw heb friwsionyn o fwyd. Doedd ganddyn nhw ddim syniad be oedden nhw wedi ei neud i haeddu hynna. Roedd rhai ohonyn nhw wedi llwyddo i gael bywyd a chartref gwell wedi iddyn nhw gael eu hachub, ond wnaethon nhw rioed anghofio.

Ta waeth, yn ôl ar y fferm, doedd Mam ddim yn rhy falch o 'ngweld i'n ôl, ac roedd fy chwaer fach wedi hen fynd at deulu arall dwygoes. Ond do'n i ddim yn unig, ro'n i'n llawer hapusach fy myd efo'r ieir a'r hwyaid a'r gwartheg a'r holl gaeau ac adeiladau i chwarae a chwilota ynddyn nhw, a digonedd o gwningod i redeg ar eu holau. Roedd 'na gath hyll fyddwn i wrth fy modd yn rhedeg ar ei hôl hefyd, ond ddaliais i rioed mohoni. Ac wrth gwrs, pan na fyddai o yn yr ysgol, mi fyddwn i'n cael modd i fyw yn chwarae efo Robin. Roedd o, o leia, yn falch o 'ngweld i'n ôl.

'O'n i'n gwbod eu bod nhw'n deulu gwirion,' sibrydodd yn fy nghlust, 'ti'n lot rhy dda iddyn nhw – ac mae Fang yn enw hurt bost i'w roi arnat ti! Felly dwi am roi enw newydd arnat ti, un sy'n siwtio ci Cymreig: Mot!' Roedd o'n swnio fel enw da i mi, felly mi wnes i ysgwyd fy nghynffon a chyfarth mod i'n derbyn yr enw. Mot ydw i byth ers hynny

– enw da: un hawdd i'w ddweud a'i glywed, ac enw syml a Chymreig. Yr unig anfantais ydi'r ffaith ei fod o'n enw mor boblogaidd ar gŵn yng Nghymru. Aeth Lea â fi i sioe gŵn ryw dro, ac roedd 'na dri Mot yn yr un dosbarth â fi.

Ond sôn am Robin ydw i rŵan, ynde, a doedd o, na neb arall dwygoes o ran hynny, wedi sylweddoli fy mod i wedi dod i ddechrau deall eu hiaith nhw'n rhyfeddol erbyn hynny, yn llawer gwell na chŵn cyffredin. Mae hynna'n swnio'n fawreddog, dwi'n gwybod, ond mae'n ffaith. Dwi'n gi clyfar. Mae'r rhan fwya o gŵn defaid yn glyfar, ond dwi ymysg y goreuon o ran deall pobl ddwygoes.

Iawn, mater o ddyfalu oedd deall eu geiriau nhw ar y dechrau, wedyn dod i ddeall tôn y llais a'r edrychiad, ond drwy wrando'n astud ar Robin yn paldaruo, ro'n i'n dysgu'n gyflym. Wedyn, gan mod i'n dilyn Robin i bob man, mi ges i ganiatâd i fynd i'r tŷ efo fo (i'r stafelloedd â lloriau teils a llechi o leia) a thrwy aros yn dawel a gorwedd allan o'r ffordd dan y bwrdd, mi ges i oriau addysgiadol tu hwnt yn gwrando ar y teulu'n sgwrsio a Radio Cymru yn canu a thrafod a malu awyr yn y gegin.

Roedd Robin yn sgwrsio efo fi fel rhywun dwygoes ers y dechrau, chwarae teg iddo fo, a fo, fel mab ffarm oedd yn deall pethau fel hyn, eglurodd i mi pam fod fy nghôt i'n goch ac un Mam yn ddu a gwyn.

'Ci coch Cymreig oedd dy dad di, ti'n gweld, diawl drwg o Gefn Isa oedd wedi rhedeg dros y mynydd ganol nos i gael gafael yn dy fam di pan oedd hi'n cwna, a'n cŵn ni ein hunain yn sownd fel arfer, yn methu gneud dim. Erbyn i Dad ddod allan i weld be oedd y sŵn, roedd hi'n rhy hwyr.

Roeddet ti'n tyfu ffwl sbid ym mol dy fam.' Erbyn meddwl, efallai nad oedd o'n deall y drefn yn llwyr ac mai rhyw lun o ailadrodd geiriau ei dad oedd o.

Ro'n i ar dân eisiau cyfarfod fy nhad wedyn wrth gwrs, ond doedd Robin ddim yn dallt be ro'n i'n gwneud fy ngorau glas i ddeud wrtho fo. Mae'n destun tristwch mawr i mi erioed nad o'n i'n ddigon clyfar i fedru siarad yr iaith ddwygoes yn ogystal â'i deall hi. Ond eto, taswn i wedi llwyddo, fyddwn i ddim wedi cael llonydd gan y dwygoesiaid, mae'n debyg, cael fy llusgo o flaen camerâu teledu a ryw lol, felly dydi fy anallu ddim yn ddrwg i gyd. A ph'un bynnag, mae Lea yn deall fy synau i'n rhyfeddol o dda ers blynyddoedd.

Doedd Robin ddim cystal am fy neall i, ond roedd o'n deall digon i wybod mai ei sylw o ro'n i ei angen gan amlaf, a chael chwarae efo fo. Doedd gynno fo neb arall i chwarae efo nhw, y creadur, ac roedd y wên fawr a'r sglein yn ei lygaid pan fyddwn i'n rhedeg ato fo yn llonni fy nghalon.

Er nad oedd o'n gwenu llawer arna i ar y cychwyn, roedd tad Robin yn amlwg wedi dechrau cael ei hudo gen i hefyd, ac ro'n i wedi gwirioni pan roddodd o fi ar gefn y cwad a gyrru i fyny i ryw gaeau ar y mynydd, efo Mam a'r cŵn mawr yn rhedeg y tu ôl i ni.

'Gwylia, a dysga,' meddai Mam wrtha i wedi i ni gyrraedd. Chwibanodd y dyn a saethodd y tri chi ar hyd ochrau'r caeau nes eu bod wedi hel criw mawr o ddefaid ym mhen ucha'r cae pella, ac am sbel, mi fues i'n gwylio'r cwbl yn gegrwth. Roedden nhw mor gyflym, mor ufudd, ac yn rheoli'r defaid 'na'n llwyr – efo'u llygaid yn fwy na dim. Dim ond chwibanu oedd y dyn, a galw 'Awê' a 'Cym bei' weithiau a rhegi ambell dro pan fyddai un o'r cŵn yn rhy araf neu'n rhy wyllt neu'n meiddio meddwl ei fod yn gwybod yn well na'r dyn.

Ro'n i bron â drysu isio ymuno efo nhw ond roedd y dyn wedi fy nghlymu'n sownd i sedd y cwad efo cortyn bêls oren, a'r cwbl allwn i ei wneud oedd cyfarth. Neu wichian. Doedd fy llais i ddim wedi torri'n iawn eto.

Cyn hir, roedd y defaid yn un haid daclus efo'i gilydd, yn llifo i lawr y mynydd, yn tywallt drwy'r giatiau fel llond bwced o laeth i mewn i bowlen. Aethon ni ar eu holau ar y cwad, gan gau'r giatiau ar ein holau. Roedd y sŵn pan gyrhaeddodd pawb y buarth yn rhyfeddol. Nefi, mae defaid yn bethau cwynfanllyd. Ond erbyn meddwl, cwyno faswn innau hefyd.

Penderfynodd y dyn fy rhyddhau o'r cortyn bêls.

'Iawn, gad i ni weld os oes 'na elfen ynot ti,' meddai. Elfen? Elfen o be? Do'n i ddim yn rhy siŵr be roedd o'n ei feddwl. Oedd o am adael i mi chwarae efo'r defaid? Roedd hi'n edrych felly, felly neidiais oddi ar y cwad a saethu i ganol y môr o gyrff gwlanog gan gyfarth nerth fy ysgyfaint. Roedden nhw'n sgrialu i bob cyfeiriad i ddechrau, ond wedyn trodd un ddafad fawr, flin i fy wynebu i.

'Pwy ddiawl wyt ti'n feddwl wyt ti, y snichyn bach gwichlyd?' gofynnodd gan stampio ei throed a rhythu i lawr ei thrwyn hir arna i. 'Meddwl y gelli di ddeud wrthan ni be i neud wyt ti? A dydi dy geilliau di ddim wedi disgyn eto, y lolyn gwirion!' Doedd gen i ddim syniad am be roedd hi'n fwydro. Ond ro'n i'n gwybod be oedd ceilliau – ro'n i'n eu nabod yn eitha da ers iddyn nhw ymddangos mwya sydyn rhyw ddiwrnod. Felly roedden nhw wedi disgyn erbyn hynny, diolch yn fawr, ond efallai eu bod nhw'n rhy fach iddi fedru eu gweld nhw. Neu mai jest tynnu arna i oedd hi. Dyna wnes i ei benderfynu ar y pryd beth bynnag. Llenwais fy ysgyfaint, codais fy mhen yn uchel a chyfarth (iawn, gwichian 'ta) yn ffyrnig cyn rhuthro tuag ati.

Yn anffodus, wnaeth hi ddim symud, ac wedi eiliadau o dawelwch, dechreuodd y defaid eraill chwerthin. Roedd hi'n berffaith amlwg mai chwerthin am fy mhen i oedden nhw, ac roedd hi'n gas gen i pan fyddai unrhyw un heblaw Robin yn chwerthin am fy mhen i. Roedd gen i ddau ddewis hyd y gwelwn i:

un: rhoi fy nghynffon rhwng fy nghoesau a throi'n ôl at ddiogelwch y cwad gyda sŵn chwerthin y defaid yn atseinio drwy'r buarth;

dau: profi mod i'n gi go iawn na ddylid ei amharchu.

Roedd yn well gen i'r ail ddewis, felly mi neidiais i fyny a suddo fy nannedd bach miniog i mewn i'w thrwyn hi. Roedd hynny'n gamgymeriad. Mi neidiodd y ddafad i fyny ar ei choesau ôl mewn poen ac ysgwyd yr un pryd, fel mod i'n hedfan drwy'r awyr. Glaniais yn galed ar y concrit a gweld y byd yn troi o 'nghwmpas i fel pentwr o ddail ar ddiwrnod gwyntog. Pan lwyddais i godi'n sigledig, gwelais fod gwaed yn llifo o drwyn y ddafad a bod pawb, pob dafad a phob dwygoes, yn sbio'n flin iawn arna i. Galwodd tad Robin fi'n enwau hyll a dweud rhywbeth fel:

'Blydi cŵn Cymreig. Mi ddeudodd Wil eu bod nhw'n

rhy barod i gydio mewn defaid, a dyna brofi be ydi natur hwn. Neith o byth gi defaid.'

A dyna ni. Ches i ddim cyfle arall i ddangos iddo fo, na fi fy hun, na Mam, be allwn i ei wneud efo diadell o ddefaid ar fynydd. Dim ond chwyrnu'n flin arna i am godi cywilydd arni wnaeth Mam pan es i ati a 'nghynffon rhwng fy nghoesau, a doedd y cŵn eraill ddim isio gwybod. Ro'n i wedi baeddu enw da cŵn defaid.

O hynny ymlaen, ro'n i'n gorfod aros yn y buarth pan fyddai pawb arall yn cael mynd i'r mynydd am ddiwrnod o redeg a neidio a hel yn rhyddid hyfryd y gwynt a'r haul a'r glaw. Yn waeth na hynny, ro'n i'n cael fy nghlymu'n sownd i weddillion rhydlyd rhyw hen gar budur, a neb yn cymryd blewyn o sylw ohona i nes byddai Robin yn dod adre o'r ysgol, a dim ond rhyw ddeg munud gawn i efo fo cyn i'w fam weiddi arno i fynd i hel wyau neu i ddod i gael ei de.

Do'n i ddim yn cael mynd i'r tŷ mwyach chwaith, ddim ers i mi gael damwain dan y bwrdd. Ro'n i wedi bod reit hapus yn gorwedd yno'n dawel, yn cnoi chydig ar griau sgidiau Robin, nes i mi eu clywed nhw'n cwyno amdana i, a'r ddynes yn deud mod i'n drewi, a mod i'n dda i ddim.

'Tasat ti'n fwy o ddyn, mi faset ti'n rhoi bwled yn y diawl...' meddai hi wrth ei gŵr. Roedd Robin wedi protestio a mynd i grio, a rhywsut, mi gollais i reolaeth arnaf fi fy hun. Pan ges i fy nhaflu allan o'r gegin, mi es i guddio yn y cwt ieir am oriau. Roedd gen i syniad go lew be oedd bwled; roedd Robin wedi eu dangos i mi pan aeth y dyn i chwilio am lwynog oedd wedi bod yn lladd ei ŵyn o. Ac wedyn mi ges i weld corff y llwynog, a dychryn yn rhacs o weld pa mor debyg oedd o i mi. Oedd 'na elfen o lwynog ynof fi? Fyddai rhywun yn fy saethu i gan feddwl mai llwynog o'n i? Ond ddaeth neb i fy saethu i, dim ond fy nghlymu'n sownd i'r hen gar.

Rhaid cyfadde, es i'n o isel yn ystod y misoedd hirion hynny.

PENNOD 2

Diolch byth bod Robin wedi mynd yn sâl y diwrnod hwnnw.

Daeth car bach gwyn i'r buarth, yn araf a gofalus, gyda merch ddwygoes ddiarth wrth y llyw, a Robin yr ochr arall iddi. Roedd o'n edrych yn welw, ac aeth hi â fo yn syth am y tŷ, a'i braich am ei ysgwydd heb edrych i 'nghyfeiriad i o gwbl. Mi wnes i gyfarth arnyn nhw am mod i'n poeni am Robin, ac isio gwybod sut oedd o a pham ei fod o adre o'r ysgol mor gynnar, a dyna pryd drodd hi, a dyna pryd welais i ei llygaid gleision hi am y tro cynta. Mi wyrais fy mhen i'r ochr yn syth, ac mi wenodd arna i. Dyna ni: ro'n i'n gwybod.

Wnes i ddim symud modfedd wedyn, dim ond syllu ar y drws aethon nhw drwyddo nes iddi ddod yn ôl allan. Roedd mam Robin yn diolch iddi ac yn ymddiheuro am wneud trafferth, ond roedd y car yn y garej ers dyddiau a'r gŵr a'r pic-yp ar ben y mynydd.

'Dim problem, siŵr. Gobeithio y bydd o'n well erbyn fory,' meddai'r ferch â'r llygaid gleision a'r gwallt hir browngoch, cyn cerdded yn ôl i lawr y llwybr am ei char. Ro'n i'n gwybod bod yn rhaid, rhaid, rhaid i mi ddenu ei sylw hi ac mi wnes i wichian a chyfarth arni – yn uchel, a thynnu yn erbyn y tsiaen i drio mynd ati, nes ro'n i bron â chrogi fy hun, yna stopio ac ysgwyd fy mhwt o gynffon a syllu arni efo dagrau go iawn yn fy llygaid.

Ro'n i mor hurt o hapus pan gerddodd hi tuag ata i. Anghofia i byth mo'r ffordd aeth hi ar ei chwrcwd a mwytho fy mhen i, yn dyner, feddal, annwyl (roedd Robin yn gallu bod reit ryff weithiau). Mi wnes i fentro llyfu ei llaw hi a gwichian mewn ffordd ro'n i'n gobeithio oedd yn atyniadol. Wnes i ddim tynnu fy llygaid oddi ar ei llygaid hi, ac ro'n i'n gwneud fy ngorau glas i wneud iddi ddallt yr hyn o'n i'n trio'i ddeud wrthi:

'Dwi'n anhapus fan hyn, cer â fi adre efo ti – plis plis plis cer â fi adre efo ti yn dy gar bach gwyn. Mi wna i dy garu di a dim ond ti am byth, dwi'n addo. Mi wna i bob dim o fewn fy ngallu i dy wneud di'n hapus ac edrych ar dy ôl di a chodi dy galon di pan fyddi di'n isel neu wedi blino. Mi fydda i'n ufudd ac yn berffaith, a'r ci gorau yn y byd. Plis?'

Mi wenodd arna i, yna edrych o 'nghwmpas i. Roedd gen i gywilydd o'r holl faw oedd o 'nghwmpas i, ond pan ti'n sownd wrth gadwyn fedri di ddim cyrraedd lle call i wneud dy fusnes. Ro'n i wedi gwneud fy ngorau i osgoi sefyll a gorwedd ynddo fo, ond do'n i ddim wedi llwyddo bob tro.

Dyna pryd ddaeth y dyn heibio ni.

'Be ydi'i enw o?' gofynnodd hi.

'Mot. Ond 'di o'n dda i ddim, y creadur.'

'Be? Fydd o byth yn hel defaid?'

'Na fydd. Rhy wyllt.'

Oedodd hi cyn gofyn:

'Be fydd ei hanes o 'ta?'

'Mae'r wraig isio i mi gael gwared arno fo…'

Doedd o ddim yn gallu edrych yn ei llygaid hi. Roedd o'n gwybod ei bod hi'n gwybod be roedd o'n ei feddwl. Edrychodd hi arna i am hir, ac ro'n i'n gallu gweld bod ei dannedd hi'n claddu i mewn i'w gwefus isa hi. Caeais fy llygaid am eiliad, anadlu'n ddwfn ac yna syllu a chrefu arni efo fy holl enaid, efo bob gewyn oedd gen i.

'Ga i o?' gofynnodd hi'n sydyn. Allwn i ddim credu fy nghlustiau. Caeais fy llygaid eto, rhag ofn mod i'n breuddwydio. A'u hagor eto, yn araf, a throi i grefu arno fo.

'Dow. Dach chi'n siŵr eich bod chi isio fo? 'Di o'm yn *house-trained*, cofiwch, ac mae o'n drewi.'

Ro'n i isio cyfarth arno fo mai drewi fyddai yntau tasa fo'n cael ei glymu'n sownd drwy'r dydd a thrwy'r nos. Ond y cwbl ddaeth allan oedd ochenaid drom.

'Faint dach chi isio amdano fo?' gofynnodd hi ar ôl eiliadau barodd am byth.

'Duw na, gewch chi o am ddim. Mi faswn i'n ddiolchgar tasach chi'n mynd â fo a bod yn onest; mae o'n gi reit annwyl efo pobl, ac mae'n gas gen i ei weld o fel'na.'

A mwya sydyn, roedd hi wedi mynd yn ôl at ei char, agor y cefn a thynnu pentwr o bapurau newydd allan o fag a'u rhoi ar lawr y sedd flaen – a thros y sedd hefyd, rhag ofn i mi neidio ar fanno am wn i. Ro'n i'n crynu fel deilen, yn dal i weddïo na fyddai hi'n newid ei meddwl. Daeth y dyn draw efo darn hir o gortyn bêls oren a'i glymu'n sownd yn fy ngholer i. Ro'n i'n crynu gymaint, golles i reolaeth arnaf fi fy hun eto a phiso lle ro'n i.

'O leia neith o'm gneud yn eich car chi rŵan,' meddai o, wrth roi pen arall y cortyn yn ei llaw hi.

Ro'n i jest â drysu isio neidio i fyny arni a'i llyfu a'i chofleidio, ond roedd fy nghoesau i fel jeli a 'mhen yn troi. Dilynais hi'n ufudd at y car a neidio ar ben y nyth o bapurau. Yna, roedden ni'n gadael y buarth, ac ro'n i'n gallu gweld y coed yn hedfan heibio. Allwn i ddim peidio, neidiais i fyny ar y sedd er mwyn i'r gwartheg gael fy ngweld i. A myn coblyn i, pwy oedd yn syllu arna i o ochr draw y ffens ond yr hen ddafad flin oedd wedi 'ngalw i'n snichyn bach gwichlyd ac achosi i 'ngyrfa i fel ci defaid ddod i ben cyn iddi hi hyd yn oed ddechrau.

'Twll dy din di, yr hen jaden!' cyfarthais arni, cyn troi'n ôl i wenu ar y ferch hyfryd, glên efo'r gwallt hir, browngoch. Gwenodd hi'n ôl arna i.

'Wel, Mot; Lea ydw i,' meddai hi mewn llais fel llond jwg o hufen, 'a does gen i'm syniad pam wnes i hynna, achos dwi fod i fynd yn ôl i'r ysgol rŵan, ac roedd Mr Jones yn iawn, mi rwyt ti'n drewi, a fedra i mo dy adael di yn y car tan hanner awr wedi tri, na fedra? Oes gen i amser i bicio adre, dwed? Fyddi di'n iawn yn y sied tan ganol pnawn, tybed? Neu 'sa well i mi dy roi di yn y gegin? A does gen i'm cenal na gwely na bwyd ci na phowlen na dim! Lea Williams, be ddoth dros dy ben di?!'

Y cwbl wnes i oedd gwenu arni ac ysgwyd fy nghynffon. Wedyn mi neidiais i lawr o'r sedd achos roedd hi wedi dechrau gyrru dipyn cyflymach a brecio dipyn caletach, a do'n i ddim yn teimlo'n ddiogel i fyny fanna.

O'r diwedd, stopiodd y car o flaen rhes o ddrysau lliwiau gwahanol mewn waliau cerrig. Ro'n i'n meddwl i ddechrau mai un tŷ mawr efo rhip o ddrysau oedd o. Ond drwy ddrws melyn aethon ni, i mewn i dŷ bach iawn. Soffa a theledu a bwrdd isel yn fynydd o bapurau yn y darn cynta, a phopty a chypyrddau a bwrdd a dwy gadair yn y cefn. Agorodd y drws cefn a dangos sgwaryn o goncrit i mi, efo ambell bot plastig efo blodau ynddyn nhw yma ac acw a sied fychan bren yn erbyn y wal. Agorodd y clo ar y sied: beic, rhaw, bocsys glas a llwyth o lanast welais i.

'Fawr o le i ti yn fanna, nag oes, Mot?' meddai Lea wrtha i. 'A dwi'm isio torri dy galon di drwy dy gloi di mewn lle tywyll, blêr fel'na…' Edrychodd yn ôl am y tŷ. 'Os wna i dy adael di yn y gegin, nei di addo peidio gneud llanast?'

Y cwbl wnes i oedd ysgwyd fy nghynffon. Allwn i ddim addo dim wrth gwrs.

Tywalltodd ddŵr i mewn i sosban a'i rhoi ar y llawr gwyn. Yna aeth i nôl papur newydd a'i osod ar y llawr. 'Byw mewn gobaith,' meddai iddi hi ei hun yn fwy nag i mi. Agorodd ddrws yr oergell ac ysgwyd ei phen.

'Dim byd addas i gi, mae arna i ofn,' meddai. 'Oni bai dy fod ti'n licio gwin gwyn, picl, picalili, jam sy wedi dechra llwydo a iogwrt blas cnau… O, aros funud, mae 'na chydig o laeth ar ôl yn hwn.' Astudiodd y botel blastig a chrychu ei thrwyn. 'Braidd yn hen os ti'n coelio'r *sell-by dates* 'ma.' Agorodd y caead a rhoi ei thrwyn wrth y geg. Crychodd ei thrwyn fymryn eto. 'Neith tro i gi am wn i.' Agorodd gwpwrdd a thynnu powlen allan. Roedd ganddi lawer llai o lestri na phobl y fferm, ond roedden nhw i gyd yr un lliw. Tywalltodd y mymryn llaeth i mewn i'r bowlen a'i gosod wrth ochr y sosban o ddŵr. 'Gei di fwyd call nes mlaen, dwi'n addo. Rŵan, fydda i ddim yn hir, dim ond rhyw…', astudiodd y cloc mawr crwn ar y wal, '… ryw bedair awr. Tria ddal tan hynny os fedri di.' Tynnodd y ddwy gadair ar ei hôl a'u gosod yn y bwlch rhwng y darn cegin a'r lle soffa, un am i fyny a'r llall ar ei hochr. Yna stwffiodd lyfrau, clustogau a hwfyr rhwng y coesau mewn ymgais i wneud math o wal, am wn i. Pwyntiodd ei bys ata i o ochr arall y wal gadeiriau a datgan:

'Aros yn y gegin. Paid â dod i'r darn yma, ac yn bendant, paid â mynd fyny staer! Iawn? Ysgwyd dy gynffon os wyt ti'n dallt.' Ysgydwais fy nghynffon nes iddi ddiflannu drwy'r drws melyn.

Do'n i ddim yn rhy siŵr be oedd yn mynd ymlaen, ond ro'n i'n teimlo reit hapus. Doedd gen i ddim syniad pa mor ofnadwy o hir oedd pedair awr bryd hynny, ond ro'n i'n siŵr na fyddai hi'n fy ngadael ar fy mhen fy hun yn hir iawn, a ph'un bynnag, roedd gen i gartref newydd i'w archwilio.

Yfais y llaeth i gyd yn gyntaf, yna gadael i fy nhrwyn fy arwain at arogleuon a mannau diddorol. Wedi llyfu pob briwsionyn oedd ar y llawr, a cheisio – a methu – agor y bin oedd ag arogleuon addawol tu hwnt ynddo, gorweddais ar y llawr am sbel i ddisgwyl i Lea ddod yn ôl. Mi wnes i gysgu am chydig; roedd hi wedi bod yn fore cynhyrfus hyd yma, ac roedd fy mhen wedi blino. Ond pan ddeffrais i, roedd pob man yn gwbl, berffaith dawel: mor wahanol i'r fferm, ond mor debyg i'r tŷ efo'r carpedi meddal a'r ddynes flin a'r plant alwodd fi'n Fang. Roedden nhw wedi 'ngadael i ar fy mhen fy hun am oesoedd hefyd, ac ro'n i'n cofio'n iawn be oedd canlyniad hynny. Tybed oedd Lea, hefyd, wedi cael digon arna i'n barod? Ochneidiais yn drwm.

Yna edrychais ar y wal o gadeiriau a llyfrau. Ro'n i'n gallu gweld drwy ambell dwll, ac roedd 'na arogleuon difyr yn galw. Chymerodd hi fawr o amser i mi fachu cornel un o'r clustogau efo fy nannedd a'i llusgo allan, ac wrth wthio fy nhrwyn a fy mhawennau yn erbyn y llyfrau, roedd y tyllau'n tyfu. Ro'n i wedi gwthio fy hun drwadd o fewn dim, ac yn teimlo'n falch iawn ohonof fi fy hun. Wedi archwilio'r soffa'n drylwyr, a'r mat blewog a'r weiars y tu ôl i'r teledu, penderfynais mai ar y soffa roedd arogl Lea gryfa, felly neidiais yn ôl i fyny arni a gwneud nyth i mi fy hun arni. Ond ro'n i'n ifanc a llawn egni, cofiwch, a buan y gwnes i ddiflasu ar hynny. Roedd y clustogau'n hwyl i neidio arnyn nhw, felly dyna fues i'n ei neud am sbel, ymosod arnyn nhw ac yna eu taflu a'u llusgo nes roedd 'na gawodydd tlws o blu yn yr awyr. Roedd rheiny'n hwyl i chwarae efo nhw hefyd, nes i mi lyncu gormod ohonyn nhw a gorfod gwthio fy ffordd yn ôl at y sosban o ddŵr. Roedd 'na flas gwahanol iawn i ddŵr y fferm ar hwnnw, ond doedd 'na ddim blew na baw ynddo fo o leia, ac ro'n i mor sychedig wedi'r holl chwarae. Wrth ddringo'n ôl drwy'r twll syrthiodd rhai o'r llyfrau, felly mi fues i'n ymosod ar rheiny am sbel wedyn. Cyn hir, ro'n i angen pi-pi. Do'n i ddim yn siŵr lle fyddai orau i wneud hynny, ond roedd y mat blewog yn f'atgoffa o laswellt, a byddai'r teulu tŷ carped bob amser yn fy annog i wneud fy musnes ar y lawnt. Felly gollyngais gynnwys fy mhledren dros hwnnw, yna neidio'n ôl i fyny ar y soffa bluog i gysgu nes byddai Lea yn ei hôl.

Pan gerddodd hi i mewn, deffrais yn syth a neidio oddi ar y soffa tuag ati gan gyfarth fy llawenydd ac ysgwyd fy nghynffon nes bod y plu yn chwyrlïo oddi arna i.

PENNOD 3 _Lea_

Mi wnes i regi. Mi wnes i sgrechian. Ac ro'n i isio blingo'r diawl bach. Roedd fy nhŷ bach del i'n edrych fel tasa 'na haid o _wildebeest_ wedi bod drwyddo fo. Bob dim ar draws y lle, y clustogau ges i o Habitat yn rhacs a fy llyfrau i'n ddarnau a slwtsh a chymylau o blu dros y cwbl. Ro'n i isio crio. A dyna lle oedd Mot yn gwenu arna i efo un glust i fyny a'r llall i lawr, mor falch o 'ngweld i.

Mi wnes i drio rhoi row iddo fo, gweiddi'n gas arno fo er mwyn iddo fo ddallt nad oedd llanast fel hyn yn dderbyniol. Ond mi ddychrynodd y creadur a sgrialu dros weddillion fy wal i a rhedeg rownd y gegin, gan roi ei droed yn y sosban ddŵr nes bod honno'n sblashio i bob man. Ddois i o hyd iddo fo o dan y bwrdd, yn crynu ac wedi gwthio'i hun yn belen i'r gornel. Wedyn ro'n i'n teimlo'n uffernol.

Mi gymerodd oes i mi ei berswadio fo i ddod allan o'r gornel ata i. Ond wedi i mi roi mwytha iddo fo, roedd o'n llyfu fy llaw i ac yna fy wyneb i, ac yn syllu i fyw fy llygaid i fel tasa fo'n ymddiheuro o waelod calon. Ro'n i wedi gweld yr edrychiad yna droeon yn fy mywyd, gan Merfyn yn fwy na neb, a finnau wedi maddau iddo fo bob tro, dim ond iddo fo chwalu 'nghalon i'n ddarnau eto fyth, nes i mi gael y gyts (efo help fy ffrindiau a fy nheulu) i'w hel o allan o 'mywyd i, unwaith ac am byth. Ond dyn oedd Merfyn a chi oedd Mot, ci ifanc oedd fy angen i. Roedd o'n gwneud hynna reit amlwg. Pan aeth ei dafod fach o i fyny 'nhrwyn i, mi wnes i biffian chwerthin. Ond nefi, roedd o'n drewi.

Y peth cynta wnes i oedd ei gario fyny staer a'i roi yn y gawod. Doedd o'n amlwg ddim wedi arfer efo dŵr, ac roedd o'n gwingo fel cnonyn, ond ro'n i'n benderfynol. Ro'n i bron yr un mor wlyb â fo yn y diwedd.

Edrychai'r creadur mor denau ac eiddil wedi i mi olchi'r swigod siampŵ oddi arno fo, ond ro'n i'n falch o weld bod y dŵr yn rhedeg yn glir i lawr y draen o'r diwedd.

'Dyna welliant!' medda fi wrtho fo a'i lapio mewn tywal cynnes. Roedd o'n crynu yn fy mreichiau i ddechrau, ond buan y daeth ato'i hun a dechrau llyfu fy ngên i a 'nhrwyn i eto, a chyn pen dim, roedden ni'n chwarae tyg-o-wôr efo'r tywal. Mi wnes i drio ei sychu efo fy sychwr gwallt ond roedd ganddo ormod o ofn – gwichiodd yn wyllt gan wingo allan o 'ngafael i a rhedeg am y landing. Edrychai am eiliad fel petae o'n mynd i ruthro i lawr y grisiau, ond mi wnes i ddiffodd y sychwr ac mi stopiodd yn stond a throi'n ôl ata i.

'Ty'd, y babi!' medda fi. 'Does 'na'm angen i ti fod ag ofn hwn, sti.' Cymerodd gam gofalus tuag ata i. Ond pan welodd o fi'n codi'r sychwr eto, trodd ar ei union a thaflu ei hun i lawr y grisiau. Llwyddodd i fynd lawr eu hanner yn iawn, ond dwi'n meddwl ei fod o wedi codi gormod o sbid achos mi glywais fflymp a bwmp a gwich. Pan redais i at y landing, roedd o'n gorwedd ar ei gefn ar y llawr, yn gweld sêr yn ogystal â phlu, ddeudwn i. Roedd gen i ofn drwy 'nhin ei fod o wedi torri ei goes neu rwbath, ond na, roedd o'n berffaith iawn. Felly mi wnes i ei roi o allan yn fy 'ngardd' goncrit er mwyn cael llonydd i glirio'r llanast, a rhoi cyfars y soffa i olchi achos roedd rheiny'n drewi hefyd.

Dim ond un o fy llyfrau oedd yn gwbl amhosib ei achub, a dim ond llyfr coginio oedd o: *Delia Smith's Winter Collection*, a do'n i ddim yn debygol o weld colli rysáit 'Oxtail Braised in Guinness with Cannellini Beans' achos mae'n gas gen i flas Guinness a does gen i fawr o awydd coginio cynffon buwch. Ond roedd Mot yn amlwg wedi cael blas garw ar hwnnw a'r 'Beef in Designer Beer', yn ogystal â rhwygo dros hanner y gweddill.

Pan oedd pob pluen wedi ei hwfro a phob clustog un ai'n ôl yn ei lle neu yn y bin, neu'n sychu ar y lein ddillad, es i at ffenest y gegin i weld be oedd hanes Mot. Roedd o'n gorwedd yn swp tamp wrth y drws, yn edrych fel tae'r byd ar ben.

Bron cyn i mi agor y drws, roedd o ar ei draed a'i gynffon fel helicoptar.

'Wel? Tisio dod am dro i'r parc i ti gael sychu dy gôt ac wedyn i'r siop i ddewis gwely a thennyn a phowlen fwyd gall i ti?'

Ro'n i'n teimlo fymryn yn hurt yn mynd â fo i'r parc ar dennyn cortyn bêls oren, ond doedd o'n malio dim wrth gwrs. Roedd cledr fy llaw i'n goch wedi'r holl dynnu bob tro y byddai o'n neidio i drio dal aderyn neu bilipala neu redeg i gyfarch cŵn eraill llawer iawn mwy na fo, a phlant; roedd plant fel magned iddo fo – oherwydd Robin, mae'n siŵr. Roedd rhai plant wrth eu boddau ac yn gwneud ffŷs fawr ohono fo, ond roedd ambell un yn sgrechian a rhedeg milltir. Ac ro'n i isio cicio fy hun pan benderfynodd o wneud ei fusnes ar ganol y gwair, reit o flaen arwydd yn cyhoeddi bod angen codi baw cŵn neu gael ffein o hyd at £500. Doedd gen i ddim bagiau pwrpasol eto, dim hances, dim byd. Diolch byth, roedd 'na hen ddynes fach efo teriar blewog wedi sylwi arnon ni a gweld yr olwg ar fy wyneb i wrth i mi dyrchu drwy fy mhocedi.

'Mae gen i wastad rai sbâr yn fy hambag,' meddai gan estyn pecyn bach du i mi. 'Ac mi faswn i'n prynu tennyn call iddo fo'n o handi taswn i'n chi,' ychwanegodd wrth i mi drio rhwystro Mot rhag neidio ar ben ei theriar blin.

'Diolch! Ar y ffordd i'r siop ydan ni,' medda fi, 'newydd ei gael o ydw i.'

'Tewch â deud,' meddai hi. Roedd rhywbeth yn deud wrtha i mai athrawes wedi ymddeol oedd hi.

Roedd y teriar yn chwyrnu bellach; pam nad oedd Mot yn dallt ei fod o mewn peryg o gael ei frathu? Tynnais yn flin ar y cortyn bêls a chadw Mot wrth fy ffêr wrth blygu i drio delio efo'i faw o. Ond do'n i rioed wedi codi baw ci efo bag plastig o'r blaen a do'n i ddim yn siŵr be oedd y ffordd orau. Cydiais mewn brigyn bychan a cheisio trywanu'r rholyn melyn, meddal er mwyn ei godi i mewn i'r bag.

'Nefi, naci!' meddai'r hen athrawes o'r tu ôl i mi. 'Gadewch i mi ddangos i chi.' Tynnodd fag du arall o'i handbag coch a'i roi am ei llaw fel maneg. 'Fel'na,' meddai, gan blygu i godi carreg fechan a throi'r bag tu chwith allan. 'Hawdd. A chofiwch ei glymu wedyn, a'i roi yn y bin, nid ar gangen nac ar ochr y ffordd fel y bydd rhai moch diog yn mynnu gneud.'

Athrawes – yn bendant. Ro'n i wedi cochi at fy nghlustiau erbyn hyn, ond mi lwyddais i godi'r rholyn oedd bellach yn rholiau a theimlo'n od o falch ohonof fi fy hun. Clymais y bag yn daclus, diolch i 'Miss' eto a llusgo Mot at y bin baw ci agosaf.

O leia roedd ei gôt o wedi sychu yn yr haul a'r awel erbyn hyn. Es i â fo efo fi i mewn i'r siop stwff anifeiliaid anwes, ac roedd o wrth ei fodd. A deud y gwir, roedd o wedi cynhyrfu gymaint, bu'n rhaid i mi ei roi'n sownd i mewn yn y troli. Dwi'n meddwl bod y ddau ohonon ni wedi dewis y gwely a'r powlenni bwyd a dŵr: os oedd o'n cyfarth wrth i mi bwyntio at rywbeth, ro'n i'n cymryd mai 'ia' oedd hynny. Ond fi ddewisodd y tennyn, gan mai fy llaw i fyddai'n gorfod cydio ynddo fo, a fy mhres i oedd o. Ges i goler iddo fo hefyd, am fod yr un oedd ganddo yn edrych mor flêr.

Daeth un o'r staff ata i wedyn a dechrau deud wrtha i y byddwn i angen llawer mwy na hynna ar gyfer ci bach newydd.

'Mae llawer o bobl yn dewis defnyddio harnes yn hytrach na choler y dyddiau yma,' meddai. 'Mae'n fwy caredig, dach chi'n gweld. Achos mae cŵn ifanc yn tynnu gymaint cyn iddyn nhw ddysgu peidio, tydyn?'

'Ydyn…' medda fi gan edrych ar bris yr harnes roedd

hi'n ei ddangos, 'ond sut maen nhw'n mynd i ddysgu peidio tynnu wedyn?'

'O, maen nhw'n dysgu'r un fath, ond dydyn nhw jest ddim yn cael eu choke-io fel efo coler.'

Choke-io. Ro'n i'n gwingo'n fewnol, ond yn deud wrthaf fi fy hun mod i'n lwcus ei bod hi'n siarad Cymraeg o gwbl. Ro'n i'n eitha siŵr y byddai Mrs Jones, ein pennaeth ni yn yr ysgol, wedi ei chywiro hi heb feddwl ddwywaith. Ond dim ond cymhorthydd ydw i; does gen i ddim gradd yn y Gymraeg, felly pwy ydw i i gywiro iaith neb? A do'n i ddim yn hollol siŵr pa air fyddwn i wedi ei ddefnyddio beth bynnag. Crogi, am wn i, sy'n swnio reit derfynol.

'Wela i,' medda fi'n llywaeth. Aeth hi yn ei blaen i egluro bod harnes hefyd yn osgoi gwneud i'r ci gysylltu coler efo tynnu, a bod cŵn, yn enwedig rhai ifanc efo pennau main, weithiau'n gallu llithro allan o'r goler yn llwyr. Ond 'penna tena' a 'totally' ddeudodd hi.

'A tasach chi isio gneud *canicross* efo fo, mae o jest y peth,' meddai gyda gwên glên.

Doedd gen i ddim syniad mwnci be oedd 'canicross'.

'Pan dach chi'n rhedeg efo'r ci,' meddai hi. '*Cross country*. Dach chi'n gwisgo belt rownd eich canol neu'ch hips, wedyn mae'r ci yn sownd ynoch chi efo *bungee lead*, ac mae'r ddau ohonoch chi'n gallu dod yn ffit efo'ch gilydd. Mae cariad fi'n gneud o efo'n labrador ni, ac maen nhw'n cael andros o laff. Ond maen nhw'n rhy ffast i fi.'

Ro'n i'n arfer mwynhau rhedeg traws gwlad yn yr ysgol; ddois i'n drydydd yn y cylch un tro, ond do'n i ddim wedi rhedeg o ddifri ers hynny. Roedd chwarae pêl-rwyd bob nos Fawrth, pilates ar nos Fercher a mynd i'r gampfa efo Leri, fy chwaer, ar fore Sadwrn yn hen ddigon i mi.

'Wel, mae'n rhy fuan i feddwl am betha fel'na, dim ond y *basics* dwi angen rŵan,' medda fi, gan ddechrau byseddu'r teganau ar gyfer cŵn.

'Ia siŵr, ac mi fyddwch chi angen rhyw bump neu chwech o'r rheina i'w gadw o'n brysur,' meddai hithau. Oedd hi'n cael comisiwn? 'A chofiwch y bydd angen ei llnau o,' ychwanegodd gan bwyntio at res o 'Puppy shampoos' a brwshys. 'Ac mae llawer o bobl yn gweld *puppy playpen* yn handi iawn ar y dechra fel hyn.' Pwyntiodd at declynnau mawr caetshlyd efo labeli o £25 i dros £100. Ro'n i'n dechrau teimlo'n sâl. Ond doedd hi ddim wedi gorffen. 'Ac ydi o'n *house-trained*?' Ysgydwais fy mhen yn wan. '*Puppy pads*. Maen nhw'n ffantastic,' meddai hi gyda gwên. 'Pan mae o'n edrych fel tasa fo'n mynd i "fynd", rhowch o ar y pad a deud rhywbeth fel "Potty!" a'i ganmol o a fydd o'n dysgu bod o ddim fod i bi-pi ar y carped. Hawdd!' Edrychais ar Mot. Do'n i ddim yn bwriadu deud 'Potty!' wrth y creadur, byth.

Bu bron i mi gael harten pan es i at y til. Do'n i ddim wedi prynu *puppy playpen* na harnes, ac ro'n i'n siŵr y byddai fy siampŵ i'n iawn iddo fo, ond roedd £114.98 yn dal yn sioc. Dydi cyflog cymhorthydd ddim yn wych. Ro'n i'n dal i deimlo reit sâl wrth lwytho'r stwff i mewn i'r car. A dim ond un bag o fwyd ci o'n i wedi'i brynu – o, ac un neu ddau o'r pecynnau bach sgwâr 'na o gigach a jeli ar foment wan. Faint oedd y ci 'ma'n mynd i'w gostio i mi dros flwyddyn, heb sôn am ar hyd ei fywyd? Be oedd ar fy mhen i? Beryg bod Leri a phawb arall yn iawn wedi'r cwbl, mod i jest yn gwneud y penderfyniadau anghywir dragwyddol.

Dim ond pan oedd o wedi ei fwydo ac yn cysgu'n ddel yn ei wely bach Fellie Plush Dog Bed (Waterproof) £14.99, a finna'n eistedd ar y mat i wylio *Love Island*, y gwnes i sylweddoli ei fod o wedi pi-pi ar y blydi mat.

PENNOD 4 *Mot*

Ro'n i wedi dotio at y gwely bach meddal roedd hi wedi ei brynu i mi, a'r bwyd, a'r teganau, yn enwedig y rhai oedd yn gwichian, ond do'n i ddim mor hoff o'r tennyn. Do'n i ddim yn cael crwydro fel o'r blaen, na deud helô wrth bobl, a dim ond am hanner eiliad fyddai hi'n gadael i mi arogli lle roedd cŵn eraill wedi bod mor glên â gwneud dŵr neu eu busnes. Doedd hi'n amlwg ddim yn dallt pa mor ddifyr a defnyddiol ydi arogl dŵr a baw cŵn eraill i ni: dyna ydi'n Facebook ni. Dan ni'n cael gwybod be roedden nhw wedi ei fwyta, sut roedden nhw'n teimlo, y math o le roedden nhw'n byw ynddo fo, pa mor iach oedden nhw – bob dim. Ac fel efo chi a'ch Facebook, doedden ni ddim wir yn ffrindiau; gan amlaf fydden ni byth yn gweld ein gilydd yn y cnawd, ond os oedden ni'n digwydd cyfarfod: sniff neu ddau, ac roedden ni'n nabod ein gilydd oherwydd y negeseuon: 'O ia, ti ydi'r un sy'n cael cyw iâr bob dydd, ynde!' neu 'Ydi dy stumog di'n well erbyn hyn?'

Ond efo amser, mi wnes i lwyddo i berswadio Lea bod yr arogli yn bwysig i mi, a chael chydig mwy o amser efo 'nhrwyn yn y gwair neu'r postyn ffens. Mae hi wastad wedi bod yn glên fel'na.

Ddois inna i arfer efo'r ffaith ei bod hi'n fy ngadael i ar fy mhen fy hun am gyfnodau hirion. Pan fyddai'n gwisgo ei sgidiau taclus a chydio yn ei bag gwaith, ro'n i'n gwybod. Byddai wastad yn edrych yn euog ac yn gwneud ffŷs ohona i cyn cau'r drws. Ar y dechrau, mi fyddwn i'n crio ac udo am hir wedi i sŵn y car ddiflannu. Ro'n i'n torri 'nghalon, yn poeni na fyddai hi byth yn dod yn ôl, neu y byddai rhywbeth ofnadwy yn digwydd iddi. Poeni amdana i fy hun ro'n i bryd hynny, waeth i mi fod yn onest. Ro'n i mor falch bod rhywun mor annwyl yn edrych ar fy ôl i, yn fy mwydo i a rhoi mwytha i mi. Ond wrth i mi fynd yn hŷn, poeni amdani hi fyddwn i, y byddai rhywbeth yn digwydd iddi a finnau ddim yno i edrych ar ei hôl hi.

Yn gi ifanc, mi ddysgais mai cysgu oedd y peth calla i'w wneud, a breuddwydio am redeg ar ôl cathod a chwningod a chael cwtsho ar y soffa efo Lea. Pan fyddwn i'n deffro, mi fyddwn i'n chwarae efo fy nheganau am chydig, ond heb Lea i chwerthin am fy mhen i, doedd o ddim hanner cymaint o hwyl. Mae'n gywilydd gen i gyfadde, ond mi fyddwn i'n mynd yn rhwystredig iawn ar adegau. Ar y dechrau, byddai'n fy ngadael tu allan yn y sgwaryn bach concrit efo'r potiau blodau os oedd hi'n sych, ond roedd y synau oedd i'w clywed drws nesa ac o'r cefnau yn gwneud i mi gyfarth – a chyfarth. Pan fyddai cath lwyd yn dringo ar ben y wal i sbio arna i efo'i llygaid cythraul a fy nhyrmentio i efo'i chynffon, mi fyddwn i'n cyfarth hyd yn oed yn uwch. Mae'n rhaid mod i wedi gwylltio Mrs Puw drws nesa achos mi daflodd lond bwced o ddŵr drosta i, a phan ddaeth Lea adre, mi welais i nhw'n siarad, a breichiau Mrs Puw yn troelli fel canghennau coeden ifanc ar ddiwrnod gwyntog. Ro'n i hefyd yn gallu gweld y gath lwyd ar ben y wal yn fy nhrywanu efo'i llygaid.

O hynny ymlaen, aros yn y tŷ fyddwn i, ond yn anffodus, roedd rhywbeth yn gwneud i mi fod isio suddo fy nannedd i mewn i rywbeth caled. Dwi'n meddwl mai tyfu dannedd newydd ro'n i, a'r rheiny'n boenus, ond ro'n i angen rhywbeth i'w wneud hefyd. Roedd y teganau'n iawn am ryw bum munud, ond roedd coesau'r bwrdd a'r cadeiriau yn denu'n arw, a chornel galed y soffa. Mae arna i ofn i mi dreulio oriau yn esgus mai esgyrn y gath lwyd oedden nhw.

Mi fues i'n cnoi ar y soffa am rai dyddiau cyn i Lea sylwi. Y diwrnod hwnnw, ro'n i wedi bod wrthi o ddifri, ac wedi llwyddo i rwygo'r defnydd yn stribedi. Pan sgrechiodd Lea mi redais i guddio i'r gegin. Ond pan ddaeth hi i mewn ar fy ôl i a mynd ar ei chwrcwd i sbio'n flin arna i, dyna pryd sylwodd hi ar yr ôl dannedd ar goesau'r bwrdd – a'r cadeiriau.

'Mot! Y snichyn bach slei!' meddai hi. A dyna pryd sylwais i ar y pantiau tywyll dan ei llygaid – roedd hi wedi blino. Eisteddodd yn glewt ar y llawr, ac yn sydyn, roedd ei llygaid hi'n wlyb. Do'n i ddim yn siŵr be i'w wneud. Fyddai hi'n rhoi pelten i mi, fel ges i gan y bobl aeth â fi'n ôl at y fferm? Allwn i ddim credu y byddai hi'n fy mrifo, hyd yn oed os o'n i wedi bod yn wirion. Yn araf bach, bach, cripiais fesul pawen tuag ati, fy mol yn llithro dros y llawr, nes ro'n i wrth ei hymyl. Mentrais lyfu ei llaw a syllu i fyny arni. Edrychodd yn ôl arna i a'i llygaid yn glawio. Rhoddais fy mhen ar ei glin a thrio ymddiheuro.

'Mot bach, be wna i efo ti, dwed?' meddai hi. Doedd ei llais hi ddim yn flin bellach, ond yn llais oedd wedi torri. Doedd hi ddim yn deall be ro'n i'n gwneud fy ngorau i'w ddeud wrthi, ond ro'n i'n eitha siŵr y byddai hi'n deall taswn i'n rhoi llyfiad go iawn iddi. Codais ar fy eistedd a llyfu ei boch. Ches i ddim pelten, felly llyfais ei gên a'i thrwyn, yna eistedd yn ôl i drio darllen ei llygaid. Diolch byth, roedd 'na wên ynddyn nhw. Felly mi daflais fy hun ati a llyfu pob mymryn o groen allwn i ei gyrraedd; ro'n i fymryn yn wyllt, rhaid cyfaddef, ond ro'n i mor falch ei bod hi'n dechrau trwsio ac yn dal i fy ngharu i. Roedd ei chlywed hi'n chwerthin yn gwneud i mi lyfu'n gyflymach, ond efallai na ddylwn i fod wedi llyfu tu mewn ei chlustiau hi. Doedd 'na ddim blas cystal ar y rheiny beth bynnag.

O leia roedd hi'n falch mod i wedi dysgu gwneud fy musnes ar y matiau gwyn yn unig. Do'n i ddim yn eu hoffi nhw, ond os oedd gwlychu'r rheina yn hytrach na'r mat neu'r leino yn gwneud Lea yn hapus, ro'n i'n hapus. A phan lwyddais i o'r diwedd i ddisgyblu fy hun i beidio â chnoi ei dodrefn hi, roedden ni'n dau yn hapusach fyth.

Tu allan ro'n i hapusa wrth gwrs, yn trotian o gwmpas y parc efo cŵn a phobl eraill. Mi fyddwn i'n trotian at gŵn eraill yn hapus fy myd, yn gwenu fel giât, fy nghynffon yn troi mewn cylchoedd ac yn eu cyfarch yn glên. Byddai'r rhan fwya o gŵn yn glên efo finna, a'u perchnogion yn ddigon hapus i adael i ni snwffian ein gilydd – am chydig o leia. Ew, roedd snwffian yn ddifyr yn y dyddiau cynnar hynny. Mae o'n dal yn ddifyr, yn enwedig os mai gast reit ddel sy'n gadael i mi ei harogli hi, ond pan ti'n ifanc, ti jest isio arogli a blasu pawb a phopeth.

Ond un diwrnod, roedd 'na gi reit ddiolwg yn y parc. Nid mod i'n un am farnu, ond doedd hwn ddim y peth delia grëwyd erioed. Efallai ei fod o wedi bod yn eitha tlws pan oedd o'n iau, ond roedd o gryn dipyn yn hŷn na fi bellach, ac yn amlwg ddim yn hapus ei fyd. Roedd ei ben o'n anferth, ei dalcen o'n grychau i gyd fel tasa fo wedi bod yn gwgu drwy'r dydd, bob dydd ers blynyddoedd, a'i glustiau'n fach a phigog. Roedd ei flew o'n fyr a'i gyhyrau'n amlwg, fel ei fod o'n hynod o debyg i'w berchennog mawr, moel, a doedd hwnnw ddim yn edrych fel tae o wedi gwenu ers tro chwaith.

Mi ddylwn i fod wedi gwybod yn well; roedd yr arwyddion i gyd yno erbyn meddwl. Ond be newch chi? Ro'n i mor ifanc a diniwed, ac roedd Lea'n sbio mwy ar ei ffôn nag arna i ar y pryd, ac wedi gadael i'r tennyn fynd yn eitha hir. Es i draw at y ci a deud:

'Haia! Pam wyt ti'n edrych mor flin? Pam na wnei di wenu fatha fi, fyddi di'n ddeliach o beth coblyn wedyn!' Dim ond trio tynnu coes o'n i wrth gwrs, ond mae synnwyr digrifwch pawb yn wahanol, tydi? Ac efallai mod i wedi amseru pethau'n wael, a digwydd taro arno pan oedd o'n teimlo'n fwy sensitif nag arfer. Beth bynnag, cyn i mi fedru darllen ei lygaid o, roedd o wedi neidio amdana i a suddo ei ddannedd mawr, milain o i mewn i mi. Nath o ddim dal yn sownd, diolch byth, neu fyddwn i ddim yma rŵan, ond mi ges frathiad sydyn, poenus yn fy mhen nes ro'n i'n gwichian. Mi glywais i Lea yn sgrechian a'r dyn yn gweiddi, ac yna ro'n i ym mreichiau Lea, yn dal i wichian. Nefi, roedd fy mhen i'n brifo. A bobol bach, roedd Lea'n flin. Wnes i ddim clywed popeth ddywedodd hi am mod i mewn môr o boen ac yn dal i wichian, ond mi wnes i glywed:

'Ci peryglus fel'na! Ddylech chi roi *muzzle* arno fo!' Doedd y ddyn yn amlwg ddim yn hapus bod merch yn siarad efo fo fel'na, achos roedd o'n ei galw hi'n enwau hyll, ac yn chwyrnu arni:

'Meindia di dy fusnes! A dy gi rhech di ddoth aton ni gynta, felly roedd o'n gofyn amdani, doedd!' Dyna pryd agorais i fy llygaid a gweld bod y ci hyll – sori, plaen – yn gwingo ac yn edrych yn sâl. Dwi'n meddwl bod clywed ei berchennog yn codi ei lais fel'na yn ei wneud o'n nerfus. Ond doedd gan Lea ddim llwchyn o ofn y dyn:

'Os ydi o'n brathu cŵn cyfeillgar, ddylech chi ddim dod â fo i rywle cyhoeddus fel hyn!'

'Mae o ar dennyn gen i, tydi! Felly mae gen i berffaith hawl! Tasat ti'n talu mwy o sylw i dy gi dwl di yn lle dy selffis ar y ffôn 'na, fysa hyn ddim wedi digwydd, yr ast wirion!'

Wel, doedd neb yn cael siarad efo Lea fel'na, hyd yn oed os oes ganddo fo bwynt, ac mi wnes i gyfarth yn flin arno fo a thrio neidio allan o freichiau Lea.

'Ha! Does gen ti ddim contrôl drosto fo, nag oes!' poerodd y dyn, cyn troi ar ei sawdl a llusgo'i gi mawr nerfus y tu ôl iddo fo. Mi wnes i gyfarth yn uwch ar eu holau nhw, ond roedd Lea'n fy nal i'n dynn. Pan wnes i sylweddoli ei bod hi'n crynu, mi gaeais fy ngheg a chofio mod i mewn poen. Gollyngodd fi ar lawr, ac estyn am hances o'i bag. Do'n i ddim wedi sylweddoli mod i'n gwaedu. Erbyn dallt, ro'n i'n gwaedu'n ddrwg; roedd o wedi fy nghael i ar fy nghlust ac ochr fy nhalcen.

'Mae 'na dwll yna!' meddai Lea wrth archwilio fy nghlust i. 'Ac mae 'na un mwy fyth yn dy dalcen di! Ty'd, dan ni'n mynd at y fet!'

Ro'n i wedi bod yno o'r blaen, i gael rhywbeth o'r enw *microchip*, ac ro'n i'n dal i gofio'r boen. Felly pan welais i'r holl geir budron a'r drws glas cyfarwydd, mi ddechreuais i wingo a thynnu yn erbyn y tennyn. Ond roedd hi'n benderfynol ac mi ges fy nghario i mewn ganddi. Mae'n gas gen i ogla'r lle: ogla poen a salwch; ac mae'n gas gen i'r sŵn sydd yno hefyd: sŵn crio a dychryn a phoen a hiraeth. Ond mae'r bobl sy'n gweithio yno'n glên ac yn gwenu ac yn trio gwneud i bawb deimlo'n well. Ac mae'n rhaid i mi gyfadde, ro'n i'n teimlo'n llawer iawn gwell erbyn i mi fynd adre, hyd yn oed os o'n i'n gorfod gwisgo'r bali peth lampshêd 'na. Ond dwi'n dal i deimlo'n sâl bob tro y bydda i'n gweld y drws glas 'na.

PENNOD 5

Lea

Es i heibio fy chwaer ar ôl talu bil y fet. Ro'n i angen paned. Mi nath y plant ffŷs o Mot yn syth, a thynnu llwyth o luniau ohono fo yn ei lampshêd. Ond ro'n i'n gallu deud nad oedd Leri'n rhy hapus o gael ci yn ei chegin hi, heb sôn am ar ei soffa hi. Dydi hi rioed wedi bod yn un am anifeiliaid. Mae Cara a Caio jest â marw isio ci, a dwi'n gwybod y byddai Bryn wrth ei fodd efo un hefyd, ond Leri ydi'r bòs, felly mae gynnyn nhw danc pysgod a dyna fo.

Pan wnes i ddeud wrthi sut ro'n i wedi cega ar y dyn moel, nodiodd ei phen yn llawn edmygedd.

'Ti? Waw.'

'Dwi'n gwbod. Ddim fatha fi, nacdi?' Ysgydwodd ei phen. Leri oedd yr un ddewr, gegog erioed, a finnau fel rhech mewn dŵr oer, yn ormod o fabi i wrthwynebu unrhyw un oedd yn chwilio am rywun i bigo arno. Mae'n rhaid bod fy niffyg asgwrn cefn yn amlwg i bobl fel'na, wedi ei stampio mewn neon ar fy nhalcen i, achos roedden nhw wastad yn dod o hyd i mi.

'Mae'n amlwg bod cael ci yn tynnu'r gorau allan ohonot

ti'n barod,' meddai Bryn o'r soffa, lle roedd o a'r plant yn rhoi mwytha mawr i Mot. 'Mi fyddai'n tynnu'r gorau allan ohonan ni hefyd, sti, Leri.'

'Ddim tra dwi'n byw yn y tŷ 'ma, gyfaill,' meddai Leri. 'Dwi'n hwfro digon fel mae hi.'

'Ond mae 'na *designer dogs* rŵan, sydd ddim yn colli blew!' meddai Cara. 'Fel *labradoodles*, fel sgen Gemma!'

'Swnio mwy fatha ceiliog…' meddai Leri. 'Dydan ni ddim yn cael ci, a dyna ni! A 'di hwnna ddim wedi cael ei house-trênio'n iawn eto, felly cerwch â fo allan i'r ardd – rŵan!' Dyna un peth am Leri: mae hi wedi hyfforddi ei theulu'n arbennig o dda. Aethon nhw i gyd allan yn ufudd, gan gynnwys ei gŵr hi.

Pan wnes i ddeud wrthi faint ro'n i newydd ei dalu i'r fet, mi dagodd hi ar ei choffi.

'Bly-nefi wen! Dyna i ti reswm arall pam dwi'm isio i'r rhain gael ci – mae plant yn ddigon drud fel mae hi.'

Wnes i ddim meiddio deud wrthi faint ro'n i wedi ei wario yn y siop stwff anifeiliaid anwes.

'Ac am faint mae o'n gorfod gwisgo'r côn plastic 'na?' gofynnodd.

'Wythnos, ella ddeg diwrnod, dibynnu pa mor sydyn fydd y briwiau'n gwella.'

'Am gybôl…' snwffiodd. 'Wel, gobeithio fydd o werth o.'

'Wel bydd, siŵr, i'w stopio fo rhag crafu'r pwythau,' atebais.

'Naci, y bydd y drafferth a'r gost a'r hasyl o gadw ci

werth o,' meddai hi. 'Ond dyna fo, mae o'n gwmni am wn i... pryd mae Peter off nesa?'

'Peter? Mewn rhyw wythnos, dwi'n meddwl.'

'Ti'n meddwl... ti'm yn gwbod?'

'Nacdw, dwi'm angen gwbod pob symudiad mae o'n neud, sti, a bosib fydd o isio gweld chydig o Mecsico cyn dod adre. Dyna fyswn i'n neud taswn i'n fo.'

Roedd Peter yn gweithio ar *oil rig* yng Ngwlff Mecsico y tro yma; roedd o'n cael ei yrru dros y byd fel peiriannydd a do'n i ddim wedi ei weld o ers mis bellach. Ro'n i'n edrych ymlaen at ei weld o wrth reswm, ond doedd o ddim fel tasan ni wedi dyweddïo na dim byd felly. Dim ond ers chwe mis roedden ni'n rhyw lun o ganlyn, a do'n i ddim wedi meddwl llawer amdano fo ers cael Mot, taswn i'n onest.

'Faswn i byth yn fodlon i Bryn fynd ar wyliau hebdda i,' meddai Leri gan wthio pecyn o fisgedi ata i. 'A dwi'n gobeithio na fysa fo isio mynd hebdda i beth bynnag.'

'Pawb yn wahanol,' meddwn cyn brathu mewn i hobnob. 'A dydan ni ddim yn byw efo'n gilydd, cofia. Jest gweld ein gilydd pan mae o adre.'

'Uffar o bishyn, cofia,' meddai Leri, a'i cheg yn llawn hobnoben. 'Mae hwnna'n un rhy dda i'w golli.'

Gwenais i mi fy hun. Ro'n i'n deall yn iawn be oedd hi'n osgoi ei ddeud yn rhy blaen: fy mod i wedi colli sawl un da yn y gorffennol, wedi gwastraffu cymaint o fy mywyd a fy emosiynau ar snichyn fel Merfyn, a'i bod hi (a phawb arall o ran hynny) wedi synnu mod i wedi bachu Peter Meredydd o bawb. Do'n i ddim cweit yn ei gredu fy hun os dwi'n onest. Roedd o'n andros o bishyn, ond ro'n i'n eitha siŵr mai ei gyflog o oedd yn ei roi ar frig yr ysgol ym marn Leri. Dwi'n meddwl y byd ohoni, ond mae pres wastad wedi bod yn bwysicach iddi hi na fi. Mi ddechreuodd hi gynilo ei phres poced yn 12 oed; ei wario fo i gyd ar fferins a chomics fyddwn i, a rhywsut, roedd hi wastad yn gallu fy mherswadio i rannu fy fferins efo hi. Mae hi'n pregethu wrtha i am bwysigrwydd ISAs ac ati bob hyn a hyn, a does gen i ddim syniad am be mae hi'n sôn, na phres sbâr i'w roi yn unlle beth bynnag.

Daeth sŵn chwerthin uchel o'r ardd: Mot wedi gwneud rhywbeth gwirion eto.

'Be mae o'n feddwl o'r ci?' gofynnodd Leri.

'Mae gan Mot enw…' gwenais. 'A dydi Peter ddim wedi ei gyfarfod o eto, nacdi?'

'Ond ti wedi deud wrtho fo bod gen ti gi, yn do?'

Nodiais. Ro'n i wedi whatsappio llun ato fo, ac yntau wedi ateb efo 'Del. Gobs bo ti ddim yn gadael iddo fo gysgu ar gwely.'

Ro'n i wedi cael fy nhemtio. Y llygaid brown 'na'n syllu arna i mor drist pan fyddwn i'n sefyll wrth droed y grisiau, yn barod i ddiffodd y golau. Y gwichian a'r snwffian yn treiddio i fyny i'r llofft pan fyddai o'n trio dringo a gwthio heibio'r giât plentyn ro'n i wedi ei benthyg gan Leri. Ond roedd y genod yn yr ysgol wedi fy rhybuddio o'r dechrau mai'r peth ola ddylwn i neud efo ci oedd gadael iddo fo gysgu ar y gwely efo fi.

'Blew a baw dros dy ddillad gwely di dragwyddol – paid! Neu mi fyddi di'n gorfod newid dillad y gwely rownd ril.' Ro'n i'n casáu gwaith tŷ a newid dillad gwely yn fwy na dim, felly ro'n i wedi mynnu ei fod yn aros yn ei wely ei hun yn y gegin. Ond byddai fy nghalon yn gwaedu bob tro y byddwn i'n deud 'Nos da' wrtho fo. Roedd 'na chydig o ddagrau yn fy llygad pan ffarweliais i efo Peter dros fis yn ôl wrth gwrs, ond chwerthin a gwneud llanast o 'ngwallt i roedd hwnnw wedi ei neud, nid syllu'n hiraethus arna i efo llygaid melfed fel Mot, a minnau ddim ond yn mynd i fod mewn stafell wahanol iddo fo dros nos.

Y noson honno, ges i neges gan Peter: 'Manchester Mercher nesa 7.20. Tisio dod i nôl fi? Cofia jecio'r teiars.' Byddai mynd i'w nôl o yn golygu colli fy noson pilates, a byddai'n rhaid i mi fenthyg teclyn Sat Nav gan rywun, achos er mod i reit dda yn ffendio fy ffordd o gwmpas yn lleol, rhowch fi ar draffyrdd mawr, prysur neu ar rowndabowts efo mwy na dwy lôn, dwi'n panicio'n rhacs. A byddai'n rhaid i Mot ddod efo fi – rhag ofn bod yr awyren yn hwyr neu mod i'n colli fy ffordd neu rywbeth, a ph'un bynnag, ro'n i'n ysu iddo fo a Peter gyfarfod ei gilydd.

Ro'n i'n gwybod sut i wirio fy nheiars ar ôl cael ffein y flwyddyn cynt am yrru o gwmpas efo rhai cwbl foel, felly do'n i'n poeni dim am hynny.

Ond byddai'n rhaid i mi brynu rasal newydd.

PENNOD 6 _Mot_

Ro'n i'n gwybod bod rhyw ddrwg yn y caws pan ddaeth Lea i lawr y grisiau efo arogl gwahanol arni, ei gwallt i fyny ar dop ei phen a rhyw bethau llachar yn pendilio o'i chlustiau hi. Roedd hyd yn oed ei chroen hi'n lliw gwahanol a'i gwefusau hi'n sgleinio'n goch. Ac roedd hi'n ffysian yn arw, yn sbio yn ei bag, wedyn yn y drych, wedyn ar y cloc, wedyn yn ei bag am yr eildro, ac yna'n gwneud y cwbl eto, mewn trefn wahanol. Roedd fy mhen i'n troi yn sbio arni.

Roedd hi wedi bod â fi am dro ar ôl dod adre o lle bynnag roedd hi'n mynd bob dydd, ond yr eiliad ro'n i wedi gorffen gwneud fy musnes, roedd hi wedi troi'n ôl am y tŷ. Edrychais arni'n hurt am sbel.

'Ty'd, Mot, plis!' meddai mewn llais gwichlyd. 'Awn ni am dro hir, hir fory, dwi'n addo!'

Ac wedyn roedden ni yn y car, a rhyw declyn efo llais rhyfedd yn cyfarth arni dragwyddol. Ymlaen ac ymlaen ac ymlaen â ni nes bod y mynyddoedd yn diflannu a miloedd o geir a lorris yn cymryd eu lle nhw o'n cwmpas ni. Do'n i erioed wedi bod yn y car mor hir ac ar ôl oes o'r llais rhyfedd 'na, ro'n i'n ysu isio gwneud dŵr. Felly mi wnes i ddechrau gwichian i drio egluro iddi bod 'na broblem. O'r diwedd, a 'mhledren i bron â byrstio, mi sylweddolodd be ro'n i wedi bod yn trio'i ddeud wrthi.

'O, sori, Mot!' meddai. 'Mae'n siŵr dy fod ti jest â byrstio, dwyt! Aros di, mae 'na le paned cyn bo hir. Dyro gwlwm ynddi... jest am fymryn bach hirach.'

Pan barciodd hi'n sydyn, ac estyn i roi tennyn arna i, mi neidiais i allan bron cyn iddi agor y drws. Ond ro'n i methu gweld gwair yn unlle. Pan gyrhaeddais i fymryn o wyrddni oedd yn garped o lanast pobl a baw cŵn eraill, nefi, am ryddhad.

Ro'n i isio snwffian o gwmpas wedyn, wrth reswm. Roedd y daith wedi bod mor hir a diflas. Chwarae teg iddi, mi adawodd i mi grwydro am chydig, ond roedd hi'n edrych ar y cloc bach ar ei garddwrn yn aml, a chyn hir, roedd hi'n tynnu ar fy nhennyn i ac ro'n i'n gorfod mynd yn ôl i'r car bach gwyn.

Ro'n i wedi ei arogli o ymhell cyn hi, ond roedd hi wedi setlo yn ei sedd a gwisgo'r belt amdani cyn dechrau crychu ei thrwyn. Edrychodd arna i yn gynta, ond mi sythais ac agor fy llygaid yn fawr i drio cyfleu iddi nad y fi oedd yn gyfrifol tro 'ma. Pan sylweddolodd hi ei bod hi wedi sathru mewn baw ci, mi sgrechiodd. Ro'n i'n dallt yn iawn, achos roedd y ci oedd wedi ei neud o yn amlwg wedi bwyta rhywbeth oedd wedi hen bydru. Mi fuodd hi wrthi am sbel go lew yn glanhau gwaden ei hesgid a charped y car efo rhyw ddarnau bach gwyn, ac yn chwistrellu rhywbeth efo arogl afiach o gryf drosti hi, y car – a fi – wedyn.

Erbyn iddi aildanio'r car, roedd ei hwyneb yn goch, ei gwallt hi wedi dod i lawr o'i phen hi chydig, ac roedd hi'n gweiddi ar y teclyn efo llais rhyfedd. Aethon ni rownd mewn cylch mawr o leia ddwywaith cyn iddi hi a'r llais stopio gweiddi ar ei gilydd, ac am fod ei ffenest hi ar agor, roedd mwy a mwy o'i gwallt hi'n dod yn rhydd.

Ro'n i'n gwybod yn iawn bod ei chalon hi'n curo'n hurt o gyflym a bod dagrau yn ei llygaid, felly ro'n i isio llyfu ei hwyneb i ddangos mod i'n dallt a mod i yno'n gefn iddi. Felly mi ddringais i fyny ar y sedd ac estyn drosodd i lyfu ei thrwyn.

Dwi'n meddwl mai lwc mul oedd hi na wnaethon ni daro neb, ond roedd 'na fibian a honcian uchel yn dod o bob cyfeiriad, a phan lwyddodd Lea druan i dynnu i ochr y ffordd, ro'n i'n gwybod mod i wedi gwneud camgymeriad. Roedd y dagrau wedi troi'n nentydd ar ddiwrnod stormus, ac roedd hi'n crynu. Ddim hi oedd yr unig un. Ac ro'n i isio pi-pi eto.

O leia roedd y llais rhyfedd wedi tawelu o'r diwedd.

Mi wnes i drio gwneud fy hun yn fach, fach. Roedd gen i ofn cael cweir fel y byddai mam Robin yn ei roi i mi, neu gic fel dynes y sgidiau efo gwadnau coch, a fedrwn i ddim peidio rhoi rhyw hanner gwich o grio bob hyn a hyn. Ro'n i wedi gwneud llanast o bethau eto, a byddai Lea, hefyd, yn mynd â fi'n ôl i'r siop.

Ond ar ôl chydig, mi dawelodd hi, mi stopiodd grynu ac mi drodd ata i efo gwên wlyb.

'Sori, Mot. Dwi'n dallt mai dim ond trio helpu oeddet

ti, ond paid byth â thrio llyfu 'ngwyneb i pan dwi'n gyrru eto – iawn?'

Ceisiais wenu yn ôl arni. Estynnodd ei llaw ata i, ac mi wnes i ei llyfu yn araf, ofalus. Wedyn mi wnaeth hi roi mwytha i mi, ac ro'n i'n gallu anadlu eto. Yn anffodus, wrth ymlacio, mi ymlaciodd fy mhledren hefyd.

Ro'n i'n meddwl ei bod hi'n mynd i grio eto, ond ar ôl eiliadau hirion o dawelwch llwyr, mi ddechreuodd chwerthin.

'O, Mot...' ac o fewn dim, roedd y car wedi cychwyn a'r llais rhyfedd yn swnian eto. Mi wnes i drio glanhau rhywfaint arna i fy hun yn y cyfamser. Roedd gen i ffasiwn gywilydd.

Mi stopiodd hi eto pan oedd 'na lai o draffig yn saethu a bibian heibio i ni, a fy rhoi ar dennyn i mi gael crwydro chydig. Wedyn mi fu'n trio mopio'r gwlybaniaeth a chwistrellu'r stwff arogl cry 'na eto.

'Lwcus mod i wedi cychwyn yn gynnar, ynde!' meddai wrtha i. 'Rŵan 'ta, Mot, dan ni bron yn y maes awyr, a cha i ddim dod â ti i mewn, felly bydd raid i ti aros yn y car, iawn? Ac wedyn gei di gyfarfod fy nghariad i, Peter. A dwi'n siŵr y bydd o wedi gwirioni efo ti, yn union yr un fath â fi.'

Mi ges fy neffro gan 'glic' y car yn datgloi. Neidiais i fyny ar y sedd a gweld Lea a dyn tal, gwallt tywyll yn dod tuag ata i. Roedd ei fraich o amdani, a do'n i erioed wedi gweld neb yn cyffwrdd Lea fel'na o'r blaen, fel petae o'n trio deud wrth y byd mai fo oedd pia hi. Roedden nhw'n chwerthin, ond do'n i'n bendant ddim yn teimlo fel chwerthin. Ro'n i'n falch o weld bod Lea'n ôl yn ddiogel wrth gwrs, ond ro'n i angen gwybod pwy oedd y dyn yma, a pham ei fod o'n cydio am Lea fel'na. Pwy oedd o'n feddwl oedd o?

Agorodd Lea y drws a mynd ar ei chwrcwd i mi gael ei chroesawu hi'n ôl a'i llyfu'n frwd. A deud y gwir, mi wnes i sioe fawr o'i llyfu, sioe fwy nag arfer, er mwyn gwneud pwynt i'r dyn 'ma. Chwerthin oedd o, gan ddal i sefyll y tu ôl iddi efo rhyw fag mawr du ar ei gefn.

'O, Mot! Sgen i'm mymryn o fêc-yp ar ôl ar fy ngwyneb rŵan!' chwarddodd Lea. 'Ty'd i ddeud helô wrth Peter!' Dal i sefyll wnaeth hwnnw a rhyw lun o wenu i lawr arna i.

'Helô Mot,' meddai.

Llais eitha dwfn, dim byd rhy fygythiol ynddo fo. Llygaid glas fel Lea, ond glas goleuach, fel tasan nhw wedi gadael y glaw i mewn. Eisteddais ar y tarmac a'i astudio. Roedd hi'n berffaith amlwg nad oedd o wedi arfer efo cŵn. Ro'n i'n gallu deud o'r ffordd roedd o'n sefyll, o'r ffordd roedd ei ysgwyddau a'i gefn o'n aros yn stiff, ac roedd o methu sbio'n iawn yn fy llygaid i.

'Pam ei fod o'n sbio arna i fel'na?' gofynnodd i Lea.

'Dwn i'm. Dy astudio di am wn i. Mae o'n gi ofnadwy o glyfar.'

'Be? 'Di o'n gallu gneud syms? Darllen?' meddai gan hanner chwerthin.

Dwi'n gallu dy ddarllen di, mêt, meddyliais.

'Be am i ti roi dy fag yn y cefn ac wedyn dod lawr ato fo i ddeud helô yn iawn?' meddai Lea wrtho. Felly, wedi taro ei fag yng nghefn y car, cerddodd y dyn o'r enw Peter yn ôl aton ni efo'i goesau hirion, main a'i sgidiau sgleiniog a phlygu'n swta wrth ochr Lea.

'Helô,' meddai eto. 'Sut wyt ti, Mot?' Estynnodd ei law i drio mwytho top fy mhen i, ond tynnais fy mhen yn ôl.

Rhy sydyn, gyfaill, meddyliais. Dwi isio dy arogli di gynta.

'Estyn dy law at ei drwyn o iddo fo gael dy ogleuo di,' meddai Lea. Rhoddodd edrychiad iddi, yna ufuddhau. Llaw daclus, dipyn llai na llaw tad Robin. Sniffiais yn ofalus. Chwys, chydig o sebon, olion cig – cyw iâr, a saws tomato, a mymryn o dybaco. Ro'n i'n rhy ifanc i fedru dadansoddi mwy na hynny ar y pryd. Ymhen rhyw chwe mis, wedi i mi gael mwy o brofiad bywyd a phobl, mi fyddwn i'n gallu deud faint oedd oed rhywun, pa mor iach oedden nhw, pob math o bethau. Ond roedd fy synhwyrau ifanc yn fy ngwneud yn ddrwgdybus o hwn. Efallai mai cenfigen oedd o, wrth gwrs. Ro'n i'n gallu deud yn syth ei fod o'n genfigennus ohona i.

Wnes i ddim ei lyfu o, dim ond edrych yn ei lygaid o, yn trio gadael iddo fo wybod fy mod i'n mynd i fod yn ei wylio yn ofalus. Yna edrychais ar Lea. Roedd hi'n amlwg yn siomedig mod i ddim wedi rhoi fy nghroeso arferol i'r dyn.

'Dydi o'm yn licio fi,' meddai hwnnw'n bwdlyd, gan godi ar ei draed eto.

'Dydi o'm wedi arfer efo ti eto, nacdi?' meddai Lea. 'Mi fydd o wrth ei fodd efo ti toc, siŵr, pan fyddi di wedi chwarae efo fo, taflu pêl ac ati.'

''Sa well gen i chwara efo ti…' meddai Peter, gan stwffio ei law i fyny cefn ei blows hi, 'ac i ti chwarae efo 'mheli i…' ychwanegodd gan roi ei dafod hir, binc yn ei chlust hi.

Wel, fedrwn i ddim peidio. Chwyrnais yn hir ac yn isel. Pa hawl oedd gynno fo i fyseddu a siarad yn fudur fel'na efo hi? A dim ond fi oedd yn cael rhoi fy nhafod yn ei chlust hi! Nid mod i'n gwneud hynny'n aml – ro'n i wedi dysgu nad oedd hi'n hoffi hynny ryw lawer, a doedd hi'n amlwg ddim yn hoffi ei dafod o yna chwaith.

'Mot! Paid â chwyrnu fel'na!' ceisiodd Lea chwerthin. 'Mae'n rhaid ei fod o'n jelys, yli…'

'Wel sori, mêt,' meddai Peter, 'ond fi oedd yna gynta.' Wedyn mi gollodd hynny o ddiddordeb oedd gynno fo ynof fi a throi at Lea. 'Reit, ti sy'n gyrru 'de? Dwi'n nacyrd.'

Mi sylwais i'n syth ei fod o'n anelu am fy rhan i o'r car bach gwyn, felly mi neidiais i mewn o'i flaen o ac ymestyn fy nghorff dros lle fyddai o'n trio rhoi ei sgidiau sgleiniog.

'Oi! Fi sy'n fanna!' meddai o'n biwis i gyd.

Sori, mêt, ond fi oedd yma gynta, meddyliais, gan wenu ar Lea.

'Fanna mae o wedi arfer bod, ti'n gweld,' ceisiodd hi egluro wrth fo. 'Os wthiwn ni'r sedd reit 'nôl, fydd 'na le i'r ddau ohonoch chi.'

'Ddim diawl o beryg,' meddai yntau, 'dwi'm isio blew ci dros fy nhrwsus i. Ti'n amlwg wedi sbwylio'r ci 'ma'n barod. Rhaid i ti ddangos iddo fo pwy 'di'r bòs.' Trodd i edrych arna i, a gweiddi: 'Allan! Rŵan!'

Symudais i'r un blewyn wrth gwrs. Mi driodd weiddi arna i eto, ac mi wnes i esgus mod i'n fyddar. Yna mi bwysodd ymlaen i gydio yn fy ngholer i. Felly mi chwyrnais – yn fygythiol hefyd. Ddangosa i pwy ydi'r bòs, 'mêt'. Mi weithiodd, achos mi fagiodd yn ôl reit handi.

'Lea! Gwna i'r diawl symud!' meddai'n flin. Felly mi ddoth Lea ata i a mynd ar ei chwrcwd.

'Plis, Mot, ty'd allan o fanna,' meddai'n glên, 'gei di fynd yn y cefn, yli, does 'na'm lle i ti a fo yn fanna.'

'Be 'di pwynt trio siarad efo fo fel'na?' wfftiodd Peter. ''Di o'm yn dallt brawddegau hirion fel'na, nacdi? Ci ydi o! Jest deuda "Allan!" a'i dynnu fo. Mi ddalltith wedyn.'

Roedd bochau Lea wedi troi'n binc.

'Dwi rioed wedi gorfod dysgu "Allan" iddo fo,' meddai hi'n dawel a chelwyddog.

'Bryd i ti neud felly.'

Anadlodd hi'n ddwfn cyn deud:

'Mot? Allan.'

Do'n i ddim yn siŵr be i'w neud rŵan. Do'n i'm isio peidio gwrando ar Lea, ond do'n i ddim isio iddo fo gael ei ffordd ei hun chwaith. Edrychais arni'n ddagreuol. Plis paid â gadael i hwn dy fwlio di, dywedais wrthi. Ond:

'Allan plis, Mot,' meddai hi eto. Wnes i'm symud. Wedi rhai eiliadau, trodd hi ato fo eto. 'Ddeuda i wrthat ti be, fysa hi'm yn haws i ti yrru? Achos dwi 'di blino hefyd, a ti'n casáu'r ffordd dwi'n gyrru.'

'Na, paid â gadael i'r ci ennill,' meddai o'n syth, 'neu mi fydd o'n meddwl mai fo ydi'r *pack leader*. Tynna fo o 'na.'

Rhoddodd Lea fwytha yn llawn ymddiheuriad i mi.

'Agora'r drws cefn 'ta,' meddai hi wrtho fo cyn llithro ei breichiau oddi tana i, a 'ngharïo i allan. Rhowlio ei lygaid wnaeth o, ac agor y drws cefn a gwthio ei bag hi a'i gôt o i'r ochr draw. Cefais fy ngosod ar y sedd – doedd 'na'm lle i mi ar lawr wedi i Peter wthio'r sedd flaen reit 'nôl. Ro'n i'n siomedig wrth gwrs, ond ro'n i'n gobeithio – naci – gweddïo – y cawn i gyfle arall i roi'r crinc Peter 'ma yn ei le.

Roedd y daith yn ôl yn hir a wnes i'm cysgu winc achos roedd o'n beirniadu ei gyrru hi dragwyddol:

'Naci! *Inside lane* siŵr dduw!'

'Argol, dyro dy droed lawr neu fydd hi'n wsnos nesa arnan ni'n cyrraedd…'

'Watsia hwnna! Blydi hel, Lea, ti'n beryg bywyd!'

Ro'n i wedi disgwyl iddi gega arno fo a sefyll fyny drosti ei hun, ond ddeudodd hi ddim byd heblaw ambell 'sori' llywaeth, a mynd yn fwy a mwy nerfus. Ro'n i'n gallu gweld bod ei migyrnau hi wedi troi'n wyn, roedd hi'n cydio mor dynn yn y llyw.

Roedd radio Lea wastad ar Radio Cymru, ond mi newidiodd o fo i rwbath Saesneg yn syth. A'i newid o i rwbath arall wedyn. Ac eto wedyn, jest fel ro'n i'n dechrau mwynhau cân go neis. Roedd gen i'r ysfa ryfedda i blannu fy nannedd yn ei war o.

Wedi rhyw ugain munud o sgwrsio a siarad budur efo Lea – a rhoi ei law hyll ar dop ei choes hi, y sglyfath – roedd o wedi dechrau ffonio ei ffrindiau i drefnu 'sesh' a 'bendar' a 'golff', be bynnag oedd rheiny, rhwng gweiddi ar Lea am beidio indicetio'n ddigon sydyn neu frecio'n rhy araf, a chwyno bod 'y ci 'na wedi rhechan'. Do'n i ddim. Roedd hi'n amlwg bod Lea wedi methu glanhau baw'r ci arall yn llwyr.

Wedi milltiroedd arteithiol o hir ac annifyr, ro'n i isio gwneud dŵr eto, ond roedd Lea'n amlwg wedi anghofio nad oedd fy mhledren i'n fawr iawn. Mi wnes i drio gwichian ond roedd o wedi rhoi sŵn y radio'n rhy uchel, doedd? Yna, mi edrychais ar ei gôt o wrth fy ochr i, a'i harogli. Lledr. Plannais fy nannedd ynddi a'i llusgo tuag ata i, yna gorwedd arni, ac ymlacio.

PENNOD 7 _Lea_

Ro'n i wrth fy modd yn gweld Peter yn dod drwy'r drysau tuag ata i yn y maes awyr. Mae gynno fo ffordd o gerdded sydd mor hamddenol, y coesau hirion 'na'n camu drwy fywyd mor fodlon, efo mymryn o fowns bach tebyg i John Travolta yn cerdded drwy strydoedd Efrog Newydd i gyfeiliant 'Stayin' Alive' y Bee Gees yn yr hen ffilm 'na. Mi ges i anferth o wên pan welodd o fi, gwên wnaeth i fy stumog i neidio i fy nghorn gwddw i. Ac mi ges i gwtsh hir, cynnes wedi i mi frysio tuag ato fo. Ar ôl cusan hir, ddofn, mi gladdais fy mhen yn ei war o a'i anadlu o i mewn i mi. Do'n i ddim wedi sylweddoli cymaint ro'n i wedi ei golli o, ac mi ges y teimlad sydyn mai hwn, efallai, oedd yr un. Do'n i ddim wedi gadael i mi fy hun ddychmygu'r fath beth tan hynny, ac mi ddechreuodd fy llygaid lenwi.

'Falch o 'ngweld i?' chwarddodd, gan roi ei fraich am fy ysgwydd. 'Ty'd, adre'n o handi, i ni gael gneud fyny am y mis dwytha 'ma.' Roedd hi dros bump wythnos mewn gwirionedd, ond wnes i mo'i chywiro. Ro'n i'n rhy hapus, ac roedd y ffaith ei fod o'n amlwg mor falch o 'ngweld i, ac yn edrych ymlaen gymaint â fi at gael cyffwrdd yng nghnawd noeth ein gilydd eto wedi fy ngwneud yn groen gŵydd drosta i. Ro'n i'n edrych ymlaen mor ofnadwy at gael rhannu fy mywyd, fy ngwely, fy nheimladau – bob dim – efo fo eto.

'Dwi wedi dod â Mot efo fi,' meddwn wrth i ni gerdded i gyfeiriad y maes parcio. 'Ro'n i wedi gobeithio dod â fo mewn i fama i aros amdanat ti, ond dim ond cŵn tywys geith ddod mewn, felly mae o yn y car, a fedra i'm disgwyl i ti ei gyfarfod o!'

'Ti 'di dod â'r ci?!' meddai. 'Blydi hel, Lea… ti'm yn gall! Ond dyna pam dwi'n licio ti, mae'n siŵr… nytar.' A rhoddodd gusan arall i mi.

Wnaeth Mot ddim cymryd ato fo fel ro'n i wedi'i obeithio, a doedd Peter yn amlwg ddim yn foi cŵn. Ro'n i jest wedi cymryd yn ganiataol bod pawb yn licio cŵn am ryw reswm, ond chwarae teg, dydi pawb ddim yn gwirioni 'run fath, nacdi? Mi ddysgais i'n o handi bod gan rai pobl wirioneddol eu hofn nhw. Mi wnaeth Mot a fi gyfarfod ryw ddynes a'i phlant wrth fynd am dro bythefnos yn ôl, ac er bod Mot ar dennyn, mi wnaethon nhw i gyd ddechrau sgrechian. Mi fasech chi'n taeru bod gen i anferth o bry cop blewog ar fy nhennyn i, yn hytrach na chi ifanc, hapus ei fyd. Wel, hapus tan hynny; mi ddychrynodd am ei fywyd pan ddechreuon nhw sgrechian fel'na, a rhedeg rhwng fy nghoesau i, ei gynffon rhwng ei goesau.

Roedd y ddynes yn gweiddi arna i i gadw draw, bod ei phlant hi'n 'terrified'!

'So's my dog!' meddwn wrthi. Doedd gen i ddim syniad

pam eu bod nhw'n ofni cŵn gymaint, ond o 'mhrofiad i fel cymhorthydd, tueddu i ddysgu gan eu rhieni mae plant, a'r fam ddechreuodd sgrechian gynta. Ond gan fod gen i fy ofnau fy hun (siarad yn gyhoeddus, rhywun yn gweiddi arna i, moch – ar ôl profiad anffodus yn Sioe Llanelwedd) ro'n i'n dallt, ac yn difaru mod i wedi cega ar y ddynes. Wel, wnes i ddim cega, dim ond trio gwneud iddyn nhw ddallt eu bod nhw wedi dychryn fy nghi bach ifanc i. Mae'n gas gen i gega, ac mae unrhyw arwydd o ffrae yn gwneud i mi fod isio chwydu. Doedd dim pwynt trio eu pasio, felly wnes i jest troi'n ôl, ac o fewn pum munud, roedden ni'n cyfarfod dyn efo slaff o St Bernard. Mi wnes i ddeud wrtho fo bod 'na deulu oedd ag ofn cŵn rownd y gornel, ond dim ond codi ei ysgwyddau wnaeth o, a deud 'Tyff' dan ei wynt. Wnes i'm aros i glywed y sgrechian.

Wrth yrru am adre efo Peter, ro'n i'n difaru f'enaid mod i wedi dod â Mot efo fi. Roedd o'n amlwg yn gamgymeriad. Ro'n i wedi dychmygu'r ddau yn cymryd at ei gilydd yn syth, Mot yn bownsio'n gynnwrf i gyd dim ond wrth weld Peter ac yn llyfu ei wyneb o'n rhacs, a Peter yn chwerthin a rhoi mwytha chwareus i Mot a chael ei gyfareddu gan ei lygaid brown, meddal o. Ond ddim felly ddigwyddodd pethau. Roedd y ddau yn amlwg yn amheus o'i gilydd yn syth, ac wedyn yn f'atgoffa o'r olygfa sy wastad mewn hen ffilmiau cowbois: dau foi llawn testosteron yn rhythu'n ddisymud ar ei gilydd, eu bysedd filimedrau i ffwrdd o'u gynnau, yn ysu am fod y cynta i saethu'r llall.

Ro'n i wedi gweld Peter yn edrych fel'na o'r blaen, pan wnaeth rhyw foi mewn dillad mynydda drud ddechrau fflyrtian efo fi wrth y bar mewn acen debyg i Boris Johnson. Roedd hynny wedi fy nhiclo ar y pryd, fy mhlesio hyd yn oed: dau ddyn fel dau geiliog yn paratoi i frwydro drosta i! Wel, cega o leia. Ond wnes i ddim gadael i bethau ddatblygu'n bellach na rhythu'r tro hwnnw. Es i'n syth at Peter ac aeth Boris at ei fêts swnllyd yn y gornel.

Ond do'n i erioed wedi gweld Mot yn ymddwyn fel'na. Efallai y byddai gast wedi bod yr un fath yn union tasa rhywun diarth wedi trio cydio yn ei choler hi, ond testosteron welais i'n fflachio yn llygaid Mot, ac yn y ffordd wnaeth o chwyrnu. Roedd o'n dal yn ifanc, ond mae cŵn yn amlwg yn aeddfedu'n gyflym.

Ro'n i methu ymlacio o gwbl yr holl ffordd adre, felly ro'n i'n gyrru'n waeth nag arfer. Dim rhyfedd fod Peter yn dwrdio cymaint arna i. Ro'n i isio cicio fy hun am fod mor dwp.

Pan gyrhaeddon ni ei dŷ o, bu bron i Peter sgrechian pan ddalltodd o bod ei gôt o'n wlyb – ac yn drewi. Mi alwodd o Mot yn bob enw dan haul a dechrau arna inna hefyd am fod yn ddigon dwl i ddod â'r 'bastad ci' efo fi yn y lle cynta. Mi nath hynna frifo, ond ro'n i wedi blino gormod i ffraeo, felly wnes i jest deud:

'Ty'd â'r gôt yma, mi wna i fynd â hi adre i'w llnau hi, yli.'

'Y? Be? Ti'n mynd adre?'

'Yndw, dwi wedi blino'n rhacs a dwi'n gorfod gweithio fory, felly wela i di nos fory, ia? Pan fyddi di wedi dod dros dy jet lag.' Edrychodd arna i'n hurt. Roedd y siom yn ei lygaid yn amlwg – ac yn ei lais wedyn.

'Ond dwi wedi bod yn edrych mlaen gymaint at dy gael di'n noeth yn fy mreichia i, Lei…' meddai gan gyffwrdd fy wyneb i. Mae o'n gwybod yn iawn mod i'n toddi pan fydd o'n cyffwrdd fy wyneb i fel'na. Ochneidiais. Roedd fy mhen i isio mynd adre, ond roedd fy nghorff i'n deud fel arall, ac roedd o'n gallu fy narllen i'n berffaith. Tynnodd fi i mewn i'w freichiau, a chusanu fy nhalcen, yna fy nhrwyn, a rhedeg ei fysedd drwy fy ngwallt. Pan sibrydodd o 'Dim ond am hanner awr bach, ty'd 'laen, Lei… dwi'n marw isio chdi…' ro'n i fel doli glwt.

Mi wnes i anghofio bob dim am Mot a gadael i Peter fy arwain i mewn i'w dŷ o, tŷ llawn steil sydd wastad fel pìn mewn papur. Mae ei fam o'n llnau'r lle unwaith yr wythnos hyd yn oed pan dydi Peter ddim yno.

O fewn dim, roedden ni'n dau'n noeth, ein dillad fel llwybr briwsion Hansel a Gretel y tu ôl i ni, ac yn griddfan ac ochneidio ar y gwely. Mi wnes i fwynhau, ond wnaeth o ddim para'n hir iawn, ac ro'n i reit falch am hynny os dwi'n onest. Ro'n i bron â marw isio cysgu, ond dwi'n cysgu'n well yn fy ngwely fy hun ac ro'n i wedi cofio bod Mot yn dal yn y car. Felly pan fwmiodd o yn fy nghlust i ei fod isio i mi aros efo fo tan y bore, gwrthod wnes i, a'i atgoffa fy mod i'n gweithio yn y bore, ac angen cawod a dillad glân a bob dim, heb sôn am fynd â Mot am dro.

Erbyn i mi ddod o hyd i fy nillad i gyd a gorffen gwisgo, roedd o'n cysgu'n sownd, ei freichiau llyfnion a'i goesau hirion, noeth yn ymestyn ar hyd ac ar draws y gwely cyfan. Mi rois i'r dwfe drosto fo, rhoi sws ar ei dalcen, a gadael.

Edrychodd Mot druan arna i gyda llygaid trist,

siomedig a llwyddo i wneud i mi deimlo'n uffernol o euog. Dyna pryd gofiais i am siaced ledr Peter. Roedden ni wedi ei thaflu i'r iwtiliti cyn dechrau crafangu am ein gilydd. O wel, gallai ei glanhau ei hun, doedd gen i ddim goriad i fynd yn ôl i mewn i'r tŷ.

Mi gysgais fel twrch, a phan ddeffrais i, mi welais fod Mot wedi dringo ar ben y gwely ryw dro yn ystod y nos ac yn cysgu wrth fy ochr a'i geg yn gwneud iddo edrych fel tasa fo'n gwenu. Doedd gen i mo'r galon i roi row iddo fo.

PENNOD 8 *Mot*

Rhaid i mi gyfadde, ro'n i wedi fy siomi yn Lea. Ro'n i wir wedi meddwl bod ganddi fwy o synnwyr cyffredin a hunan-barch na hynna. Doedd y snichyn Peter 'na ddim yn haeddu llyfu ei sgidiau hi, heb sôn am ei hwyneb hi, a dyna hi'n diflannu i'w gwt o am oes, a dod 'nôl yn drewi ohono fo o'i chorun i'w sawdl, go damia.

Roedd hi'n gwybod yn iawn mod i wedi fy siomi. Er mod i'n dal yn gi ifanc, ro'n i wedi astudio digon ar wynebau pobl yn y byd go iawn ac ar sgrin y teledu i fedru deall a dynwared y rhan fwyaf o'u stumiau nhw. Agor ceg a chofio codi'r corneli a dangos mymryn o dy ddannedd i ddangos dy fod ti'n hapus (os nad o'n i'n cofio codi'r corneli ac osgoi dangos gormod o ddannedd, ro'n i'n gallu dychryn pobl oedd ddim yn nabod cŵn); cau dy geg yn glep, tynhau dy dalcen a chulhau dy lygaid i ddangos dy fod ti'n flin, neu jest eu hanwybyddu'n llwyr; llacio dy wefusau a rhowlio dy lygaid os oeddet ti'n cael llond bol o gwmni neu sgwrs rhywun neu'n anghytuno efo nhw, ond roedd jest codi croen dy dalcen hefyd yn dangos dy fod ti'n amau eu doethineb nhw. Er, ro'n i'n gorfod bod yn ofalus efo hwnna, achos mae pobl hefyd yn gwneud hynna pan maen nhw'n gofyn cwestiwn. Ond roedd dangos siom yn hawdd. Clustiau reit i lawr, pen fymryn i lawr a chodi'r llygaid i gyfeiriad fy nhalcen i syllu'n hir arni efo pob owns o siom a thristwch ro'n i'n gallu ei gyfleu.

'Sori, Mot,' meddai hi, gan osgoi fy llygaid. Aethon ni adre'n dawel iawn, ac mi adawodd i mi neud fy musnes cyn mynd i'r tŷ. Wnes i ddim sbio arni wrth gamu drwy'r drws. Es i'n syth at fy ngwely a fflopian i mewn iddo gan barhau i edrych yn drist a siomedig. Daeth ata i fel y bydd hi wastad yn ei wneud ddiwedd nos a rhoi mwytha i mi gan fwmial, 'Nos da, Mot bach… a sori eto.' Ar ôl gwneud iddi ddisgwyl am eiliad neu ddwy, mi lyfais ei llaw y mymryn lleia ac yna fflopian yn ôl i lawr eto gan osgoi edrych arni. Ro'n i'n gallu teimlo ei siom hi er bod fy llygaid ar gau, a phan glywais ei thraed hi'n llusgo mor araf i fyny'r grisiau, mi deimlais bwl o euogrwydd.

Mi wnes i wrando arni'n gwneud dŵr, tynnu'r handlen sy'n gwneud sŵn dŵr mawr, brwshio'i dannedd, tynnu amdani, tynnu'r paent gwirion 'na oddi ar ei hwyneb a dringo i mewn i'w gwely. Mi glywais glic y cloc sy'n ei deffro yn y bore, a chlic y golau'n diffodd. Dim o'r sŵn troi tudalennau arferol – roedd hi'n amlwg wedi blino gormod i roi ei thrwyn mewn llyfr. Yna clustfeiniais am sŵn ei hanadl hi. Mae o'n newid pan fydd hi'n syrthio i gysgu. Yr eiliad glywais i'r newid, codais a chamu'n araf, ofalus o 'ngwely ac i fyny'r grisiau. Yna yn arafach fyth ar hyd y landing a rhoi pwt gofalus i ddrws ei llofft. Fydd hi byth yn ei gau'n sownd – ond roedd hi'n bendant yn cysgu'n sownd. Chlywodd hi mohona i'n dringo ar ben y gwely – rhywbeth do'n i erioed wedi meiddio ei wneud o'r blaen, nid ar ôl iddi roi row i mi am drio yn ystod y dyddiau cynta.

Pam meiddio'r noson honno felly? Achos ro'n i'n gwybod ei bod hi'n drist ac angen cwmni – cwmni caredig, clên rhywun oedd yn ei charu, nid cwmni'r crinc sgidiau sgleiniog 'na oedd yn caru ei hun yn fwy na Lea. Roedd hi'n amlwg bod angen i rywun edrych ar ei hôl hi, a fi oedd yr un i wneud hynny. Ac roedd ei gwely hi'n fwy ac yn brafiach na f'un i. Ac ro'n i'n licio teimlo gwres ei chorff hi wrth fy ymyl i, a gwrando ar ei hanadl hi.

Mi ddeffrodd hi o mlaen i, achos ro'n i'n breuddwydio'n braf am redeg ar ôl cannoedd o ddefaid ar ben mynydd, ond pan agorais i fy llygaid, roedd hi'n gwenu arna i, diolch byth. Felly mi wnes i lyfu ei hwyneb hi nes roedd hi'n chwerthin, ac yna stwffio fy hun yn nes ati fel ei bod hi'n rhoi ei braich amdana i, ac yna syllu arni i drio deud wrthi mod i'n ei charu hi fwy na dim byd yn y byd erioed, ac mai fy rôl i mewn bywyd o hyn allan oedd gofalu amdani. Dwi'n eitha siŵr ei bod hi wedi dallt, achos roedd ei llygaid hi'n feddal ac yn wlyb. Ond:

'Mot, dwi'n gwbod dy fod ti'n meddwl y byd ohona i, ac isio bod wrth fy ymyl i bob awr o'r dydd,' meddai, 'ond paid ti â meddwl y cei di ddod ar y gwely 'ma efo fi eto… lawr staer mae dy wely di, ynde?'

Edrychais arni gan ymbil arni i newid ei meddwl.

'Paid ti â thrio newid fy meddwl i, mêt!' chwarddodd. 'Dwi'n rhy brysur i orfod golchi'r dwfe yma fwy na sydd raid! Dyma'r tro ola, iawn?' Ond mi roddodd fwytha i mi am bum munud da arall cyn codi i baratoi ei hun am ddiwrnod arall o waith a 'ngadael i ar fy mhen fy hun drwy'r dydd – eto.

Dros y dyddiau nesaf, mi ges fy ngadael yn y tŷ gyda'r nosau hefyd, ac ro'n i'n gwybod yn iawn o'i golwg a'i hogla hi lle oedd hi'n mynd – ac yn sicr lle oedd hi wedi bod, ac efo pwy. Ro'n i'n falch mewn ffordd nad oedd hi'n fy llusgo i efo hi i weld y crinc, ond yn nerfus hefyd, achos do'n i ddim yno i edrych ar ei hôl hi wedyn, nag o'n? Doedd wybod be oedd y snichyn yn ei neud iddi. Ro'n i'n wirion o falch pan fyddai hi'n dod adre yn saff, hyd yn oed os oedd ei ogla fo drosti. Allwn i ddim peidio, mi fyddwn yn ei llyfu'n rhacs, yn trio tynnu pob diferyn ohono fo oddi ar ei chroen hi. Roedd 'na ogla gymaint gwell arni wedi iddi fynd i'r gawod. Mae'n gas gen i flas sebon fel arfer, ond roedd hyd yn oed hwnnw, neu'r hufen tew blas cas fyddai hi'n ei rwbio i mewn i'w chroen wedyn, yn well na blas Peter.

Ond un noson erchyll, hir, ddaeth hi ddim adre tan y bore wedyn. Allwn i byth gysgu'n iawn nes byddwn i'n gwybod ei bod hi adre'n ddiogel, felly ro'n i wedi bod yn poeni drwy'r nos. Mi fues i'n cerdded rownd y tŷ, yn ôl a mlaen ac mewn cylchoedd, ddim yn gwybod be i'w wneud efo fi'n hun. Mi fues i'n trio bob ffordd i agor y drws, yn crafu a chrafu i drio tyllu drwyddo. Mi wnes i neidio ar ben sìl y ffenest i drio agor ffenestri, ond y cwbl lwyddais i i'w wneud oedd torri rhyw hogyn bach gwydr fyddai hi'n ei gadw ar y sìl. Ro'n i'n teimlo'n euog am hynny wedyn ac es i guddio y tu ôl i'r soffa yn crio i mi fy hun. Wedyn, pan welais i fod yr awyr yn goleuo, ro'n i jest â byrstio isio pi-pi. Fel arfer, byddai Lea'n mynd â fi allan peth ola cyn clwydo, ond ro'n i wedi bod yn gaeth yn y tŷ ers diwedd y pnawn blaenorol, ac ro'n i mewn poen. Ro'n i'n gwneud fy ngorau glas i'w ddal i mewn, ond yn y diwedd, roedd hi'n amhosib. Roedd hi wedi rhoi'r gorau i roi'r pethau *puppy pads* 'na ar y llawr ers oes, achos ro'n i wedi hen ddysgu bod angen gadael iddi wybod mod i isio mynd allan. Ro'n i'n cofio y byddai hi'n flin pan fyddwn i'n gwlychu unrhyw fat neu garped, felly mi wnes i bi ar y leino yn y gegin, a dyna lle fu'r pwll yn lledu a sbio arna i am oriau.

Allwn i ddim credu y byddai hi wedi anghofio amdana i, felly mae'n rhaid bod rhywbeth wedi digwydd iddi. Ro'n i'n torri 'nghalon ac mi wnes i ddechrau udo – nes i'r ddynes drws nesa fangio ar y wal a gweiddi arna i. Mi fues i'n cyfarth wedyn, trio gadael iddi wybod bod rhywbeth wedi digwydd i Lea ac y dylen ni fynd i chwilio amdani, ond y cwbl wnaeth hi oedd bangio eto, wedyn mynd yn dawel. Felly tawelu wnes innau yn y diwedd.

Pan gyrhaeddodd Lea adre ymhell wedi i'r adar ddechrau canu, roedd 'na olwg euog ofnadwy arni, a ges i andros o ffŷs, a wnaeth hi ddim rhoi row i mi am y pwll ar lawr y gegin, dim ond deud 'Sori, sori' drosodd a throsodd wrth ei llnau. Ro'n i isio deud y drefn wrthi am wneud i mi boeni cymaint, neu ei hanwybyddu o leia, ond allwn i ddim, achos ro'n i mor hynod o falch o'i gweld hi eto. A ph'un bynnag, ro'n i'n gwybod ei bod hi'n benwythnos, ac y bydden ni'n mynd am dro hir, hir.

Ro'n i wedi dod i ddallt ers tro bod 'na ddau ddiwrnod yn syth ar ôl ei gilydd pan na fyddai hi'n mynd i'w gwaith. Dau ddiwrnod cyfan o gael bod yn ei chwmni hi drwy'r dydd, ar wahân i awren ar fore'r diwrnod cyntaf pan fyddai'n gwisgo rhywbeth tyn am ei choesau a rhoi ei gwallt mewn cynffon a dod yn ôl yn sgleinio ac yn chwys i gyd. Mynd i'r 'gym' efo'i chwaer, Leri, fyddai hi erbyn dallt. Ond yn y pnawniau ac am ran fawr o'r ail ddiwrnod, mi fydden ni'n dau yn mynd am droeon hir, hir yn lle'r 'rownd y bloc' sydyn, arferol i mi gael gwneud fy musnes.

Y teithiau hirion hynny oedd uchafbwynt fy mywyd ar y pryd: taith yn y car yn gyntaf, i rywle gwahanol bron bob tro, o gwmpas llyn neu ar hyd afon, i fyny mynydd ac i lan y môr, llefydd hyfryd oedd yn llawn arogleuon newydd a negeseuon gan gŵn o bob lliw a llun a chyflwr. Weithiau, jest ni'n dau fyddai'n crwydro, dro arall, mi fydden ni'n cyfarfod ffrindiau, rhai efo cŵn, rhai heb. Pobl fel Cara a Caio (plant Leri), fyddai'n ffraeo dros bwy fyddai'n cael cydio yn fy nhennyn i, ac wedyn mi fyddwn i wrth fy modd yn tynnu a thynnu a throi a lapio fy hun a'r tennyn am eu coesau nhw nes bod pawb yn chwerthin. Ro'n i wedi dysgu peidio â meiddio gwneud hynny efo Lea, ond roedd plant yn llawer haws eu trin. Fyddai Leri byth yn cynnig dal y tennyn, a byth yn mynd ar ei chwrcwd i roi mwytha i mi. Mae hi'n un o'r bobl hynny sydd ddim yn ein hoffi ni gŵn ryw lawer; mae rhywun yn dysgu dod i'w nabod nhw a chadw draw. Er, dwi'n nabod ambell gi drygionus sy'n mynd ati i drio llyfu pobl maen nhw'n gwybod yn iawn sydd ddim yn or-hoff o gŵn. Ond mae 'na bobl ddwygoes fel'na hefyd, yn does? A chathod. Cathod ydi'r gwaetha am dyrmentio, yn bendant.

Roedd gan Haf, un o'i ffrindiau pêl-rwyd hi, gi: labrador brown o'r enw Waldo. Roedd o'n hŷn na fi ac yn gallach a thrymach o lawer, felly doedd o ddim yn un am chwarae'n wirion efo fi. Mi ges i wybod yn o handi i beidio neidio arno fo a'i gripio, ac ar ôl yr ail neu'r trydydd chwyrniad o rybudd, mi wnaethon ni setlo i jest cerdded yn dawel efo'n gilydd. Pan fydden nhw'n ein gollwng oddi ar y tennyn, mi fyddwn i'n rhedeg fel peth gwallgo wrth gwrs, i gael gwared â'r holl egni oedd yn byrlymu ynof fi, ac mi fyddai Waldo'n trotian ar fy ôl i yn cyfarth arna i i arafu neu i fod yn ofalus, neu i 'gallio, y twmffat gwirion!' Ond bod yn glên oedd o, ac mi ddaethon ni'n ffrindiau da, ac mi ddysgodd fi i beidio bod ag ofn neidio i mewn i afon neu lyn. Roedd o fel pysgodyn ac yn llawer mwy hyderus na fi mewn dŵr dwfn. Do'n i ddim yn rhy hapus os nad o'n i'n gallu cyffwrdd y gwaelod a bod yn onest.

Ro'n i'n edrych mlaen yn arw at gael mynd am dro hir efo Lea wedi iddi ddod yn ôl o'i hawren o chwysu yn y *gym* y diwrnod hwnnw. Do'n i ddim yn gweld y pwynt iddi fynd am gawod gan y byddai'n chwysu rhywfaint eto efo fi toc, ond mynd am gawod wnaeth hi, a chymryd ei hamser hefyd. Fel arfer, os bydd hi'n trafferthu o gwbl, dim ond neidio i mewn ac allan fydd hi, a rhedeg yn ôl i lawr y grisiau mewn cwta bum munud, ond ro'n i bron â chysgu'n disgwyl amdani y tro yma. Doedd hi ddim yn edrych yr un fath ag arfer chwaith: y paent 'na dros ei hwyneb eto ac ogla rhyfedd arni. Ro'n i'n dechrau amau rhyw ddrwg yn y caws. Ond mi gododd fy nghalon eto pan welais i hi'n gwisgo ei sgidiau cerdded. Iawn felly, meddyliais – mae Leri'n cega arni weithiau ei bod hi 'ddim yn trio digon', felly mae'n debyg mai mynd i'w chyfarfod hi a'r plant rydan ni. Bron nad o'n i'n dawnsio pan dynnodd hi'r tennyn o'i fachyn ger y drws. Doedd gen i mo'r help, mi wnes i ddechrau gwichian efo llawenydd pan aethon ni drwy'r drws. Roedd fy nghynffon i'n troi fel un o'r melinau gwynt plastig lliwgar 'na mae plant yn eu rhoi ar ben cestyll tywod, a phan ddechreuon ni gerdded i gyfeiriad y Foel, mynydd bach digon difyr ar gyrion y dre, ro'n i'n hedfan.

Ond pwy oedd yn disgwyl amdanon ni wrth y fainc ger y giât i'r llwybr, ond Fo. Y Cythraul oedd wedi gwneud iddi anghofio amdana i ac wedi gwneud iddi gysgu efo fo DRWY'R NOS!

Stopiais yn stond.

'Ty'd 'laen, Mot!' meddai hi gan dynnu mymryn ar y tennyn. Ond rois i fy mhen ôl yn solat ar y llawr. 'Mot, callia…'

Ti sy angen callio, mêt, meddyliais. Be mae Hwn yn neud yma?

'Ti'n rhy feddal efo fo,' chwarddodd Peter, yr Arbenigwr ar Gŵn.

'Mae o'n ufudd iawn fel arfer,' meddai hi, ac ro'n i'n gallu teimlo'r gwrid arni heb sbio arni.

'Dyro'r tennyn i mi, yli,' meddai Peter. 'Mi ddalltith yn o handi na cheith o chwarae *silly buggers* efo fi.' Allwn i ddim credu'r peth – doedd hi erioed yn mynd i roi'r tennyn yn ei law o? Roedd yn rhaid i mi roi stop ar hyn. Sythais fy nghoesau ôl ond cadw fy mhen yn isel a chwyrnu fy rhybudd iddo gadw draw.

'Ym… dwi'm yn siŵr os –' cychwynnodd Lea yn ansicr.

'Mae o'n meddwl mai fo ydi'r *Alpha male*,' torrodd y Snichyn ar ei thraws, 'ac mae'n hen bryd iddo fo ddysgu mai dynion – pobl – ydi'r bòs. Dim ond ci ydi o, a fi ydi'r unig Alpha fan hyn.' A chyn i mi fedru gneud dim, bachodd y tennyn allan o law Lea a thynnu'n gas nes ro'n i'n hanner hedfan tuag ato fo. 'Rŵan, ty'd!' meddai mewn llais uchel, llawer dyfnach nag arfer, gan gamu efo'i goesau hirion at y giât. Roedd o'n tynnu mor gas ar dennyn byr, ro'n i'n cael fy llusgo ar hyd y cerrig mân, a'r goler yn fy nghrogi. Y cwbl allwn i ei wneud oedd gwichian. Doedd Lea rioed yn mynd i adael iddo fo fy nhrin i fel hyn? Roedd hi y tu ôl i ni a finnau methu troi fy mhen, felly doedd gen i ddim syniad sut roedd hi'n ymateb. Ond do'n i ddim yn gallu ei chlywed yn protestio.

Ro'n i wedi cael fy llusgo drwy'r giât o fewn dim, a wnaeth o ddim aros i Lea ddal i fyny efo ni. Mi wnes i drio troi i sbio arni, dim ond i Peter fy chwipio'n ôl ato efo plwc poenus gan gyfarth: '*Heel!*' cyn gweiddi ar Lea: 'Dyla bo' ti wedi dysgu hyn iddo fo o'r cychwyn cynta!'

Ro'n i isio plannu fy nannedd yn ei ffêr o, ond roedd y bwbach yn dal y tennyn mor uchel, prin ro'n i'n gallu anadlu. Doedd fy nghoesau blaen i prin yn cyffwrdd y llawr! Ro'n i wir wedi dychryn ac yn meddwl bod fy ngwddw i'n mynd i gael ei ymestyn gymaint fel y byddai'n torri unrhyw funud, ond ymlaen â fo efo'i gamau breision, heb falio taten. A doedd Lea'n deud dim!

O'r diwedd, mi stopiodd a throi'n ôl i ddeud rhywbeth wrth Lea, gan fy llusgo i mewn hanner cylch efo fo. Roedd hi'n bell y tu ôl i ni.

'Ty'd 'laen, Lea!' chwarddodd y crinc. 'O'n i'n meddwl dy fod ti'n ffit!'

Ro'n i'n canolbwyntio gormod ar drio anadlu i sylwi ar ei hymateb hi, ond pan drodd o eto i ddal ati i fyny'r llethr, gan fy nghodi i gerfydd y tennyn eto fel mod i ar ei ochr chwith o, mi glywais ei llais hi o'r diwedd.

'Stopia! Munud 'ma!'

'Y?'

'Gollynga fo! Rŵan!'

'Y ci? Pam? Mae cŵn i fod ar dennyn yma – mae 'na ddefaid.'

'GOLLYNGA FO!'

Diolch byth, gollyngodd o'r tennyn fel bod fy nhraed yn solat ar y cerrig eto, a dechreuais dagu a pheswch. A deud y gwir, efallai mod i wedi gwneud chydig bach mwy o sioe o dagu a phesychu nag oedd raid, ond ro'n i isio i'r lwmp hyll ddeall be oedd o wedi bod yn ei neud i mi. Brysiodd Lea i fyny'r llwybr, ei bochau'n goch a'i dwylo'n ddyrnau gwynion. Plygodd i gydio yn y tennyn a chwpanu fy wyneb. Roedd hi'n crynu bron cymaint â fi.

'Ti'n ocê, boi? Wyt? Sori am hynna,' meddai'n dawel, ond roedd ei llais hi'n dynn. Syllais i fyny arni'n ddiolchgar, a chnewian yn dorcalonnus o drist, a chrynu fel tasai hi'n ganol gaeaf. Do'n i ddim yn actio, ro'n i wir wedi dychryn; ro'n i wedi meddwl mod i'n mynd i dagu i farwolaeth, wedi meddwl bod Lea yn mynd i adael i Hwn fy nhagu, a do'n i ddim yn gwybod pam.

'Ti'n siarad efo fo fel tasa fo'n berson,' wfftiodd y Snichyn. 'Ci ydi o, ac mae o angen gwybod sut i fihafio. *Firm hand*, dyna be mae cŵn ei angen. Dyna maen nhw'n barchu.'

'*Firm hand? FIRM HAND?*' ffrwydrodd Lea. 'Roeddet ti'n hanner ei grogi o!'

'Paid â bod mor sofft,' meddai'r Cythraul. 'Do'n i'm yn chwarter ei grogi o. Mae cŵn yn tyff.'

'Be wyddost ti? Ers pryd wyt ti'n gymaint o arbenigwr ar gŵn p'un bynnag? Dwyt ti rioed wedi bod yn berchen ar gi!' Roedd ei llygaid hi'n sgleinio, ac roedd 'na dân go iawn ynddyn nhw.

'Dwi 'di bod yn gwatsiad rhaglenni amdanyn nhw, tydw! Sut i ddysgu ci i wrando, i fod yn ufudd! Ti'n gorfod profi mai ti ydi'r *Alpha male, leader of the pack*!'

Rhythodd Lea arno'n fud, ac ysgwyd ei phen. Cododd yntau ei ysgwyddau a dangos cledrau ei ddwylo iddi. 'Dwi'n deud y gwir, Lea! Tasat ti'n gwylio'r rhaglenni 'ma neu wedi mynd â fo i *dog training*, mi fysat ti'n gweld mod i'n iawn!'

'Dwi'n licio gwylio *open heart surgery* ar *ER* a *Grey's Anatomy*, dydi hynna ddim yn golygu mod i'n drio fo allan fy hun! Sgen ti'm blydi syniad, nag oes!' poerodd Lea gan godi'n sydyn.

'Mae gen i fwy o syniad na ti…' meddai o'n bwdlyd. 'Ond iawn, os tisio bod fel'na, dos di â fo, dim ond trio helpu o'n i. Na' i aros amdanoch chi ar y top,' ychwanegodd, gan droi i gyfeiriad y copa a chamu yn ei flaen.

Edrychodd Lea a finna arno fo'n diflannu heibio'r creigiau a'r rhedyn. Doedd o ddim wedi sbio yn ei ôl o gwbl.

'Nath y bastad ddim hyd yn oed deud sori...' meddai Lea dan ei gwynt. 'Dyla bo' ti wedi'i frathu o,' meddai wedyn gan blygu i fwytho fy ngwar. Gwnes sŵn rhwng gwich a chyfarthiad i ddangos mod i'n cytuno, ac yna codi i lyfu ei hwyneb.

'Be wnawn ni 'ta, Mot?' gofynnodd. 'Ei ddilyn o? Rhag ofn y bydd o wedi penderfynu deud sori wrthan ni?' Edrychais arni'n hurt, yna codi, ysgwyd fy nghorff a dechrau cerdded yn ôl i lawr y llwybr. Roedd hyd yn oed ci ifanc fel fi yn gallu deud nad oedd rhywun fel Peter yn mynd i ymddiheuro. Gan fod pen arall y tennyn yn ei llaw hi, doedd gan Lea ddim dewis ond fy nilyn.

PENNOD 9 *Lea*

Aethon ni am dro hir at y llyn. A phan driodd Peter fy ffonio ar ôl rhyw hanner awr, mi wnes i ei anwybyddu. Ro'n i mor flin efo fo. Ond ro'n i'n fwy blin efo fi fy hun. Ro'n i'n flin mod i wedi gadael iddo fo 'mherswadio i yfed llwyth o win fel mod i methu gyrru adre; ro'n i'n flin ei fod o wedi deud y byddai galw tacsi yn hurt ac y byddai Mot yn iawn am un noson; ro'n i'n flin efo fi'n hun am benderfynu anghofio am Mot er mwyn cael y wefr o aros dros nos efo Peter.

Ond doedd hi fawr o wefr. Erbyn i'w ffrindiau o faglu eu ffordd am adre ar ôl chwarae brag (ches i ddim cynnig chwarae) a siarad am bêl-droed, roedd o wedi yfed gormod i roi llawer o wefrau i mi, dim ond rhyw ymbalfalu blêr, trwsgl a hunanol.

'Lei... dyro chydig o help i mi fan hyn...' slefrodd gan fflopian ei Wrywdod yn erbyn fy nghoes i. Mi wnes fy ngorau, nes roedd fy ngarddwrn wedi blino, ond roedd hi'n dal fel ryw falwen lipa. Wedyn rhoddodd ei law ar fy mhen i a fy ngwthio i lawr ati. Ro'n i'n rhy flinedig a chwil i anghydweld, felly mi wnes i drio. Ond do'n i ddim yn mwynhau, ddim o gwbl. A ches i fawr o lwyddiant chwaith. Yn y diwedd, mi sylweddolais ei fod o'n rhochian cysgu ers meitin. Mi deimlais i fwy o ryddhad na siom os dwi'n onest.

A dyna pryd wnes i sylweddoli bod fy nosweithiau efo Merfyn wedi bod yn ddigon tebyg i hon: fi'n gorfod aros o gwmpas yn hogan dda, ufudd nes ei fod o'n barod i roi sylw i mi, ac wedyn, rhywsut neu'i gilydd, fi oedd yn gorfod rhoi sylw iddo fo. Ei anghenion o oedd yn dod gynta bob tro. Ro'n i wedi meddwl ar y pryd mai fi oedd yn ormod o ramantydd, wedi gwylio gormod o ffilmiau lle'r oedd y ferch yn cael ei rhoi ar bedestal a'i thrin fel rhywbeth gwerthfawr, ac mai rhyw syniad gwirion oedd hynny, mai dyma be oedd realiti. Ac fel ddeudodd Merfyn droeon, pwy o'n i i ddisgwyl cael fy nhrin fel rhywun arbennig beth bynnag? Achos ro'n i'n bell o fod yn arbennig, toeddwn? Ro'n i'n lwcus bod llygoden fel fi wedi cael ei dewis a'i hachub ganddo fo. A doedd ryfedd ei fod o'n cael ei ddenu gan ferched eraill weithiau.

Roedd o wedi chwalu fy hyder i gymaint, ro'n i'n ei goelio fo, ac mi gymerodd oes i mi wrando ar Leri, Bryn a fy ffrindiau. Ro'n i'n gwrthod credu ei fod o'n fy mwlio i, yn fy rheoli i. Ond nhw oedd yn iawn wrth gwrs, ac roedd bywyd wedi bod gymaint brafiach ar ôl cael y gyts i'w adael o. Ges i gyfnod yng nghartre Leri a Bryn a'r plant cyn mentro rhentu fy nhŷ bach teras i, cartre bach i mi fy hun lle doedd neb yn deud wrtha i sut i wisgo, neb yn deud wrtha i i dynnu'r hen baent coman 'na, neb yn bychanu fy ymdrechion i goginio na deud unrhyw beth gwerth gwrando arno fo.

Roedd Peter wedi bod mor wahanol, mor glên, mor ystyriol, ac wrth ei fodd pan fyddwn i'n gwisgo'n smart a gwisgo colur. Ond ar y dechrau roedd hynny; yn ara bach, roedd yntau wedi dechrau beirniadu mwy arna i a gwneud i mi deimlo bod y pedestal wedi sigo. Felly mae'n rhaid mai fy mai i oedd o: mae'n rhaid bod rhywbeth ynof fi'n gwneud i ddynion fy nhrin i fel'na. Ro'n i'n gofyn amdani. Neu: ai disgwyl gormod o'n i? Efallai mai eithriadau oedd partneriaid Leri a Haf, a bod y rhan fwya o ferched jest yn derbyn bod yn forwyn fach i'w gwŷr a'u cariadon. Efallai mod i'n haeddu teimlo'n eilradd oherwydd mai eilradd o'n i, a dyna fo. Ond chwarae teg, ro'n i wedi cysuro fy hun wrth edrych ar y cyrls tywyll ar ei war o; roedd o'n glên iawn efo fi'n aml, ac yn fy nghanmol pan o'n i'n ei haeddu o. Ac roedd y rhyw yn wych pan oedd o'n sobor: fo, yn fwy na neb, oedd wedi llwyddo i wneud i mi deimlo'n ddel ac yn atyniadol eto.

Pan ddoth o i'r gegin ar fy ôl i i ddiolch i mi am neud brechdanau i'w fêts, roedd o wedi addo noson fwya hudolus a rhywiol fy mywyd i mi, ac er na fu hi'n hudolus o bell ffordd, mae 'na wastad obaith i wneud iawn am hynny yn y bore, does? Wedi perswadio fy hun ynglŷn â hynny, syrthiais innau i gysgu o fewn dim.

Fi ddeffrodd gynta, ac er mwyn bod ar fy ngorau iddo fo, es i am gawod yn syth. Mae gynno fo bower shower sy'n llawer iawn gwell na'r diferu pathetig mae fy nghawod i'n ei wneud, felly ro'n i'n teimlo'n well yn syth. Mi wnes i olchi 'ngwallt hefyd er nad oedd gynno fo *conditioner*, damia. Trio tynnu – naci – rhwygo crib drwy fy ngwallt tamp o'n i pan ddeffrodd o.

'Lei – mae 'na gath 'di cachu yn fy ngheg i… 'sa panad yn grêt…'

Ro'n i wir wedi gobeithio y byddai wedi gwneud rhyw fath o ymdrech i fy nenu'n ôl i'w freichiau wrth ddeffro, fy hudo efo geiriau a llygaid fyddai'n gwneud i fy stumog droi ben i lawr ac yn gyrru ias o wres rhwng fy nghoesau.

Ond naci, delwedd o gachu cath ges i.

Ond dyna fo, dydi rhywun ddim yn gallu bod yn rhywiol bob awr o'r dydd, nacdi, yn enwedig ar ôl noson ar y cwrw. Penderfynais anghofio am fore o garu a meddwl am gerdded efo Mot yn lle hynny – o na, Mot! Roedd yr euogrwydd fel cyllell yn fy asennau i. Ond allwn i ddim dangos i Peter mod i wedi panicio ac yn rhoi'r ci o'i flaen o, chwaith. Ond byddai Mot druan yn poeni. Ond na, roedd yn rhaid iddo fo ddysgu gwneud hebdda i weithiau – allwn i ddim gadael i gi fy rheoli i chwaith. Os oedd o wedi cael damwain fach, wel dyna ni, fy mai i oedd o a doedd dim diben brysio. Ddim yn ormodol.

Mi wnes lond dau fŵg o de a mynd â nhw i'r llofft. Roedd Peter yn cysgu eto, ond mi agorodd un llygad pan rois i'r mŵg wrth ymyl ei gloc larwm digidol (*walnut finish*, a'r amser yn dod ymlaen un ai wrth ei gyffwrdd neu wrth wneud sŵn). Roedd hi'n 8.27.

'Pam ti 'di codi mor gynnar?' gofynnodd yn gryg.

'Am ei bod hi'n braf ac yn ddydd Sadwrn.'

'Yn hollol,' meddai. Edrychais arno'n ddryslyd. 'Mae'n

ddydd Sadwrn – dim gwaith!' eglurodd gan hanner chwerthin.

'A dyna pam dwi'n licio gneud y gorau o 'mhenwythnosau,' meddwn innau, gan eistedd ar y gwely wrth ei ochr.

'Cytuno efo hynny, a be well na threulio bore braf yn y gwely efo styd fatha fi!' chwarddodd, gan gymryd sip o'i de a chrychu ei drwyn. 'Ti 'di anghofio rhoi siwgr ynddo fo.'

Felly es i'n ôl i lawr y grisiau i roi llwyaid a hanner yn ei de o. Roedd o'n cysgu'n sownd eto erbyn i mi ddod yn ôl, ac yn amlwg wedi gollwng rhech. Es i'n ôl i lawr y grisiau.

Doedd 'na ddim byd i'w ddarllen tra o'n i'n yfed fy mhaned; ro'n i'n gwybod ers misoedd nad oedd o'n foi llyfrau, ond doedd 'na ddim hen bapur newydd i'w weld hyd yn oed, a doedd gen i ddim clem sut i weithio ei deledu mawr 65 modfedd QLED (be bynnag ydi hwnnw), felly es i allan ar y patio yn fy nhywel. Roedd hi'n mynd i fod yn ddiwrnod hyfryd – perffaith ar gyfer mynd am dro hir efo Mot. A dyna pryd gofiais i mod i fod yn y gampfa efo Leri am 10! Gorffennais fy mhaned a mynd yn ôl i fyny i chwilio am fy nillad.

Mi ddeffrodd fel ro'n i'n cau'r *zip* ar fy jîns.

'Ti'm yn mynd yn barod?'

'Yndw. Dwi fod yn y *gym* erbyn deg ac wedyn dwi isio mynd am dro.'

'Ond o'n i'n meddwl 'san ni'n cael brecwast efo'n gilydd…'

'Be? Ti'n gallu cynnig rhywbeth gwell na Coco Pops i mi?' Ro'n i wedi gweld y pecyn wrth chwilio am siwgr.

'Wel, mae gen i wyau a chig moch…' gwenodd.

'A be nei di efo'r wyau?' Dwi ddim yn un am wyau wedi'u ffrio, fy hun.

'Fi?'

Edrychais arno. Felly roedd o'n disgwyl i mi neud y coginio. Rŵan, dwi ddim yn wych yn y gegin, ac er mod i'n gwylio rhaglenni fel *Masterchef* weithiau, does gen i ddim llwchyn o awydd trio ail-greu'r prydau fy hun. Mi wna i goginio os oes raid i mi, ond dwi'n sicr ddim yn mwynhau'r broses. Ro'n i wedi gwneud brecwast i Peter o'r blaen, yn fy nhŷ i, ond roedd ei wy o'n rhy galed a'r cig moch wedi llosgi – a'r tost yn oer. Chwerthin wnaethon ni ar y pryd, achos roedd o'n eitha digri, ac roedd o wedi fy atgoffa o'r pryd hwnnw gwpwl o weithiau ers hynny, a thynnu 'nghoes i o flaen ei ffrindia, fel wnaeth o neithiwr, nad oherwydd fy nghwcio roedd o'n licio fi… ho ho.

'Ti'n gwbod i beidio gor-neud y cig moch bellach, siawns,' meddai Peter gan wenu'n gariadus arna i, 'a chofia mod i'n licio fy wy yn feddal… fel fy merched!'

'Ond… sgen i'm awydd ffrio wyau – a dwi'm yn dallt dy bopty crand di beth bynnag.'

'Be am i ni neud o efo'n gilydd?' meddai Peter gan godi o'r gwely ac ymestyn ei gorff hir, perffaith o mlaen i yn araf. Hm. Doedd hi ddim yn edrych fel malwen erbyn hyn.

'Sori? Gneud be efo'n gilydd?' gofynnais yn ddiniwed. Ac yna, rhywsut, roedd *zip* fy jîns yn cael ei agor eto.

Roedd o'n sydyn, ond yn neis, ac wedyn ges i gawod arall – efo fo. Roedd o'n dal isio i mi neud brecwast iddo fo, ond roedd hi'n 9.30 erbyn hynny ac ro'n i'n gwybod y byddai Mot druan yn byrstio isio pi-pi os nad oedd o wedi eisoes.

'Be am gyfarfod yn rwla am *brunch* neu rywbeth nes mlaen?' cynigiais, gan gydio yn fy mag. 'Gei di'n cyfarfod ni yn rwla ar ôl i ni fod am dro.'

'Ni? Pwy 'di "ni"?' gofynnodd.

'Fi a Mot, ynde!'

'Ti'n siarad am y ci 'na fel tasa fo'n berson.'

'Yndw? Yndw, mae'n siŵr mod i…' chwarddais, 'ond fo ydi 'mêt gora i 'de.'

'O? Ddim fi?'

'Ti'n ail agos,' meddwn gan roi sws sydyn iddo fo a throi am y drws. 'Felly lle tisio cwarfod?'

'Ddo i am dro efo chi – lle ti'n bwriadu mynd?' meddai gan dynnu crys T dros ei ben.

'I fyny'r Foel.'

Roedd hyn yn ddatblygiad newydd. Doedd o erioed wedi cynnig mynd am dro efo fi o'r blaen, ac allwn i ddim peidio â gwenu fel giât. Dim ffrindiau'n malu awyr am bethau nad oedd gen i ddiddordeb ynddyn nhw; dim sefyllian wrth gae pêl-droed; dim eistedd wrth ei ochr mewn bar am oriau: jest fi a fo a Mot. Dyma gyfle i'n perthynas ni flodeuo ac aeddfedu, ac iddo fo a Mot ddod i nabod ei gilydd yn well.

Felly wnaethon ni drefnu i gyfarfod wrth droed y Foel mewn awr a hanner, ac es i adre at Mot druan.

Roedd y creadur mor falch o 'ngweld i, ac yn gwneud ei orau i dynnu fy sylw oddi ar y pwll gwlyb ar y leino, bechod. Mi wnaeth ei fusnes yr eiliad adewais i o allan, ac wedyn ro'n i'n gorfod ei gau mewn eto. Ro'n i'n diawlio mod i ddim wedi ffonio Leri i ddeud mod i methu dod i'r gampfa, ond fyddwn i ddim yn clywed ei diwedd hi.

Roedd hithau'n gwenu pan glywodd hi bod Peter a fi'n mynd am dro efo'n gilydd.

'Go dda,' meddai, gan ddal ati i rwyfo'n hamddenol. 'Roedd hi'n hen bryd iddo fo neud y pethau rwyt ti'n eu mwynhau. Ti'n gweld, mae'n talu i fod yn amyneddgar efo dynion fel Peter. Mi ddaw…'

Pan wnes i gyfadde nad oedd Mot wedi cymryd ato fo ryw lawer, a mod i'n poeni, stopiodd rwyfo i sbio i fyny arna i ar y beic.

'Lea, callia! Fedri di'm rhoi ci o flaen dyn, siŵr dduw! Os eith hi'n fater o ddewis, ti'n cael gwared o'r ci – *no brainer*!'

Wel, mi stopiais i bedlo ar hynna. Cael gwared o Mot? Pan welodd hi'r braw ar fy wyneb i, mi driodd resymu efo fi mewn llais meddalach.

'Lei… meddylia am y peth. Mae gan Peter y potensial i fod yn gymar oes i ti, i fod yn dad i dy blant di. Allech chi greu teulu bach lyfli efo'ch gilydd a charu'ch gilydd tan ddiwedd dy oes. Faint fysa hynna? Ryw 50–60 mlynedd o leia? A rhywbeth dros dro ydi ci, ynde?'

'Dros dro?' Oedd hi'n trio awgrymu mai rhyw ffad arall oedd Mot? Fel y *fitbit* brynais i? Fel y cyfnod ges i o chwarae Candy Crush bob cyfle gawn i? A phan oedd pawb yn mwydro am *Fifty Shades* rownd ril?

'Meddylia am y peth,' meddai Leri, gan ddechrau rhwyfo eto. 'Faint ydi oes ci defaid fel'na fel arfer? Rhyw

15 mlynedd? Os wyt ti wastad yn mynd i roi'r ci o flaen dynion, mi fyddi di'n 40 *plus* pan fydd Mot yn ei phegio hi, ac yn drist a *depressed* ac yn hollol, gwbl ar ben dy hun. Dyna be tisio?'

Daeth criw o ferched ysgol i mewn, yn sŵn a giglan a lycra pinc i gyd.

Mi wnes i adael y beic a mynd at y peiriant codi pwysau yn mhen arall y gampfa. Weithiau, mi fyddwn i'n cael ysfa gref i roi slap i fy annwyl chwaer. Daeth ata i ar ôl rhyw ddeg munud, a deud yn dawel:

'Yli, mae'n ddrwg gen i os dwi wedi dy ypsetio di. Ti'n gwbod sut un ydw i – siarad yn blaen. Rhy blaen weithia, dwi'n cyfadde. Ond does 'na'm pwynt llyncu mul, nag oes? Mae'n rhaid i rywun ddeud y gwirionedda 'ma wrthat ti. A phwy well na dy chwaer fawr?'

Mi fues i'n pendroni'r holl ffordd adre. Oedd hi'n iawn? Ond rargol, dwi wedi gweld llwythi o gyplau hapus yn cerdded efo'u cŵn; mae cyplau sy'n ysgaru yn ffraeo dros bwy sy'n cael y ci. Dydi pob dyn ddim yn casáu cŵn, a ddim wedi cael cyfle i nabod ei gilydd oedd Mot a Peter, ynde? Mi wnes i grio bwcedi wrth wylio'r ffilm *Hachi: A Dog's Tale* pan oedd cymeriad Richard Gere wedi dod â Hachi y ci adre, a'i wraig yn flin. Ond mi ddoth hithau i garu'r ci, ac yn fwy na dim, i weld pa mor bwysig oedd y ci i'w gŵr hi. A *vice versa*. Damia, roedd 'na ddagrau yn fy llygaid dim ond wrth gofio golygfeydd o'r ffilm honno rŵan.

Rois i sylw mawr i Mot ar ôl cyrraedd adre. Ac wedyn mynd am gawod – y drydedd mewn diwrnod! Ond do'n i'm isio bod yn drewi o chwys cyn hyd yn oed dechrau cerdded efo Peter. Ro'n i'n teimlo'n od yn gwisgo colur i fynd fyny mynydd, ond ro'n i isio edrych ar fy ngorau, doeddwn? Roedd yr oriau nesa 'ma'n bwysig, yn gyfle i'r ddau gael bondio.

Ond aeth pethau ddim fel ro'n i wedi'i obeithio. Aeth Mot yn rhyfedd pan welodd o Peter ac mi nath hynny fy nhaflu oddi ar fy echel. O sbio'n ôl, ddylwn i ddim bod wedi gadael i Peter gymryd y tennyn yn syth bìn fel'na, ond mae o wastad mor awdurdodol ac yn rhoi'r argraff ei fod o'n gwybod be mae o'n neud. Fel pan o'n i'n yr ysgol a ddim yn trafferthu i godi fy llaw i ateb cwestiwn os oedd y rhai clyfar, hyderus fel Martin Rees neu Derfel ap Iago neu Gwenno Mai eisoes wedi codi eu dwylo – ac roedd eu dwylo nhw wastad yn saethu i'r awyr bron cyn i'r athro orffen gofyn y cwestiwn. Ond wedyn, pan fydden ni'n cael clywed eu hatebion nhw, doedden nhw ddim wastad yn iawn. Roedd yr ateb yn fy mhen i'n nes ati'n aml, ond doedd gen i byth y gyts i ddeud dim, a thueddu i ofyn i'r un rhai fyddai'r athrawon – ar wahân i'r rhai newydd, cîn, oedd newydd gael eu hyfforddi i fod yn deg efo pawb. Ond buan fyddai'r rheiny hefyd yn anghofio amdanon ni'r rhai mwy swil rhwng bob dim.

Mae 'nghalon i'n gwaedu dros y plant swil yn yr ysgol acw, ond o leia mae 'na gymorthyddion dosbarth y dyddiau yma, ac fel cymhorthydd, dwi'n gallu rhoi gwybod i'r athrawon bod Erin fach draw fan'cw wedi gwneud gwaith arbennig o dda ac wedi dallt y pwnc gystal bob tamed â'r rhai mwy swnllyd, hyderus.

Bechod bod gen i ddim cymhorthydd i ddelio efo

Peter. Mi ddylwn i fod wedi rhoi 'nhroed i lawr o'r cychwyn cynta, ond ro'n i'n teimlo mor wirion pan wrthododd Mot wrando arna i, ac roedd o'n swnio fel tasa fo wedi dysgu ugeiniau o gŵn dros y blynyddoedd, ac yn mwydro 'mhen i am *Alpha males* ac ati, a finna'n bell o fod yn Beta heb sôn am Alpha, a wnes i jest cau lawr a gadael iddo fo fod yn fòs. Ro'n i'n gwingo pan welais i'r ffordd roedd o'n trin Mot druan, ond ro'n i wedi rhewi, yn fud. Camgymeriad oedd anghytuno efo Merfyn, a dyna sut ro'n i'n teimlo eto: roedd gen i ormod o ofn beirniadu Peter, deud mod i'n anghytuno, achos do'n i rioed wedi cael y gyts i anghytuno go iawn efo unrhyw ddyn – yn bendant ddim dyn mewn awdurdod. Dad oedd y bòs adre, fo oedd wastad yn iawn, a fyddai Mam byth yn meiddio mynd yn groes iddo fo. Pan o'n i'n blentyn ysgol, roedd gen i ofn yr athrawon i gyd, ond y Prifathro'n fwy na neb. Hyd yn oed rŵan, yn fy ngwaith, doedd gen i mo'r gyts i ddeud dim pan fyddai athro, boed yn ddyn neu'n ddynes, yn rhy gas neu wedi cam-ddallt plentyn yn llwyr neu jest yn amlwg wedi codi ar ochr anghywir y gwely. Roedden nhw'n glyfrach na fi, wedi cael gradd yn eu pwnc a chael eu hyfforddi i ddysgu, felly pwy o'n i i ddeud dim?

Roedd gen i gywilydd mod i wedi gadael i Peter drin Mot fel yna. Ond ro'n i wedi gobeithio y byddai o'n llacio'r tennyn unrhyw funud. Wnes i rioed feddwl y byddai'n hanner ei grogi mor hir, mor bell, ac erbyn i mi benderfynu bod yn rhaid i mi roi stop arno fo, ro'n i'n gorfod rhedeg i drio dal i fyny efo nhw.

Ro'n i'n falch mod i wedi gweiddi arno fo, ond ar y pryd,

roedd gen i ofn drwy 'nhin. Nid yn gorfforol – dydi Peter ddim yn foi fel'na, nid efo merched o leia – ond roedd gynno fo'r gallu i wneud i mi deimlo'n dwp. Dwi'm yn meddwl ei fod o'n sylweddoli ei fod o'n gwneud hynny: mae 'na rai pobl glyfar (ac mae Peter yn glyfar – mae gynno fo radd mewn peirianneg) sydd jest wedi arfer meddwl eu bod nhw'n glyfrach na phawb arall. A bosib bod y *gene* caredig yn llai er mwyn gwneud lle i'r clyfrwch. Ond be wn i.

Mae'n siŵr ei fod o'n iawn bod Mot ddim yn meddwl amdana i fel *leader of the pack*, ond dydi o'n sicr ddim yn meddwl ei fod o'n well na fi. Dwi'n meddwl mai isio edrych ar fy ôl i mae o, ac am mod innau'n edrych ar ei ôl o, dan ni'n fwy o dîm. Ond wnes i ddim edrych ar ei ôl o'n dda iawn gynnau, naddo?

Es i â Mot am dro hirach nag arfer er mwyn trio gwneud iawn am hynny, a thaflu ugeiniau o briciau iddo fo, achos mae o'n gwrthod yn lân â dod ag unrhyw un yn ôl i mi. O, mae'n dod â fo'n ôl, ond yn gwrthod gollwng. Ond nid *retriever* mohono, naci? Ci defaid ydi o, a dydi dod â phriciau a pheli – neu hwyaid, neu be bynnag gafodd *retrievers* eu bridio i'w wneud – ddim yn ei natur o. A fel maen nhw'n deud yn Saesneg, fedar llewpart ddim newid ei smotiau. Na phobl, decini. Mae Dad yn deud mai 'A ddwg wy a ddwg fwy' ydi'r ddihareb Gymraeg am hynna. Ond i mi, mae hynna'n fwy am fethu peidio gwneud yr un peth, dro ar ôl tro, wedi i ti'i wneud o'r tro cynta.

O, damia…

PENNOD 10 *Mot*

Ges i gig iâr ganddi ar ôl dod adre wedi i ni fynd rownd y llyn. Cig pinc, meddal, hyfryd! Felly ro'n i'n gwybod ei bod hi'n dal i 'ngharu i, ac mai 'Mae'n wirioneddol ddrwg gen i' oedd neges y cig. Ac ro'n i mor falch ei bod hi'n anwybyddu'r dwsinau o pings ar ei ffôn.

Ond mi nath hi ateb galwad yn hwyrach, pan oedd hi yn ei gwely, ac mi allwn i ei chlywed hi'n ateb mewn gair neu ddau yn hytrach na'r rhip hir o eiriau arferol, ac wedyn mi glywais i hi'n crio, felly mi redais i fyny'r grisiau ati a rhoi fy ngên ar ochr y gwely, a sbio arni nes iddi 'ngweld i. Wedyn mi wnes i lyfu ei dagrau hi.

Rai nosweithiau'n ddiweddarach, pan oedden ni wedi hen noswylio, mi fangiodd o ar y drws, a gweiddi amdani. Doedd ei lais o ddim yn iawn, a'r geiriau'n rhedeg i mewn i'w gilydd, a phan neidiais i ar sìl y ffenest, mi allwn i weld fod ei gorff o'n rhyfedd hefyd, yn feddal ac yn llipa. Mi gyfarthais arno fo i gadw draw, ond daeth Lea i lawr y grisiau ac agor y drws. Be oedd ar ei phen hi? Ond deud wrtho fo (wel, hisian arno fo) i fynd adre wnaeth hi, a'i fod o wedi meddwi ac yn deffro'r stryd. Ond doedd o ddim yn gwrando arni.

Ro'n i wedi bod yn sefyll y tu ôl iddi, yn trio pwyso a mesur y sefyllfa, ond pan gydiodd o'n frwnt ynddi a thrio gwthio ei ffordd i'r tŷ, wel, roedd hi'n amlwg bod raid i mi achub y sefyllfa, doedd? Mi neidiais yn fy mlaen a suddo fy nannedd i mewn i waelod ei goes o, hanner ffordd rhwng ei ben-glin a'i sgidiau sgleiniog o. Dim ond brathiad sydyn, ond dwi'n gwybod mod i wedi tyllu ei gnawd o. Do'n i rioed wedi brathu neb dwygoes o'r blaen, ac allwn i ddim credu mod i wedi gwneud y fath beth. Ond roedd 'na deimlad o foddhad pur ynddo fo hefyd, os dwi'n onest. Doedd Peter dim mor fodlon. Mi sgrechiodd a thrio rhoi cic i mi, ond mi gollodd ei falans a disgyn ar ei ben ôl.

'Nath y bastad 'y mrathu i!' udodd o, gan riddfan a hanner crio wedyn, a rhwbio ei goes.

'Dim ond achos wnest ti gydio ynof fi!' meddai Lea.

'Mae'r diawl yn beryg! Ddyliet ti roi o lawr...' chwyrnodd y Crinc.

'Trio edrych ar fy ôl i oedd o!' hisiodd Lea, wrth weld cwpwl o gyrtens yn agor dros y ffordd. 'Rŵan, cer adre, cyn iddo fo dy frathu di go iawn, a paid byth â dod yma eto! Mae o drosodd, Peter!'

Sefais wrth ei hochr yn chwyrnu'n isel, gan drio edrych yn fawr ac yn filain. Mi driodd o ddeud rhywbeth am dyllau yn ei drowsus, ond roedd o'n chwalu gwynt fwy na dim, ac mi grychais fy nhrwyn. Hen ogla cwrw sur a rhywbeth melysach, cryfach wedi'i gymysgu efo saim sglodion.

Caeodd Lea'r drws, a throi'r goriad. Yna sleifiodd at y

ffenest. Mi neidiais i ar y sìl a dyna lle fuon ni'n ei wylio fo'n trio ddwywaith, dair i godi ar ei draed. Wedi iddo lwyddo, cododd ddau fys i gyfeiriad ein drws ni a hercian i ffwrdd. Ro'n i'n gallu ei glywed yn rhegi'n aneglur am hir.

Trodd Lea ata i a 'nghofleidio'n dynn. Llyfais ei hwyneb a gwenu.

'Diolch, Mot,' meddai. 'Roeddet ti'n gallu deud yn syth sut foi oedd o, doeddet? Iawn, o hyn allan, mae unrhyw ddyn newydd yn fy mywyd i'n gorfod pasio'r Prawf Mot. Ha! Mot – M.O.T.! Mae hynna'n berffaith, tydi!'

Doedd gen i ddim syniad be oedd prawf M.O.T. wrth gwrs, ond os oedd hi'n chwerthin ac yn hapus, ro'n innau hefyd. Ac mi wnes i ddod i ddeall be oedd Prawf Mot. Yn y bôn, dim ond os o'n i'n licio rhywun fyddai hi'n ei weld eto. Ac os nad o'n i'n siŵr o'n i'n licio rhywun y tro cynta i mi ei gyfarfod, byddai'n rhaid iddi hi – ac yn sicr fo – droedio'n ofalus.

Gweithiodd y prawf yn arbennig o dda. Mi wnaethon ni gyfarfod Rhys a'i filgi wrth fynd am dro i fyny Moel Siabod un bore Sul. Do'n i byth yn siŵr o gŵn eraill yn syth bìn, yn enwedig rhai gwryw fel fi, achos, erbyn dallt, mae gan rai ohonon ni ormod o rywbeth o'r enw testosteron yn pwmpio drwyddon ni, rhyw gemegyn sy'n gwneud i ni fod isio ffeit dragwyddol. Mae o gan ddynion hefyd, mae'n debyg, yn enwedig y rhai ifanc. Rhaid i mi gyfadde, roedd gen innau ormod ohono fo am gyfnod yn yr oed hwnnw hefyd, jest cyn i mi fod yn flwydd. Ro'n i methu helpu fy hun, ond byddai gweld neu arogli gwryw arall yn fy rhoi ar bigau drain. Wedyn, o weld yr un fflach o 'Ty'd 'laen 'ta, mêt' yn eu llygaid nhw, byddai ton gref o wylltineb yn codi drwydda i ac yn gwneud i mi fod isio mynd am eu gyddfau nhw.

Diolch byth, mi fyddwn i – a nhw – wastad ar dennyn ar yr adegau hynny, ac roedd Lea'n ddigon cry i fy nhynnu'n ôl mewn pryd. Wedyn byddai'n rhoi andros o row i mi a finna'n teimlo'n drist ac euog am hir – neu o leia nes i mi weld ci gwryw arall.

Wnaeth y cyfnod hurt hwnnw ddim para'n hir, diolch byth, a dwi ddim wedi teimlo fel lladd unrhyw gi arall ers blynyddoedd. Wel, ar wahân i pan fydd rhyw gŵn ifanc, dwl isio chwarae ac yn trio neidio ar fy mhen i a 'nghripio i. Ond mae chwyrniad go ddwfn fel arfer yn eu dysgu'n o sydyn mod i'n rhy hen i chwarae'n wirion. Ac os ydyn nhw'n mynnu dal ati wedyn, mi wna i roi pawen drom ar eu pennau nhw a'u dal i lawr gan chwyrnu'n isel yn eu clustiau: 'Dyro'r gorau iddi'r snichyn gwirion, neu mi blanna i fy nannedd yn dy gorn gwddw di.'

Ond roedd Jet, milgi Rhys, yn hŷn na fi, felly fo oedd y bòs, ac er ei fod yn sbio lawr ei drwyn arna i i ddechrau, mi ddaethon ni'n ffrindiau'n gyflym iawn, felly dyna hanner cynta'r Prawf Mot wedi ei basio. Roedd hanes bywyd Jet yn ddiddorol: roedd o wedi bod yn gi rasio am dair blynedd, ac wedi bod yn un da, yn ennill ym aml, ac yn llawn haeddu ei enw, ond mi syrthiodd yn ei ras olaf, a fu ei goes o byth yn iawn wedyn. Felly doedd ei berchennog o ddim isio fo. Ond gwelodd Rhys hysbyseb efo llun Jet arni, a phenderfynu nad labrador melyn fatha pawb arall oedd o isio wedi'r cwbl, ond milgi.

'Es i draw i'w weld e, a syrthio mewn cariad yn syth,' meddai wrth Lea wrth i ni i gyd ddringo'n bwyllog am y copa. 'Edrych ar y llygaid 'na...'

'Ydyn, bron mor ddel â rhai Mot,' meddai Lea, gan roi hanner gwên iddo fo.

'Ha!' Ond doedd Rhys ddim wedi gorffen canmol Jet: 'Ond dwi wedi gwirioni gyda'i siâp e hefyd, mae e mor hardd a gosgeiddig, on'd yw e? Dim owns o ffat arno fe.'

'Ti'n trio deud bod fy nghi i'n dew ac yn hyll?' gofynnodd Lea. Ond tynnu ei goes o oedd hi wrth gwrs, achos byddai unrhyw ffŵl yn gallu gweld mod i'n andros o gi smart, ffit. Chwerthin wnaeth Rhys, felly roedd yntau wedi deall mai tynnu arno oedd hi, ac ro'n i'n licio'r olwg ar ei ddannedd o. Roedd pasio Prawf Mot yn edrych yn addawol.

Mi fues i'n trio gwrando ar weddill eu sgwrs nhw wrth arogli bob dim o fewn cyrraedd y tennyn, ac mi ges fy mhlesio. Roedd o'n dod o Gynwyl Elfed (ble bynnag mae fanno) ac yn ddarlithydd ym Mangor. Edrychais yn ofalus ar wyneb Lea pan ddywedodd o'r gair 'darlithydd', achos roedd hi'n amlwg wedi sythu chydig. Agorodd ei llygaid yn fwy crwn, felly ro'n i'n gallu deud ei fod o wedi gwneud argraff arni, ond ei bod hi damed yn nerfus hefyd.

'Darlithydd, ia? Boi clyfar felly,' meddai Lea.

'Fi? Na, dim ond bod gen i ddiddordeb yn fy mhwnc,' meddai Rhys.

'A be ydi hwnnw?'

'Daearyddiaeth ac eigioneg.'

Chwarddodd Lea. 'Wel dyna ti wedi 'ngholli i'n barod! Sgen i'm clem be ydi eigioneg.'

'*Oceanography*: sef beth sydd yn y môr.'

'Ar wahân i siwrej…'

Gwenodd Rhys. 'Yn gwmws.'

'Job ddifyr, dwi'n siŵr,' meddai Lea. 'Dim ond cymhorthydd ydw i, sgen i ddim gradd, dim ond cwpwl o NVQs.'

'"Dim ond"?' meddai Rhys. 'Gwranda, ro'n i'n athro cyn cael y swydd darlithydd, a dwi'n gwybod yn iawn pa mor bwysig yw cymorthyddion! Chi'n werth y byd!'

Wel. Mi basiodd y prawf wrth gwrs. Ro'n i'n gwybod bod Lea isio llyfu ei wyneb o, ond dydi pobl ddim yn gneud pethau felly mor sydyn, felly mi drotiais i ato fo a gwenu arno nes iddo fo blygu i roi mwytha i mi, ac wedyn mi gafodd lyfiad nes roedd o'n sgleinio.

Roedd Jet fymryn yn genfigennus, ond wedi fy rhybuddio i beidio â gwneud hynna'n rhy aml i Rhys, mi ymlaciodd a gadael i mi wybod bod Rhys yn berchennog clên, caredig. Mi wnes innau ddeud yr un peth am Lea. A deud y gwir, mi wnes i ei chanmol i'r cymylau. Efallai i mi fynd fymryn dros ben llestri, achos rhowlio ei lygaid wnaeth Jet, a phiso braidd yn agos at fy nhrwyn i.

Nefi, mi wnes i fwynhau'r diwrnod hwnnw. Aethon ni i gyd i dafarn wedyn, a ges i a Jet fodd i fyw yn bwyta sbarion brechdan stêc wrth wylio Lea a Rhys yn dod i nabod ei gilydd yn well. Doedd Jet ddim wedi cynhyrfu gymaint â fi; a deud y gwir, roedd o'n cysgu'n sownd bellach, ond fel'na mae milgwn: rhedeg yn wirion am ddeg munud, wedyn cysgu am oriau. Yn wahanol iawn i fi, doedd gan Jet ddim stamina, ond iechyd, roedd o'n gallu mynd fel mellten pan oedd o'n teimlo fel gwneud.

Mi wnaethon ni'n pedwar gyfarfod eto yr wythnos wedyn, i grwydro Cwm Idwal y tro yma, er ei bod hi'n wlyb a chymylog. Ond cyn dechrau cerdded o ddifri, gofynnodd Rhys a hoffai Lea weld yn union pa mor gyflym oedd Jet. Roedd gen innau ddiddordeb, achos ro'n i'n cyfri fy hun yn gi eitha chwim ar y pryd, yn gyflymach nag unrhyw gi ro'n i wedi ei gyfarfod hyd hynny o leia, ond do'n i rioed wedi cyfarfod milgi o'r blaen, nag oeddwn?

Roedd 'na ffordd fach darmac gul yn mynd i lawr y dyffryn. Aeth Jet a fi yng nghar Lea i lawr yr allt am sbel fach, gan adael Rhys yn sefyll ar y top. Roedden nhw wedi trefnu ymlaen llaw be fyddai'n digwydd, ac wedi gwneud yn siŵr nad oedd 'na ddefaid o gwmpas. Wedi troi rownd, stopiodd Lea'r car a'n gadael ni'n dau allan. Daliodd ei gafael yn ein coleri ni nes i Rhys godi rhywbeth blewog yn ei law a galw ar Jet.

Wannwyl, mi lamodd Jet i'w gyfeiriad o mor sydyn, bron nad o'n i'n troi fel deilen yn y gwynt greodd o. Ond wedi i Lea weiddi arna i: 'Rheda, Mot!' mi gythrais ar ei ôl efo fy holl nerth. Ro'n i'n hedfan, yn gwybod mod i'n hedfan, ond ro'n i hefyd yn teimlo fel taswn i'n rhedeg am yn ôl, achos roedd pen ôl Jet yn mynd yn bellach oddi wrtha i efo pob llam. Roedd y ci 'na'n anhygoel. Doedd hi ddim yn ras hir, achos dywedodd Rhys nad ydi tarmac yn garedig iawn i draed cŵn (cytuno'n llwyr – mae gwair gymaint gwell), ond roedden nhw'n gorfod ein cadw ar dennyn ar y gwair oherwydd y defaid – a'r adar oedd yn mynnu nythu ynghanol y gweiriach.

Ro'n i'n eitha siŵr mai fi fyddai'n ennill ras hirach. Wel, gryn dipyn yn hirach, ond dros bellter reit fyr fel yna, doedd gen i ddim gobaith mul. Mi wnes i ddysgu gwers y diwrnod hwnnw, yn bendant. Mae'n rhaid mod i'n edrych reit ddigalon wedi cyrraedd y top, achos mi ddywedodd Rhys:

'Wel, Mot bach, paid ag edrych mor siomedig! Ci defaid wyt ti, ac mae milgwn wedi eu bridio ers canrifoedd i redeg yn glou fel yna! Fydden nhw'n dda i ddim ar ben mynydd yn trial cadw trefn ar ddefaid.' Doedd o ddim i wybod nad o'n i'n rhy wych am hynny chwaith.

Syrthiais yn glewt ar fy mol a chraffu ar Jet, oedd yn gorwedd fel brenin yn y gwair yn anadlu'n drwm. Roedd cyhyrau ei goesau ôl yn anferthol, erbyn gweld, yn llawer iawn mwy na fy rhai i. Dim rhyfedd ei fod o'n gallu symud mor gyflym. Gwenodd yn fodlon arna i, a deud:

'Pawb â'i dalent, gyfaill… wnes i ddeud wrthat ti mod i'n gyflym, yn do?'

Nid brolio roedd o, dim ond deud y gwir yn ddigon clên. Ond ro'n i methu peidio dal ati i rasio yn ei erbyn o, wel, rhedeg ar ei ôl o 'ta, bob tro y bydden ni'n cyfarfod wedi hynny. Jet oedd fy arwr bellach, ac os nad o'n i'n gallu rhedeg fel milgi, ro'n i isio bod y ci defaid cyflyma erioed. Roedd gen i feddwl mawr o Rhys hefyd, a gobeithion mwy; roedd 'na sglein yn llygaid Lea bob tro y byddai'n ei weld o a bob tro y byddai'n deud 'O, haia Rhys…' pan fyddai'r ffôn yn canu. Ond dim ond cyfarfod i gerdded fydden ni.

Doedd o byth yn cynnig mynd â hi allan gyda'r nos na'i hudo i'w gartre o.

'Wel pam na wnei di ei wadd o 'ta,' meddai Haf wrthi pan aethon ni am dro efo hi a Waldo.

'Dwi'm isio bod yn *pushy*,' oedd ateb Lea.

'O mai god, Lea, ti mor hen ffasiwn weithia!' chwarddodd Haf. 'Dydi pob dyn ddim fatha Peter a Merfyn, wsti! Mae 'na rai, fel Rhys, sy'n fwy tawel a swil, ac angen gwthiad bach i'r cyfeiriad iawn. Bet i chdi mai disgwyl i ti roi ryw fath o neges mae o, achos mae'n berffaith bosib ei fod o ddim yn dallt merched – nid y negeseuon dan ni'n meddwl ein bod ni'n eu rhoi o leia.'

'Ti'n meddwl? Ond mae hi mor uffernol o amlwg mod i'n licio fo!'

'Ydi hi? Wyt ti *actually* wedi deud hynna wrtho fo?' gofynnodd Haf.

Do'n i ddim wedi ei chlywed hi'n deud hynny, erbyn meddwl. Ond ro'n i'n cytuno efo Lea: roedd hi'n berffaith amlwg ei bod hi'n hoffi'r dyn! Roedd hi wastad yn rhannu ei brechdanau efo fo, wastad wedi dod â rhyw gacen neu'i gilydd efo hi – o siop. Mi driodd neud cacen ei hun un tro ond mae'n amlwg nad oedd hi'n llwyddiant achos fi gafodd ei hanner hi, a'r adar yr hanner arall.

'Be? Dwi fod i ddeud: "Dwi'n rili licio ti!"? Yn sobor?' gofynnodd Lea gan droi chydig yn binc.

Do'n i ddim yn gweld be oedd mor anodd am ddeud hynny wrtho fo, fy hun. Pan fydda i'n licio person neu gi arall, dwi'n gwneud yn berffaith siŵr bod fy nheimladau i'n amlwg. Mae bob dim dwi'n ei neud yn sgrechian 'Dwi'n rili, rili licio ti yn ofnadwy!' Ond mae Lea reit swil efo pobl newydd ac yn tueddu i golli ei thafod. Erbyn meddwl, dwi'n meddwl y byddai bywyd yn llawer haws iddi tasa ganddi gynffon. Mi fyddai'n haws i bob dwygoes, dybiwn i. Dim o'r lol crafu am y geiriau cywir, dim poeni ydi eu gwên nhw'n edrych fel y math anghywir o wên; wrth ysgwyd dy gynffon, ti jest yn dangos be sydd yn dy feddwl di. Mi fedri di ysgwyd mymryn bach arni, neu ei throelli hi fel melin wynt mewn corwynt: hawdd.

A dyna rywbeth arall wnes i rioed ei ddeall am bobl: dydyn nhw ddim yn snwffian penolau ei gilydd. Ddim yn gyhoeddus o leia. Dwi'm yn siŵr be'n union maen nhw'n neud pan dydan ni gŵn ddim yna, ond mi fyddai pethau gymaint symlach iddyn nhw tasan nhw jest yn cymryd snwffiad go dda o'i gilydd yn syth bìn. Os nad ydi dy drwyn di'n licio'r ogla, ti'n cerdded i ffwrdd heb bechu neb. Ond os ydi dy drwyn di, a chdi, yn meddwl ei fod o'n ddiddorol, ti'n archwilio mwy – efo'u caniatâd nhw wrth gwrs.

Ro'n i'n pendroni am hyn wrth drotian efo Waldo wrth ochrau Lea a Haf y diwrnod hwnnw, ac mi wnes i sylweddoli bod Lea wastad yn rhoi mwytha mawr i Jet, ond do'n i rioed wedi ei gweld hi'n cyffwrdd Rhys.

'Gwranda,' meddai Haf wrthi, 'be sgen ti i'w golli wrth ofyn fysa fo'n licio mynd am beint neu bryd o fwyd ryw noson?'

'Allwn i byth!'

'Gelli siŵr. Tria fo. A bwcia dacsi fel bod 'run ohonoch chi'n sobor am unwaith. Mae fflyrtian wastad gymaint haws efo rhywfaint o alcohol, tydi?'

Cytunodd Lea a chyfadde mai alcohol oedd wedi dod â hi a Merfyn a Peter at ei gilydd. O? Doedd yr alcohol yma ddim yn swnio fel syniad da i mi felly.

Cafodd Waldo air tawel efo fi pan gyrhaeddon ni'r darn lle fydden nhw'n gadael i ni grwydro heb dennyn. Roedd o wastad yn rhoi gair o gyngor i mi yn y dyddiau hynny, gan mod i'n gi ifanc, dwl a diniwed, ac yntau fel hen ŵr doeth oedd wedi gweld a chlywed bob dim.

'Mi allet ti wastad holi Jet be ydi be, wsti,' meddai wrth i mi snwffian lle roedd gast fach ifanc, ddel newydd fod o fewn yr awr ddiwethaf.

'Y? Be ti'n feddwl?' gofynnais, heb lawer o ddiddordeb os dwi'n onest, achos roedd ogla dŵr yr ast yn llawer mwy diddorol. Roedd 'na arogl cryf, diarth ar ei dŵr hi – arogl oedd yn gwneud i mi sythu ac yn codi blew fy ngwar ac yn gwneud rhywbeth rhyfedd i fy ngheilliau i.

'Ogla gast sy'n cwna ydi hwnna. Gwylia dy hun, mae dilyn ogla fel'na'n gallu mynd â ti i helynt,' meddai'n isel, cyn mynd 'nôl at y pwnc gwreiddiol. 'Jest hola Jet sut ddyn ydi o go iawn, pwy arall sy'n rhannu tŷ efo nhw, rhyw betha fel'na. Dy le di fel ci ydi gwneud yn siŵr bod dy ddwygoes di yn ddiogel ac yn hapus, a chofia nad ydyn nhw'n gallu ogleuo chwarter cystal â ni.'

Ond roedd arogl yr ast wedi cynhyrfu gymaint arna i, wnes i ddim talu llawer o sylw i eiriau Waldo. Codais fy nhrwyn yn yr awyr. Roedd hi wedi mynd i gyfeiriad y dwyrain. Dechreuais redeg i'r cyfeiriad hwnnw. Roedd hi wedi gadael neges arall wrth fonyn coeden – ac un arall wrth bolyn ffens – llwybr hud o arwyddion. Roedd hi isio i mi ddod o hyd iddi! Anghofiais bob dim am bawb arall, hyd yn oed am Lea; roedd galwad yr ast yn rhy gryf. Wnes i ddim clywed Waldo'n cyfarth arna i, na Lea'n chwibanu – roedd gen i waith i'w wneud.

PENNOD 11

Lea

Doedd o erioed wedi gwneud hynna o'r blaen. Mae o wastad wedi bod mor ufudd, ac yn dod yn ôl yr eiliad y bydda i'n chwibanu arno fo. Ond mi ddiflannodd i'r coed ym mhen draw'r cae heb gymryd mymryn o sylw ohona i'n chiwbanu fel het arno fo.

'Be goblyn mae o wedi'i ogleuo?' gofynnais i Haf. 'Cwningen?'

'Bosib,' meddai hithau. 'Ond dwi'n cofio Waldo'n ymddwyn fel'na pan oedd o'n iau, cyn i mi ofyn i'r fet ei sbaddu o...'

Edrychais yn hurt arni.

'Sbaddu? Be? Y snip ti'n feddwl?' Nodiodd Haf yn drist. 'Felly ti'n meddwl mai wedi mynd ar ôl gast mae o?' gofynnais.

'Wel... mae o wedi cyrraedd yr oed yna, tydi?'

'Yndi?' Do'n i wir ddim wedi sylwi.

'Dydi o'm wedi bod yn hympio dy gwshins di? Dy goes di? Gwaeth fyth, coesau pobl eraill?' gofynnodd Haf. Nag oedd, nid o mlaen i o leia. Roedd cŵn pobl eraill wedi gwneud hynny i mi ambell dro dros y blynyddoedd, ond ro'n i wedi anghofio am y peth.

'Wel, pan ddaw o'n ôl,' aeth Haf yn ei blaen, 'os fydd o'n dechra bihafio fel stalwyn, mi fyddi di'n gwbod lle mae o wedi bod.'

O mam bach. Roedd Haf yn gorfod mynd i helpu ei mam i symud hen wardrob, felly mi frysiais i yn fy mlaen yn dal i weiddi a chwibanu am Mot. Roedd 'na lwybr yn mynd drwy'r coed, ac wedi dilyn hwnnw, ddois i allan ar ffordd fach gefn oedd yn gwbl ddiarth i mi. Ond doedd gen i ddim syniad ai i'r dde ynta i'r chwith roedd o wedi mynd. Dechreuais redeg i'r dde a chyfarfod hogan yn gwthio pram. Ro'n i'n ei nabod hi – roedd ganddi blant yn yr ysgol.

'Haia – dwyt ti ddim wedi gweld ci defaid yn pasio, digwydd bod?' Nag oedd. Felly rhedais i'r chwith, a chyn hir, gwelais res fechan o dai gwyngalchog. Arafais, a chwibanu a galw dros giât bob tŷ.

Yn y pedwerydd tŷ, roedd 'na Jack Russell bach yn neidio i fyny ac i lawr yn y ffenest. Tybed? Es at y drws a chlywed sŵn hwfro. Canais y gloch. Roedd yr hwfyr yn dal wrthi. Canais eto a chnocio'r drws ac yna, o'r diwedd, diffoddwyd yr hwfyr. Daeth dynes ganol oed eitha chwyslyd at y drws ymhen rhai munudau.

'Ia?'

'Ym... dwi wedi colli fy nghi defaid – dydi'ch ci chi ddim yn digwydd bod yn hogan, yndi?'

'John? Nacdi, hogyn ydi o, ac mae'n boen yn din ers dyddiau achos mae gast drws nesa'n cwna. Fiw i mi ei adael o allan o'r tŷ. Ond mae'r gŵr yn gwrthod gadael i ni ei sbaddu o. Ond ddim fo sy'n gorfod byw efo'r udo a'r crafu drwy'r dydd, naci?'

'Naci, beryg. Ym – drws nesa ddeudsoch chi?'

'Ia, ond does 'na neb adre. Maen nhw wedi mynd i Lidl.' O na – dychmygais yr ast yng nghefn y car a Mot yn rhedeg fel ffŵl ar eu holau drwy'r traffig.

'O, wela i. Aeth y ci efo nhw?'

'Rargol naddo, a hitha'n cwna? Na, mae hi un ai yn y tŷ neu yn y caets mawr sy gynnyn nhw yn y cefn.'

Gofynnais a fyddai'n iawn i mi fynd i'w gardd gefn nhw, rhag ofn bod Mot yno. Doedd hi ddim yn gweld pam lai, felly es i drwy'r giât ar ochr chwith y tŷ a gweld gardd fawr gyda chaets anferthol yn cysgodi dan goeden dderwen. Roedd angen iddo fod yn gaets go fawr achos roedd yr ast y tu mewn iddo yn fwystfil o Great Dane. Do'n i erioed wedi gweld cŵn felly yn y byd go iawn, dim ond ar y teledu ar raglenni fel *Biggest Dog in the World*, a do'n i ddim wedi sylwi nes gwelais i'r ast fawr lwyd hon mai Great Dane oedd Scooby Doo. Nefi, roedd hi'n fawr. Mi fyddai John y Jack Russell wedi cael tipyn o drafferth dringo ar gefn hon. Ond roedd Mot yn amlwg yn obeithiol, achos dyna lle'r oedd o, yn cerdded 'nôl a mlaen y tu allan i'r caets, ei lygaid wedi eu hoelio arni a'i glustiau'n saethu am i fyny, yn trio gwneud iddo'i hun edrych yn fwy o foi nag oedd o. Ac ych – roedd o'n glafoerio!

'Mot! Callia'r ci gwirion!' galwais arno, ond chymerodd o ddim blewyn o sylw ohona i. Roedd o'n amlwg mewn rhyw fybl oedd yn cynnwys dim ond y fo a'r fynyddes o ast. Yn sydyn, dechreuodd balu'r pridd o flaen y caets. Roedd y lwmp gwirion yn mynd i drio twnelu ei ffordd ati!

'Mot! Paid â meiddio!' gwaeddais yn llawer uwch. Mi glywodd fi y tro yma, a chodi ei ben am eiliad, ond yna mynd yn ôl i balu eto, yn gyflymach, gan wichian, a'r pridd yn tasgu'n gymylau rhwng ei goesau ôl. Reit 'ta! Roedd y tennyn gen i mewn un llaw a chamais ato, cydio yn ei goler a bachu'r tennyn ynddi.

'Ty'd rŵan, Mot, gad lonydd i'r ddynes, a paid â gneud llanast,' meddwn yn gleniach gan roi plwc i'r tennyn. Ond mi dynnodd yn fy erbyn efo'i holl nerth. Mae'n rhaid bod fferomonau hon yn rhyfeddol o gryf. Ond ro'n i'n gryfach! Mae'r blynyddoedd o fynd i'r gampfa a chwarae pêl-rwyd yn handi weithiau. Llusgais Mot oddi yno, wrth i'r Great Dane-es sbio'n drist arnon ni'n gadael.

'Sori, ddim heno, Josephine,' meddwn wrthi.

Erbyn i mi gyrraedd y coed eto, roedd Mot fel tasa fo wedi anghofio bob dim am y bladres boeth ac yn trotian yn ufudd wrth fy ochr i – nes iddo basio bonyn coeden arall roedd hi wedi chwistrellu ei fferomonau drosti. Mi dynnodd, ond mi dynnais i'n ôl a rhoi llond pen o row iddo fo. Edrychodd arna i'n hurt, fel tasa fo'n methu credu mod i'n difetha be allai fod yn uchafbwynt ei fywyd, ond yn y diwedd, derbyniodd y drefn, rhoi ei gynffon rhwng ei goesau a llusgo'i ffordd adre.

''Di secs ddim yn bob dim, sti,' meddwn wrtho fo ar ôl sbel. 'Yndi, dwi'n gwbod bod dy ben di a dy du mewn di wedi troi'n bwdin a dy geillia di'n corddi, ac yndi, mae'r syniad yn un cyffrous iawn, ac mae'r weithred ei hun yn gallu bod yn lot fawr o hwyl, ond doedd hi'm yn dy siwtio di, ocê? Felly anghofia amdani. Mae 'na fwy o bysgod yn y môr.'

Edrychodd arna i fel tasa fo wedi dallt bob gair, yna stopio'n stond a rhoi ei ben ar un ochr, fel tasa fo'n disgwyl i mi ddeud mwy. 'Be? O. Ia, yn union fel doedd Peter ddim yn fy siwtio i. A fel ti 'di gweld, mae 'na fwy o ddynion o gwmpas… rhai neis, fel Rhys.' Cododd ei glustiau ac ysgwyd ei gynffon. 'Felly ti'n licio Rhys? Go dda. Dwi'n mynd i ofyn iddo fo fysa fo'n licio pryd o fwyd efo fi. Yn rhywle sy'n derbyn cŵn, fel y cei di a Jet ddod efo ni – ti'n licio'r syniad yna?' Ysgydwodd ei gynffon eto. 'A dwi'n mynd i ofyn iddo fo be ddylwn i neud amdanat ti a dy lyf leiff hefyd…' Disgynnodd ei glustiau'n fflat, a cherddodd yn ei flaen. 'Mi fydd raid gneud rhywbeth, wsti, fedra i'm gadael i ti garlamu dros y wlad fel rhyw stalwyn cocwyllt, na fedra?' Dal i gerdded yn ei flaen heb gymryd sylw wnaeth o. Ond beryg na fyddai ci'n gwybod be ydi stalwyn cocwyllt.

'Wel, ti 'di anghofio bob dim am Miss Great Dane, o leia, yn do?' meddwn wrth i ni droi am ein stryd ni. Ond roedd o fel cnonyn aflonydd drwy'r nos, ac yn crafu ar y drws dragwyddol i drio mynd allan. A'r bore wedyn, roedd o'n gwneud pethau rhyfedd iawn i un o fy nghlustogau i – nes i mi weiddi arno fo i roi'r gorau iddi. Ond os dwi'n onest, ro'n i'n gwybod sut roedd o'n teimlo.

Pan wnaethon ni gyfarfod Rhys a Jet ar y pnawn Sadwrn, ro'n i wedi treulio cryn dipyn o amser ar fy ngholur; digon i neud i mi edrych ar fy ngorau, ond ddim gormod, gan mai dim ond mynd i gerdded oedden ni. Mi wnes i sôn wrtho fo am yr helynt efo'r Great Dane a gofyn gafodd o drafferth tebyg efo Jet. Do oedd yr ateb. Dydi cŵn rasio ddim yn cael eu sbaddu nes byddan nhw wedi gorffen eu gyrfa rasio, achos maen nhw'n bridio o'r rhai da, ac mae testosteron yn helpu i gadw'r esgyrn a'r ligaments yn gryf.

'Gan fod Jet yn hŷn, roedd e wedi dod dros y cyfnod gwyllt,' eglurodd Rhys, 'ond es i ag e at y milfeddyg ta beth, achos mae fe jest yn haws. Mae rhai'n dweud nad yw e'n gwneud lles i gi, ond mae cŵn gwryw eraill yn llai tebygol o ymosod arno fe, ac mae'n cael gwared â'r perygl o gael canser y ceilliau nes mlaen.'

'O ia, achos sgynno fo'm ceilliau, nag oes...' meddwn yn ddifeddwl, a mynd yn binc am fod y ffaith honno mor amlwg. Dim ond gwenu wnaeth Rhys. Nefi, roedd gynno fo wên neis, a llygaid hyfryd. 'Felly ti'n meddwl y dylwn i neud yr un peth efo Mot?'

'Oni bai dy fod ti moyn bridio ohono fe gyntaf, neu am iddo fe gael y profiad o gael rhyw. Ro'n i'n teimlo'n eitha euog yn amddifadu Jet o'r cyfle hwnnw, rhaid cyfadde.'

'Ia, bechod. Faswn i'm yn rhy hapus taswn i'n marw heb gael gwybod be ydi rhyw, rhaid i mi ddeud,' meddwn inna, cyn meddwl be ro'n i'n ddeud. Dacia, ro'n i wedi mynd â ni i dir embarasing o beryglus. Os o'n i'n binc cynt, ro'n i'n fflamgoch rŵan.

'Na finne!' gwenodd Rhys. Wedyn mi fu 'na bydew o dawelwch rhyngon ni, dim ond sŵn ein sgidiau cerdded ar y cerrig, yr adar yn y coed o boptu i ni, ac awyren o'r Fali yn rhuo yn y pellter. Roedd fy meddwl yn rasio: oedd o'n mynd i feddwl mod i erioed wedi cael rhyw ac yn gollwng anferth o hint? Neu mod i'n *nymphomaniac* oedd isio neidio ar ben bob dyn ro'n i'n ei weld? Sut o'n i'n mynd i ofyn iddo fo oedd o isio dod am bryd o fwyd efo fi ar ôl hynna? Ond ar ôl rhyw bum munud, mi ddechreuodd o fwydro am ryw gen arbennig ar y coed, ac wedyn, wedi i ni ddod allan i dir agored, mwy corslyd, mi draethodd am fwsog:

'Mwsogl o'r enw migwyn yw hwn, pwysig iawn ar gyfer creu mawnogydd, ond hefyd, mae e'n gallu dala rhyw ugain gwaith ei faint o ddŵr, ac mae elfen antiseptig ynddo fe, a dyna pam gafodd e'i ddefnyddio i drin clwyfau yn ystod y Rhyfel Byd Cyntaf. Ond mae sôn amdano'n cael ei ddefnyddio mewn brwydrau ganrifoedd cyn hynny.'

'Dow. Difyr.' Roedd Rhys wastad yn llawn straeon fel hyn ac ro'n i'n dysgu llwythi gynno fo. Roedd o fel cael fy narlithydd personol, rhywiol fy hun. Ond do'n i ddim yn gallu canolbwyntio llawer y tro yma achos ro'n i'n dal i boeni am sut ro'n i'n mynd i ofyn iddo fo ddod allan efo fi.

Ar y copa, doedd yr olygfa ddim yn wych am ei bod hi'n niwl dopyn. Ond mi wnaethon ni eistedd i rannu brechdanau a thywallt coffi poeth o'n fflasgiau yr un fath, a rhoi clust mochyn yr un i'r cŵn. Roedden ni i gyd yn cnoi'n dawel (ar wahân i'r cŵn) ac ro'n i ar fin gofyn y cwestiwn ro'n i wedi bod yn ei lunio a'i ail-lunio ers dwy filltir, pan ddywedodd Rhys:

'Wy'n edrych ymlaen shwt gymaint at gael dod â fy mab lan y mynyddoedd hyn.'

Ei fab? Doedd o erioed wedi sôn am unrhyw fab o'r blaen. Do'n i ddim yn siŵr sut i ymateb am sbel. Yna, ar ôl

gorffen cnoi'r frechdan ham oedd yn fy ngheg, mi wnes i
ddeud:

'O, dwi'n siŵr…' Roedd fy llais i'n od. Ceisiais ei reoli.
'Ym… wyddwn i ddim bod gen ti fab.'

'Oes. Bedwyr. Mae e'n dair nawr.'

'O. Oed neis.' Saib. 'Sut – Be –'

'Sai'n gweld llawer arno fe ers i ni wahanu.' O, ocê.
Cymerais frathiad arall o fy mrechdan ac aros iddo fo ddeud
mwy. Ond wnaeth o ddim. Mae'n rhaid mai disgwyl i mi
ofyn am fwy o fanylion oedd o. Ceisiais gnoi'n gyflymach,
a llyncu.

'Y… ers pryd dach chi wedi gwahanu? Be
ddigwyddodd?' Hec. Dau gwestiwn. O leia un yn ormod.
A do'n i ddim wedi llyncu'n iawn. Ro'n i'n siarad efo bwyd
yn fy ngheg.

'Ers blwyddyn, pan wnes i ddweud wrthi mod i'n
hoyw.'

Ffrwydrodd gweddillion y frechdan allan o 'ngheg.
Hoyw? Roedd Rhys yn hoyw? Typical! Y dyn clenia ro'n
i wedi ei gyfarfod eto, a doedd gynno fo ddim blewyn o
ddiddordeb ynof fi! Wel, ddim fel'na. Wedyn roedd gen
i gywilydd mod i wedi tagu fel'na a phoeri briwsion dros
bob man. Doedd gen i ddim byd yn erbyn bobl hoyw!
Roedd o'n mynd i feddwl mod i'n homoffobig!

'Shit, sori – do'n i ddim wedi meddwl poeri fel'na –
do'n i'm wedi llyncu'n iawn – dwi ddim yn – hec, sori…'

'O leia wnest ti ddim rhoi slap i mi,' gwenodd Rhys yn
drist. 'Ie, dyna sut ymateb ges i gan Sheila y wraig. Bach
o sioc iddi, sbo.' Oedd, beryg. Yfais weddill fy nghoffi tra

buodd o'n deud y cwbl wrtha i. Roedd o'n gwybod ers blynyddoedd ei fod yn hoyw, ond yn gwrthod cyfadde'r peth iddo'i hun, heb sôn am neb arall. Roedd ei deulu a'i ffrindiau i gyd yn y byd rygbi *macho*, a'i dad yn galw unrhyw un oedd yn dod allan yn hoyw yn 'Blydi pwffters'.

'Pan ddaeth Nigel Owens mas, ro'n i'n gobeithio y bydden nhw'n newid eu hagwedd, ond wnaethon nhw ddim. A phan ddaeth Gareth Thomas mas ddwy flynedd yn ddiweddarach, ro'n i'n credu: "Dyma ni, fyddan nhw'n deall nawr," ond ro'n nhw'n dal i ddweud pethau homoffobig, cas, ac er mod i'n edmygu Nigel a Gareth am fod mor ddewr ac yn casáu fy hun am fod mor llwfr, ro'n i'n dal i obeithio mai ddim wedi cyfarfod y ferch iawn ro'n i. Do'n i ddim wedi bod gyda dyn arall, roedd gormod o ofn 'da fi. A phan gyfarfyddes i â Sheila ar noson stag yn Abertawe, wnaethon ni glico.' Cymerodd sip bach o'i goffi a rhoi mwytha i Jet oedd yn gorwedd wrth ei ochr.

'Ro'n i'n mwynhau bod gyda hi. Roedden ni'n mwynhau'r un pethau, o win coch a siocled Lindt i *The Lion King* a sgio a phapurau Sul yn y gwely gyda dishgled a thost.'

'I gyd ar yr un pryd?' Trodd i ddal fy llygaid am y tro cynta ers datgan ei fod yn hoyw, a gwenu arna i cyn dal ati efo'i stori.

'Doedd y rhyw ddim yn *mind-blowing* i'r un ohonon ni, ond roedd e'n iawn, a doedd Sheila ddim yn… wel… doedd rhyw ddim yn bwysig iawn iddi, weden i. Y cwtsho lan o'dd hi'n lico. Roedd ein teuluoedd ni a'n ffrindiau ni'n lico ni fel cwpl, a'n fam i'n meddwl y byd ohoni. Ac roedden ni'n dau moyn plant. Wedyn pan gelon ni Bedwyr, roedden ni'n dau wedi dwli. Ro'n i'n credu y bydde popeth yn iawn. Ond doedd e ddim.'

Pan ddechreuodd o gael perthynas efo cyd-weithiwr, doedd dim troi'n ôl. Doedd o ddim isio byw celwydd ddim mwy ac mi ddywedodd bob dim wrth ei wraig – a dyna pryd gafodd o'r slap. A'i hel allan, a llythyr gan dwrnai. Symudodd i fwthyn bach y tu allan i Fangor a phrynu Jet.

'Ro'n i angen y cwmni. Wnaeth y berthynas gyda 'nghyd-weithiwr ddim para'n hir iawn. Roedd e'n meddwl mod i'n rhy *intense*.'

Do'n i ddim yn siŵr be i'w ddeud. Roedd hi'n stori mor drist, ac roedd 'na ddagrau yn ei lygaid o wrth chwydu bob dim allan, ac roedd gen i gymaint o isio rhoi cwtsh iddo fo, ond ro'n i wedi rhewi. Be mae rhywun fod i ddeud mewn sefyllfa fel'na? A ph'un bynnag, ro'n i mewn sioc: roedd fy ffantasïau amdano fo'n deilchion.

Edrychodd Mot arna i, rhoi ei ben i un ochr, yna closio ata i a phwyso ei ben ar fy nglin. Felly rois i fwytha iddo fo yn hytrach nag i Rhys. Ond roedd yn rhaid i mi ddeud rhywbeth.

'Shit o beth 'de.' Damia, ro'n i wedi bwriadu deud rhywbeth callach na hynna.

'Ti'n gweud wrtho i,' meddai Rhys, wrth i Jet lyfu ei wyneb o. 'Ond 'na fe, o leia mae popeth mas nawr, on'd yw e, Jet? Ac mae Mam a fy mrodyr i wedi bod yn ffantastic. Dyw Dad ddim cweit cystal, ond mae'n llawer gwell nag o'n i wedi disgwyl. Wy'n credu ei fod e'n gweld isie Bedwyr yn fwy na fi a dweud y gwir. Smo nhw'n ei weld e mor aml nawr, a fe yw'r unig ŵyr sy 'da nhw.'

'Bechod.' Saib wrth i mi drio meddwl am rywbeth mwy calonogol i'w ddeud. Rhywbeth am y dyfodol, rhywbeth fel 'daw eto haul ar fryn', ond roedd fy meddwl yn wag. Yn y diwedd be ddoth allan oedd: 'Tisio bisget?'

Aethon ni am beint wedyn, a threfnu i fynd am dro i fyny Tryfan y pnawn Sul canlynol. Ro'n i'n mwynhau ei gwmni o, ac roedd o'n mwynhau fy nghwmni i, ac roedd 'na rywbeth yn braf ofnadwy am berthynas dyn a dynes heb y tensiwn rhywiol. Mae rhyw a theimladau rhywiol yn gallu bod yn gymaint o boen, ac mi brofodd Mot hynny pan wnaeth o drio dringo ar gefn Jet. Mi ddysgodd yn o handi nad oedd hynny'n syniad da. Aeth Jet yn benwan, a lwcus bod Mot â chryn dipyn o flew, neu mi fyddai'r dannedd milgi main 'na wedi ei droi o'n golander.

'Wel, dyw Jet yn bendant ddim fel ei berchennog,' meddai Rhys wedi i ni dawelu'r dyfroedd. Ac mi naethon ni rowlio chwerthin.

Ar wahân i'r digwyddiad bach anffodus hwnnw, roedd y cŵn yn dod mlaen yn dda, a dyna reswm arall dros dreulio amser efo Rhys. Ro'n i wedi gweld llawer llai o ambell ffrind ers cael Mot, am eu bod nhw jest ddim yn bobl cŵn. Nid eu bai nhw, ond doedd gynnon ni jest ddim gymaint yn gyffredin wedyn, ac ro'n i'n naturiol yn closio at bobl oedd, fel fi, yn caru cŵn. Yn union fel cyplau efo plant sy'n closio at gyplau eraill efo plant, a mamau sy'n ffrindiau dim ond am fod eu plant yr un oed.

Ro'n i'n rhyfeddol o fodlon efo'r diwrnod, nes i Mot godi cywilydd arna i yn y dafarn pan ddechreuodd o hympio coes ryw ddynes mewn siorts.

PENNOD 12 *Mot*

Doedd gen i jest ddim rheolaeth drosof fi fy hun am gyfnod. Wel, nid fy nwydau o leia. Dim ond i mi gael yr arogl lleia o ast, ro'n i'n troi'n fwystfil gwallgof o uffern. Dim ond i mi gofio sut roedd yr arogl wedi gwneud i mi deimlo, ro'n i isio dyrnu fy mhelfis i mewn i unrhyw beth oedd yn symud – neu, gan amlaf, yn methu symud: clustog, welintyn, bonyn coeden, coes bwrdd, coes cadair, coes unrhyw beth neu unrhyw un. Ro'n i'n gwybod yn iawn bod y peth yn wirion bost, ond roedd fy nghorff i'n drech na fy rheswm i. Roedd trio neidio ar gefn Jet hyd yn oed yn fwy gwirion a ges i frathiad bach cas gynno fo yn fy ysgwydd am fy nhrafferth. Wel, roedd o'n flin efo fi, doedd! Mi faswn i wedi gwneud yr un peth yn ei le o. Mi wnes i ymddiheuro o waelod calon wedyn ac mi wnaeth o faddau i mi – ar yr amod na fyddwn i byth yn meiddio trio ei fychanu o fel'na eto. Nid mater o fychanu neb oedd o wrth gwrs, ond fel'na roedd o wedi'i gymryd o yn anffodus.

Mi fu Lea'n gwneud ei gorau glas i fy rhwystro i rhag codi cywilydd arni hi ac arnaf fi'n hun fel'na am wythnosau.

Rhoi andros o row i mi bob tro y byddwn i'n colli rheolaeth ac yn cydio mewn coes – yn enwedig os oedd hi'n goes oedd yn perthyn i rywun dwygoes. Fy nghanmol i'r cymylau pan fyddwn i'n llwyddo i stopio. Fy nghadw ar dennyn tyn bron bob tro y bydden ni'n mynd allan.

Dwi'n teimlo'n swp sâl dim ond wrth gofio'r tro hwnnw blannais i fy nhrwyn reit rhwng coesau Leri ei chwaer hi. Faswn i byth bythoedd wedi gwneud y fath beth fel arfer, ddim i neb, ond yn sicr ddim i Leri! Ond roedd 'na arogl rhyfeddol o gryf yn dod ohoni. Dwi ddim yn hollol siŵr be oedd o, ond roedd hi un ai'n cael y cyfnod hwnnw o waedu mae merched yn ei gael weithiau, neu roedd y gŵr 'na sydd ganddi newydd gael ei damaid. Aeth hi'n wallgo beth bynnag, a sgrechian a waldio fy mhen i a gweiddi ar Lea i fynd 'â'r bastad budur allan o 'nghegin i!'

O hynny allan, fyddai Lea byth yn mynd â fi i mewn i dŷ Leri. Byddai'n bachu fy nhennyn ar bolyn ffens yn yr ardd a 'ngadael i yno i sbio ar yr adar a'r blodau a'r pryfetach yn y gwair, oni bai ei bod hi'n bwrw glaw yn drwm, a fy ngadael i yn y car fyddai hi wedyn, oedd yn uffernol o ddiflas.

Roedd Jet wedi fy rhybuddio be fyddai'n debyg o ddigwydd i mi.

'Pan fydd hi'n mynd â ti i'r adeilad 'na efo drws glas a llwythi o geir budron tu allan, ac ogla poen a disinffectant tu mewn, mi fyddan nhw'n rhoi draenen hir yn dy bawen di sy'n gwneud i ti gysgu ac mi fyddi di'n deffro efo anferth o gur pen a choler blastig anferthol am dy wddw. Chydig oriau wedyn, pan fyddi di'n gallu cerdded yn gall eto, mi fyddi di'n gwybod bod 'na rywbeth yn wahanol, a bod 'na dyllu wedi digwydd lawr fanna. Mi fyddi di jest â drysu isio llyfu dy geilliau achos mi fyddan nhw'n cosi'n ddiawchedig, ond fyddi di methu cyrraedd oherwydd y bali goler 'na!'

Edrychais arno'n nerfus. Roedd y bobl yn y lle hwnnw wastad mor garedig a chlên efo fi. Pam fydden nhw'n tyllu a gwneud i 'ngheilliau i gosi?

'Ym... be'n union fyddan nhw wedi ei neud i mi?' mentrais ofyn.

'Dwi ddim yn hollol siŵr ond roedd fy ngheilliau i wedi diflannu erbyn iddyn nhw dynnu'r goler afiach 'na. Ges i andros o sioc, dwi'n cofio.'

Dim ceilliau? Gofynnais a fyddai'n iawn i mi edrych, ac roedd o'n iawn, doedd gynno fo ddim. Sut mod i heb sylwi o'r blaen? Es i'n chwys oer drosta i. Ro'n i'n licio fy ngheilliau!

'Dwi'm yn siŵr be ydi eu diben nhw,' aeth Jet yn ei flaen, 'ond mae eu colli nhw yn bendant yn newid dy natur di. Fyddi di ddim gymaint o awydd rhedeg ar ôl geist na chnychu efo coesau bwrdd wedyn. Na phaffio efo cŵn eraill. Wel, dyna ddigwyddodd i mi, o leia.'

'Ac mae hynny'n beth da?'

'Mae'n llai o hwyl, ond mae bywyd yn dawelach.'

Mi fues i'n pendroni'n hir am hynna wedyn – wrth lyfu fy ngheilliau. Tybed, taswn i'n rheoli fy hun yn well, fyddai Lea yn gadael i mi eu cadw nhw? O hynny ymlaen, mi wnes i anferth o ymdrech i beidio gadael i fy nwydau gael y gorau ohona i. Ond iechyd, roedd hi'n anodd.

Dydi Lea ddim yn gwybod am hyn, ond un noson, doedd hi ddim wedi cau ffenest y gegin ar ôl llosgi sosban o datws (eto) ac mi benderfynais i fachu'r cyfle i fynd am antur fach. Ro'n i'n neidiwr heb fy ail erbyn hynny, ac o fewn dim, ro'n i'n crwydro'r strydoedd yn hapus fy myd, yn pori ar ambell fyrgar roedd rhywun wedi ei daflu ar y palmant, yn rhedeg ar ôl ambell gath a llygoden fawr ac yn llenwi fy ffroenau efo arogleuon difyr o bob math. Ac yna, mi wnes i arogli gast oedd yn cwna. Gast ifanc oedd newydd ddechrau ar ei chyfnod o gwna, a chyw iâr oedd ei phryd diwethaf fel mae'n digwydd. Roedd yr arogl yn ddigon i wneud ci ifanc yn chwil. A doedd hi ddim yn bell. Roedd ei fferomonau yn fy ngalw, yn deud 'Hei, pishyn, wyt ti'n ddigon o foi? Wel, wyt ti?'

Wrth gwrs mod i! Doedd Lea ddim o gwmpas i fy rhwystro a gwneud i mi deimlo'n euog, felly i ffwrdd â fi, dros gloddiau, dros ffensys, dan wrychoedd, a thrwy erddi o flodau llawn arogleuon fel sebon, nes cyrraedd ei gardd hi. Roedd y fferomonau bron fel niwl, yn treiddio dros, o dan a thrwy'r ffens bren oedd rhyngddi hi a fi. Yn anffodus, roedd hi'n ffens uchel ac yn mynd reit rownd yr ardd, ond mae 'na wastad ffordd o gael Wil i'w wely, ac ro'n i'n gwybod y byddai'r gwely yr ochr arall yn un hollol, gwbl fendigedig.

Mi wnes i ddechrau snwffian wrth waelod y ffens, a gwirioni'n rhacs pan glywais i snwffian tebyg o'r ochr arall. Roedd hi yno, yn rhydd ac yn griddfan a gwichian ei hangen i mi ei gwasanaethu, a hynny ar frys. Mi wnes i ddechrau palu'n syth, a hithau 'run fath yr ochr arall, ond roedd y ffens yn mynd yn ddwfn. Byddai'n cymryd oriau i balu twnnel o dan y bali peth.

Rhedais ar hyd ochr y ffens am y trydydd tro gan edrych o 'nghwmpas yn wyllt. Roedd yr ast yn rhedeg ar hyd yr ochr mewn ar yr un pryd, yn gwichian ei hanogaeth.

'Sbia am i fyny!' sibrydodd yr ast yn sydyn. Codais fy mhen a gweld bod 'na gangen reit drwchus o'r ardd drws nesa yn ymestyn i mewn i ardd f'anwylyd, a fwy neu lai yn cyffwrdd top y ffens. Dim ond i mi fedru cyrraedd honno, mi fyddwn i'n gallu neidio i mewn i'r ardd a'r ast heb broblem yn y byd.

Do'n i erioed wedi dringo coeden o'r blaen, ond os oedd cath yn gallu ei wneud o, ro'n inna hefyd! Ond wedi rhedeg at y bonyn a chrafangu fy ffordd i fyny am y gangen gyntaf nes roedd fy ngwinedd bron â dod allan o 'mhawennau, ro'n i jest yn llithro'n ôl i lawr. Wedi rhoi cynnig arni deirgwaith, ro'n i'n dechrau digalonni. Yna sylwais ar hen gadair blastig y tu ôl i sied. Aha! Cydiais yn ei choes a'i llusgo at y goeden, yna pendroni, yna ei thynnu a'i gwthio fel ei bod hi ar ei phedair coes. Yna ei thynnu'n ôl fymryn. Yna bagiais yn fy ôl ac anadlu'n ddwfn. Dychmygais bod gen i gyhyrau fel Jet yn fy nghoesau ôl, a rhedeg fel y cythraul. A rhywsut, rhywfodd, mi neidiais oddi ar y gadair a hedfan i fyny'r goeden nes roedd fy ngheseiliau ar y gangen. Crafangais yn erbyn y bonyn efo fy nghoesau ôl a cheisio taflu fy mhwysau ymlaen – a bingo! Doedd o ddim yn hardd nac yn osgeiddig, ond yn y diwedd, ro'n i'n sefyll ar y gangen – braidd yn sigledig, ond ro'n i arni ac yn gallu cerdded yn ofalus ar ei hyd. Mi allwn i weld gast fy mreuddwydion yn aros amdana i ynghanol gwely o flodau gwynion. Roedd ei chôt hi'n aur yng ngolau'r lleuad a'i llygaid yn sgleinio. *Golden retriever*, myn coblyn, a nefi, roedd hi'n ddel. Gwenais arni ac ysgwyd fy nghynffon, ond roedd hynny'n fy ngwneud fymryn bach yn fwy sigledig, felly rhois y gorau iddi a chanolbwyntio ar neidio i lawr ati yn athletaidd a gosgeiddig.

Mi fuon ni'n snwffio'n gilydd am sbel, ac ro'n i ar dân isio plannu fy hun yn ei harogl hyfryd yn syth bìn, ond na, gadawodd i mi wybod nad oedd unrhyw Fot, Jac neu Bero yn cael y fraint jest fel'na, diolch yn fawr. Roedd gan hon steil, ac roedd hi angen penderfynu oedd hi'n fy licio i ddigon yn gyntaf. Felly eisteddodd yn glep gan guddio'r man pwysig yn y lawnt a gofyn am ddod i fy nabod yn well. Mi wnes i gyflwyno fy hun a llyfu ei hwyneb, ac mi ddywedodd mai Pamela oedd ei henw hi a'i bod hi'n bedigri. Mi wnes i ddeud mai dyna oeddwn inna, ci defaid Cymreig o dras da ers cenedlaethau. Doedd gen i ddim prawf o hynny, ond roedd hi'n berffaith amlwg nad oedd 'na ddiferyn o unrhyw frid arall ynof fi. Wnes i ddim sôn bod fy mrodyr a chwiorydd yn lliw gwahanol i mi.

'Ond mae fy mherchnogion i isio i mi gadw at *golden retrievers*, ac yn rhoi row i mi pan fydda i'n closio gormod at gŵn eraill,' meddai Pamela.

'Am gul,' medda fi. 'Weithiau, mae angen chydig o amrywiaeth mewn bywyd, yn does? Fel ambell ddarn o gig moch neu gyw iâr yn lle bwyd sych bob tro. A sbia hogyn smart ydw i.' Do, mi wnes i ddeud hynna: dydi gormod o destosteron ddim yn gwneud rhywun yn wylaidd.

Cytunodd Pamela fy mod i'n gi hardd, ac oedd, roedd 'na rywbeth atyniadol iawn am fy arogl i, ac ro'n i wedi profi cymaint o foi o'n i drwy ddringo'r goeden yna. Mi wnes innau wedyn ganmol ei harogl hithau (roedd ei fferomonau'n boddi'r siampŵ *aloe vera*, diolch byth), a llyfnder ei chôt, oedd yn dangos yn amlwg ei bod yn cael ei brwshio'n ddyddiol, a'r sglein iach yn ei llygaid.

'Ti'n andros o bishyn, wsti,' ychwanegais, 'a dwi rioed wedi gwneud hyn o'r blaen, felly ti fyddai'n cael y fraint o fod yn gariad cynta i mi.'

'Dyma fy nhro cynta innau!' sibrydodd yn fy nghlust cyn codi ei phen ôl o'r glaswellt a symud ei chynffon i'r ochr.

O ystyried y ffaith ei fod yn newydd i'r ddau ohonon ni, mi gawson ni hwyl garw arni. Roedd o fel tasan ni'n gwybod yn union be i'w neud. Unwaith ro'n i y tu mewn iddi, mi wasgodd hi fy mhidlen yn rhyfeddol o dynn fel mod i methu dianc hyd yn oed taswn i isio. Wedyn, roedd rhywbeth yn deud wrtha i fy mod i angen wynebu'r ffordd arall, felly mi godais fy nghoes dros ei chefn hi a throi fel ein bod ni gefn wrth gefn, ond yn dal yn sownd yn ein gilydd. Roedd fy mhidlen yn dal i gael ei gwasgu ac yn saethu ei had yn gyson am sbel go hir, ac roedd o'n deimlad braf, os braidd yn boenus. Ond cwyno roedd hi o'r dechrau un, ac ar ôl ugain munud roedd hi'n fy rhegi.

'%$£*! Dyna ddigon, y snichyn! Gollynga fi!' chwyrnodd yn flin.

'Taswn i'n gallu, mi faswn i; dydi hyn ddim yn gyfforddus iawn i mi chwaith!' atebais yn syth. Ro'n i wedi trio tynnu fy hun yn rhydd, ond roedden ni'n hollol, gwbl sownd. Roedd o'n brofiad tu hwnt o annifyr a do'n i ddim hyd yn oed yn gallu sbio'n llawn ymddiheuriad yn ei llygaid hi, heb sôn am lyfu ei hwyneb. Erbyn meddwl, mae'n siŵr mai dyna pam fod pobl yn defnyddio'r term 'Roedd o'n rial hen gi'.

Ar ôl hanner awr, roedd y greadures yn crio.

'Be os fyddwn ni'n sownd fel hyn am byth!' griddfanodd. 'A be os welith fy mherchnogion i fi fel hyn, mewn sefyllfa mor gywilyddus...'

'Os wnei di lai o sŵn, mi fyddan nhw'n llai tebygol o'n dal ni,' ceisiais resymu, ond dal ati i gwyno wnaeth hi, a thrio fy ysgwyd i ffwrdd, oedd yn achosi hyd yn oed mwy o boen i ni'n dau. Edrychais yn nerfus i gyfeiriad ffenestri'r llawr uchaf; roedd y cyrtens yn dal ar gau hyd yma. Ond os oedden nhw'n mynd i ddeffro a'n dal ni, sut gebyst o'n i'n mynd i ddianc?

Ar ôl tri chwarter awr, ro'n innau'n dychmygu sut fyddai gweddill fy mywyd efo gast gwynfanllyd, flin yn sownd yn fy mhen ôl i bedair awr ar hugain y dydd, pan deimlais i rywbeth yn llacio. Anadlais yn ddwfn a thynnu'n ofalus... a haleliwia! Ro'n i'n rhydd!

'Hen blydi bryd!' chwyrnodd Pamela, gan droi i lyfu ei hun i wneud yn siŵr fod pob dim yn dal yna. 'Dwi byth, byth isio gneud hynna eto!'

'Does gen inna fawr o awydd chwaith, deud gwir,' atebais gan lyfu fy mhidlen fach amrwd innau yn dringar. 'Iawn, sut ydw i'n mynd i fynd o 'ma rŵan?'

'Dim clem. Dy broblem di ydi honno,' meddai hi gan gerdded fymryn yn gam tuag at anferth o fflap yn nrws cefn y tŷ.

Wel, y jaden anniolchgar, meddyliais. Hi oedd wedi bod yn hysbysebu ei hawydd i baru dros y lle, nid fi! Fi oedd wedi gorfod peryglu 'mywyd yn dringo coeden! A doedd gen i ddim gobaith neidio'n ôl ar ben y gangen.

Edrychais o'm hamgylch yn frysiog a gweld bod sied bren ar waelod yr ardd yn erbyn y ffens, a berfa yn pwyso â'i phen i lawr yn ei herbyn. Roedd fy ngwialen wedi crebachu'n llwyr bellach, felly fyddai honno ddim mewn peryg o fachu ar unrhyw beth. Rhedais at y ferfa, neidio arni a rhoi anferth o naid arall oddi arni, crafangu'n wyllt efo fy mhawennau a fy ngên, a llwyddo i gyrraedd to'r sied. Yn anffodus, ro'n i wedi disodli'r ferfa ac mi syrthiodd honno yn ei hôl ar y slabiau concrit gydag anferth o sŵn. O, na! Gwelais gyrten llofft yn symud, ac edrychais dros ochr y ffens i'r ochr arall. Roedd hi'n frawychus o bell i lawr, ond doedd gen i ddim dewis. Gollyngais fy hun i lawr, a diolch byth, llwyddo i lanio ar fy nhraed yn eitha taclus.

Ches i byth gyfle arall i baru efo gast, achos o fewn ychydig wythnosau roedd Lea yn parcio o flaen yr adeilad efo drws glas, ac mi fues i'n gwisgo'r hen goler fawr blastig 'na am ddyddiau wedi iddyn nhw rwygo fy ngheilliau allan ohona i. Ond tra ro'n i'n hanner cysgu yn fy nghaets yn disgwyl i Lea ddod i fy nôl i, mi aroglais siampŵ *aloe vera* yn treiddio o'r stafell drws nesa… a chlywed llais dyn yn tantro:

'What? But that's impossible! No male dog has been anywhere near her!'

'Well, unless it's another case of immaculate conception,' meddai llais pwyllog Alice y milfeddyg, 'I'm afraid she's been a very naughty girl behind your back. She is most definitely pregnant, and with quite a few pups in there, I'd say.'

'But… but… she's Kennel Club registered! We were going to breed from her – are you telling me some dirty mongrel has defiled her?' Roedd ei lais o'n mynd yn uwch ac yn uwch, a llais Alice yn mynd yn feddalach:

'I have no idea who the father was,' meddai hi'n glên, 'but you'll have some idea when the puppies arrive, and I'm sure they'll be gorgeous little pups, won't they, Pamela?'

'But I won't be able to sell them for over three grand each, will I!'

Felly ro'n i'n mynd i fod yn dad. Er fy mod i'n dal i deimlo colled fy ngheilliau, allwn i ddim peidio gwenu.

PENNOD 13 *Lea*

Ro'n i'n teimlo'n ofnadwy'n mynd â fo i gael ei sbaddu. Ac yntau rioed wedi cael y cyfle i brofi be oedd rhyw, bechod, a dwi'n siŵr y byddai o wedi gwneud tad arbennig o dda. Ro'n i'n teimlo'n waeth fyth pan es i i'w nôl o, ei lygaid mawr trist o'n syllu arna i allan o'r lampshêd annifyr 'na, a dim byd ond pwythau lle roedd ei geilliau bach del o wedi bod. Tasai rhywun wedi gneud hynna i 'nghlitoris i, mi faswn i'n llawer iawn mwy na thrist, mi faswn i'n gandryll ac isio dial. Ond roedd Mot jest yn edrych yn ddigalon. Oedd, roedd o'n edrych yn siomedig, ond efo'r sefyllfa, ddim efo fi, y person oedd wedi penderfynu ei sbaddu ac wedi talu rhywun i'w wneud o. Mae gan Mot gymaint o ffydd ynof fi, mae'n codi cywilydd arna i weithiau.

Roedd o'n casáu'r goler 'na, y creadur, yn bangio mewn i ddrysau a dodrefn dragwyddol, yn llawer amlach nag oedd o pan gafodd o frathiad gan y ci hyll 'na yn y parc, a phan es i â fo allan am dro sydyn i neud ei fusnes, mi faswn i'n taeru bod gynno fo gywilydd bod cŵn eraill yn ei weld o fel'na. Bron nad oedd o'n fy nhynnu i am adre yr eiliad

117

roedd o wedi gorffen. Wedyn ro'n i'n teimlo'n uffernol o euog eto.

Ond mi wellodd yn gyflym, a phan gafodd o wared o'r pwythau a'r goler, roedd o rêl boi. Doedd o'n sicr ddim yn rhedeg ar ôl geist nac yn trio hympio coesau ar ôl hynna, ond efallai ei fod o'n flin efo fi wedi'r cwbl, neu'n teimlo'r angen am fwy o sylw, achos un diwrnod, pan oedden ni'n styc y tu ôl i fws ysgol yn y car, mi welodd o lwyth o blant yn dringo mewn iddo fo. Roedd y ffenest ar agor gen i ers iddo fo ollwng rhech afiach, a chyn i mi fedru gneud dim, roedd o wedi neidio allan drwy'r ffenest a rhedeg at y plant a dringo ar y bws efo nhw! Doedd gen i ddim dewis: neidiais allan o'r car a rhedeg ar ei ôl o cyn i'r bws fynd yn ei flaen, a dyna lle roedd o'n cael andros o sylw gan griw o ferched oedd yn amlwg wedi dotio ato fo. Roedd gen i ffasiwn gywilydd, ac mi wnes i ymddiheuro'n llaes i'r gyrrwr wrth ei gario allan, ac i'r gyrwyr ceir blin oedd yn styc y tu ôl i 'nghar i. Roedd fy ngwyneb i'n llosgi wrth weld pawb yn gwgu ac ysgwyd eu pennau. Dyna'r tro ola iddo fo gael ei ffenest o'n agored yn y car, rhechfeydd afiach neu beidio, a ph'un bynnag, roedd hi'n rhy oer.

Do'n i byth yn gallu bod yn flin efo fo'n hir iawn wrth gwrs; felly, gan fod y Nadolig yn agosáu, mi benderfynais i brynu peiriant creu swigod blas cig moch iddo fo. Roedd o wastad wrth ei fodd pan fyddai plant Leri yn chwythu swigod iddo fo, ac yn cynhyrfu'n rhacs yn neidio i fyny i'w brathu (y swigod, nid y plant), felly byddai blas bacwn yn ei geg yn eisin ar y gacen. Wnes i ddim cyfadde wrth neb fy mod i wedi lapio'r bocs mewn papur Dolig, ond ro'n i wir yn edrych ymlaen at ei weld o'n rhwygo'r papur i ffwrdd fore Dolig.

Ydi, mae ci fel plentyn i berson sengl fel fi. Mae pobl sydd â theuluoedd yn ogystal â chi yn deud 'Mae gen i gi' yn ffwrdd-â-hi, fel tasan nhw'n deud bod gynnyn nhw bysgodyn aur neu Netflix. Y plant sydd ar eu lluniau proffil nhw ar Facebook, ac mae 90% o'r lluniau ar eu ffonau yn rhai o'r plant neu'r wyrion, a llai na 10% ohonyn nhw o'r ci. Mae 95% o fy lluniau i yn rhai o Mot a'r 5% arall yn selffis o Mot a fi.

Dwi'n gwybod y byddai pobl ddi-gŵn yn meddwl mod i'n hurt bost, ond pan fydda i'n cynllunio i fynd i unrhyw le dwi'n gwirio i weld alla i fynd â Mot efo fi, ac yn amlach na pheidio, os na fedar Mot ddod, fydda i ddim yn mynd chwaith. Dwi ddim wedi bod yn y sinema ers oes, a dwi methu cofio pryd fues i'n siopa yng Nghaer ddiwetha.

Waeth i mi gyfadde, dod adre at Mot ydi uchafbwynt fy niwrnod. Wedi treulio diwrnod cyfan yn yr ysgol efo athrawon blin a blinedig a phlant hurt o fywiog neu annifyr o bwdlyd, mae hi mor braf cael croeso anferthol gan rywun sydd mor hurt o falch o 'ngweld i, sydd isio fy llyfu i a chwarae efo fi, a byth yn cwyno am ei fywyd neu ei ddiwrnod.

Dim ond wrth Rhys wnes i gyfadde mod i, ar y dechrau, wedi bod yn ysu i decstio Mot pan fyddwn i allan efo'r genod ar nos Sadwrn, jest i weld oedd o'n iawn – yn union fel y bydd rhieni newydd (rhai tadau yn waeth na'r mamau) yn poeni gormod am y babi i fedru ymlacio'n iawn, ac yn tecstio neu ffonio pwy bynnag sy'n gwarchod bob hanner awr. Mi gyfaddefodd Rhys ei fod yntau'r un fath efo Jet am hir – ac yn hwfro lot llai nag y dylai o am fod gan Jet ofn yr hwfyr.

'Ond maen nhw werth e, achos mae'n cŵn ni wedi dysgu cymaint i ni, on'd do fe?' meddai pan oedden ni'n crwydro ar hyd Ynys Llanddwyn un pnawn gwyntog, a Mot yn gwneud ei orau i drio dal i fyny efo Jet eto. 'Dwi wedi dysgu bod angen delio gyda phob sefyllfa boenus, *stressful* yn union fel y bydd ci. Os nag wyt ti'n gallu ei fwyta fe neu chware gyda fe, jest pisha arno fe a cherdded bant.'

Mi wnes i gofio am hynny pan glywais i'r athrawon yn trefnu eu shindig Nadolig blynyddol. Nid yn yr ysgol gynradd ro'n i'n gweithio erbyn hynny, ond yn yr ysgol uwchradd, lle roedd pethau'n wahanol iawn. Nid dim ond y plant, ond y berthynas rhwng athrawon a chymorthyddion hefyd. Yn y stafell athrawon uwchradd, byddai'r athrawon yn hel at ei gilydd, y merched yn un criw, y dynion yn griw arall, ac mi fydden ni'r cymorthyddion yn cadw i'n pen ninnau o'r stafell. Roedd y stafell athrawon mor fychan yn yr ysgol gynradd, doedd dim dewis ond eistedd efo'n gilydd ac roedd pawb yn gymaint mwy o fêts o'r herwydd. Ond dwi'm yn meddwl mai maint y stafell athrawon yn unig oedd yn gyfrifol am hynny.

Beth bynnag, roedd yr athrawon uwchradd 'ma am fynd am fwyd i'r Llong ac roedd rhai ohonyn nhw'n amlwg wedi cynhyrfu'n rhacs, ac yn trafod y peth yn agored ac uchel, ond gan ein trin ni'r cymorthyddion fel tasan ni ddim yn bod. Doedden ni, yn amlwg, ddim yn cael gwahoddiad. Ro'n i'n berwi. Roedden ni'n gweld mwy ar yr athrawon hynny, yn rhan o'u dosbarthiadau nhw, ac yn gwybod mwy amdanyn nhw na'u cyd-athrawon. Ro'n i wedi dechrau teimlo ein bod ni'n ffrindiau efo nifer ohonyn nhw, yn enwedig efo Sharon, yr athrawes gelf. Roedden ni'n dod mlaen mor dda, yn chwerthin lot efo'n gilydd ac efo'r plant; roedd hi yn yr un tîm pêl-rwyd â fi, yn neno'r tad! Ond na, pan oedd hi'n fater o barti Nadolig, ro'n i'n *second class citizen.*

Doedd gen i mo'r gyts i ddeud dim, ond edrychais ar Donna a dal ei llygaid am hir. Mae ganddi hi fwy o geg. Mae ganddi gymaint o geg, roedd gen i ei hofn hi pan oedden ni'n ddisgyblion ein hunain: roedd hi ym Mlwyddyn 9 pan gyrhaeddes i'n llygoden fach Blwyddyn 7 efo clip i ddal fy ffrinj i'r ochr a bres ar fy nannedd. Yr eiliad welodd hi fi, mi alwodd hi fi'n 'Jaws', fel y boi mawr 'na yn y ffilmiau James Bond, a dal ati i 'ngalw'n hynny am ryw bythefnos nes iddi golli diddordeb mewn tynnu arna i. Ro'n i wedi ofni y byddai'n fy mwlio, ond wnaeth hi ddim, ddim go iawn, ddim fel nath Melanie Blwyddyn 8. Roedd honno'n rêl hen ast, yn un am binsio, cicio neu waldio unrhyw un oedd yn edrych yn rhy ddiniwed i daro'n ôl, ond mi gafodd ei diarddel o'r ysgol, diolch byth, ac mi symudodd ei theulu'n ôl i Wolverhampton a welais i byth mohoni eto. Dwi bron yn siŵr mai ffeit efo Donna oedd y rheswm gafodd hi ei diarddel.

Beth bynnag, edrychodd Donna'n ôl arna i a chodi ei hysgwyddau, gystal â deud, 'Be ti'n ddisgwyl i mi neud am y peth?' Ges i air efo hi pan oedden ni ar ddyletswydd egwyl, ond doedd hi'n malio dim am yr athrawon.

'Dwi'm isio mynd i'w sodin parti nhw beth bynnag! O'n i'n barmed mewn parti athrawon unwaith a ffyc mi, dwi wedi bod mewn cnebryngau efo mwy o fynd ynddyn nhw. Gawn ni'n parti ein hunain, crôl rownd dre a cebáb ar ffor' adra, a bet gawn ni lot mwy o hwyl na nhw.' Athroniaeth ci yn union, felly: piso arnyn nhw a cherdded i ffwrdd. Ro'n i'n hapusach ar ôl y sgwrs yna. Ond ro'n i'n dal i frifo. Roedd yr athrawon i gyd wedi mynd am ginio efo'i gilydd ar ddiwrnod ola tymor yr haf hefyd, heb drafferthu i'n gwadd ni. Iawn, roedden ni'r cymorthyddion yn gneud dyletswydd cinio wrth gwrs, felly fydden ni ddim wedi gallu dod beth bynnag, ond mi fyddai rhyw hanner gwahoddiad dros ysgwydd wedi lleddfu chydig ar y briw.

Dydi pob ysgol ddim yr un fath wrth reswm, ond fel'na mae hi yn ein hysgol ni.

'A dan ni i gyd yn gorfod gwisgo fyny fel rwbath *Christmassy, sexy*!' meddai Donna. 'Dwi 'di cael fy nillad *Vixen Reindeer* yn barod, felly neb arall i wisgo fel carw, iawn!'

Roedd o'n swnio'n hwyl, ond allwn i ddim gadael Mot druan drwy'r dydd a'r nos fel'na. Be ro'n i'n mynd i'w neud? Ro'n i'n gwybod yn iawn na fyddai Leri isio mynd â fo am dro, er y byddai'r plant yn fwy na hapus i wneud, ac roedd gan Haf barti'n syth ar ôl gwaith hefyd. Mi wnes i ddigwydd sôn wrth Rhys am fy mhroblem a diolch byth, roedd y Brifysgol wedi cau ers wythnos a phob parti wedi hen fod, felly mi gynigiodd y gallai Mot gael *sleepover* efo fo a Jet. Ffiw, felly pan ddaeth y pnawn Gwener olaf, mi wnes i wisgo fy nillad *sexy elf* a cholur sbarcli a chlustdlysau pwdin Dolig heb deimlo'n euog o gwbl.

Nefi, gawson ni hwyl! Roedd Ann yn gwisgo sodlau hurt o uchel ac yn methu cerdded o gwbl ynddyn nhw, felly mi fuon ni'n ei chario o dafarn i dafarn, ac erbyn y drydedd, wnaethon ni jest ei phloncio hi ar y bar yn ei fishnets. Ac yn fanno, roedd 'na garioci, a fuon ni'n morio canu 'Jingle Bell Rock', ac mi nath Donna neud fersiwn anfarwol o 'Santa Baby' yn ei gwisg carw oedd ddim byd tebyg i garw, cyn i Ann fynnu bod y dewis yn rhy Seisnig a'n cael ni i gyd i ganu 'I Orwedd Mewn Preseb' yn ddigyfeiliant, ac roedden ni'n hollol, gwbl wych, yn enwedig yr altos. Nath pawb yn y dafarn godi ar eu traed i'n cymeradwyo ni, ac roedd Wil Salt, yr hen foi sydd wastad yn eistedd yng nghornel y bar, yn crio.

Roedd un o'r criw wedi dod â sbrigyn o uchelwydd efo hi (roedden ni i gyd yn gwybod mai dyna be oedd *mistletoe* achos roedden ni wedi gorfod helpu'r plant cynradd i wneud Chwilair Nadolig bob blwyddyn), ac erbyn y bumed neu'r chweched dafarn, lle'r oedd criw mawr o ddynion *self-employed* yn ffarmwrs a phlymars ac adeiladwyr wedi bod allan ers amser cinio, mi fuon ni'n chwarae gêm yfed efo nhw, a gorfod swsian dan yr uchelwydd oedd un o'r *forfeits*. A rhywsut neu'i gilydd, ro'n i ac andros o bishyn cyhyrog o blymar yn gorfod swsian dro ar ôl tro. Do'n i ddim yn cwyno o bell ffordd, a doedd o ddim chwaith. Wyn oedd ei enw o, a do'n i erioed wedi'i weld o'r blaen, ond erbyn dallt, un o ochrau Porthmadog oedd o, ac yn gefnder i un o'r ffermwyr oedd wedi ei berswadio i ddod allan i dre efo'i griw o am newid bach. Ro'n i'n nabod y cefnder achos roedd o'r un oed â Merfyn yn yr ysgol, ond wnaethon ni ddim sôn am hynny. Do'n i ddim isio sôn am Merfyn efo neb. Do'n i ddim isio cofio.

Aethon ni mlaen i dafarn arall wedyn, a'r genod yn tynnu 'nghoes i yr holl ffordd.

'Plymar, ia? Be oedd ei enw fo eto? Flush Gordon?'

'O leia elli di fod yn siŵr nad ydi o'n cnoi ei winedd!'

'Nath o gynnig dangos ei *ballcock* i ti?'

Oedden, roedden nhw'n gwaethygu efo bob cam, ond pan ti'n chwil, mae bob dim yn hilêriys, tydi? Roedden ni'n dal i chwerthin fel ffyliaid pan gerddon ni mewn i'r Llong, a dyna lle'r oedd rhai o'r athrawon, yn sbio lawr eu trwynau arnon ni wrth i ni faglu i mewn i'r bar: Ann yn ei gwisg Siân Corn efo tyllau mawr yn nhraed ei fishnets achos roedden ni wedi laru ei chario ac wedi gwneud iddi gerdded; bronnau Donna bron â disgyn allan o'i bodis *Vixen Reindeer*; adenydd a *halos* y tair angel yn ein mysg wedi plygu a malu a baeddu; gwisg coeden Dolig Gerwyn wedi colli ei thrimings i gyd, a dim ond ar ôl mynd i'r tŷ bach wnes i weld bod fy lipstic coch i dros fy mochau i gyd, stremps bacardi a Coke i lawr fy nhop gwyrdd golau *sexy elf* i, a fy ngwallt i'n edrych fel taswn i wedi cael ffeit efo gwrych.

'Haia Mr Ellis!' meddai Donna wrth y Dirprwy Bennaeth. 'Dach chi'n edrych yn sobor iawn. *Lighten up, lad*, mae'n Ddolig!' Yn fwy anffodus fyth, roedd Ann wedi sbotio'r gweddill yn dal yn y stafell fwyta efo sbarion eu pwdinau Dolig a'u *pavlovas* o'u blaenau. I mewn â hi ar ei phen.

'Helô tshwcs!' cyhoeddodd yn uchel gan chwifio ei ffon hud arnyn nhw. Pam 'tshwcs', dwi ddim yn siŵr, ond roedd hi wastad yn ffan o Wynff a Plwmsan. 'Cael amser da, yndach?' gofynnodd heb aros am ateb, cyn hoelio'i llygaid ar eu pwdinau a deud: 'Dach chi rioed yn mynd i wastio rheina! Na' i helpu chi glirio – dwi'n fflipin llwgu.' Bachodd weddillion pwdin Dolig Miss Lloyd, Pennaeth yr Adran Gymraeg, a'u rhawio i mewn i'w cheg nes ei bod hi'n edrych fel hamster, a hwnnw'n hamster blêr ar y naw. Yna bachodd sbarion cacen gaws Mrs Pughe Daearyddiaeth a sodro'r rheiny yn nwylo Gerwyn, oedd hefyd, yn amlwg, yn llwgu. A rhaid i mi ddeud, roedd y stilton ges i afael ynddo fo yn blasu'n hyfryd, a fydda i byth yn licio caws glas fel arfer. Yn y cyfamser, roedd Donna wedi llusgo Mr Ellis yn ôl i'r stafell fwyta a phloncio ei hun ar ei lin cyn dechrau canu 'Santa Baby' iddo fo mewn arddull fyddai wedi gwneud i Madonna gochi. Roedd wyneb Mr Ellis yn goch fel bitrwt ac roedd o'n edrych yn anghyfforddus a deud y lleia. Allwn i ddim peidio, mi wnes i ffrwydro chwerthin, ac aeth darnau o stilton dros wallt a thop crand Miss Lloyd.

Chwarae teg, roedd rhai o'r athrawon iau fel Sharon Celf yn meddwl bod y peth yn ddigri, ond doedd hi ddim yn hir cyn i'r rheolwr frysio i mewn i'n hel ni o 'na. Rhywun wedi cwyno, yn amlwg.

'Iawn, ffwcio chi i gyd,' meddai Donna wrth adael, 'doeddan ni'm isio dod i'ch ffwcin parti chi eniwe!'

'Nag oedden!' ategodd Ann, gan fachu llond llaw o After Eights. 'Oedden ni'n gwbod y basen ni'n cael lot mwy o hwyl na chi – a sbïwch, oedden ni'n iawn, doedden!'

Mi chwydodd Gerwyn i mewn i un o'r planhigion ffug cyn brysio allan ar ein holau ni. Roedden ni i gyd yn crio chwerthin wrth igam-ogamu ein ffordd at y dafarn olaf: y Farmers' Arms.

'Gawn ni i gyd y sac, garantîd,' meddai Ann, oedd wedi colli ei sgidiau yn rhywle erbyn hyn.

'Duw, na cha'n,' meddai Donna, 'fysan nhw methu ffyncshynio hebddan ni, siŵr.'

'Fyddan nhw gyd wedi anghofio erbyn dechra Ionawr beth bynnag,' meddwn innau'n obeithiol.

'Fydd Mr Ellis ddim!' gwichiodd Gerwyn. 'Bet mai dyna'r codiad cynta iddo fo gael ers 1998!' Rhuodd pawb.

Roedd y Farmers yn orlawn. A phwy oedd ynghanol y dorf ond y *self-employeds*, yn cynnwys Wyn, oedd fymryn yn sigledig erbyn hyn ond yn gwenu fel giât. Lledodd y wên hyd yn oed yn fwy pan wnes i ymddangos o'i flaen o, wedi i Donna fy ngwthio fel Jac Codi Baw drwy'r dorf ato fo.

'Asu, Linda!' meddai.

'Lea,' meddwn innau, ond ro'n i'n rhy hapus fy myd i fod yn flin.

'Ia siŵr, sori. Hei, tisio diod, Lind – Lea? Shortyn bach? Dan ni ar y – be 'di hwn, dwa?' Stwffiodd ei ddiod o flaen fy nhrwyn i. Doedd gen i ddim clem be oedd o, roedd fy ngallu i arogli wedi hen ddiflannu, ond cydiais ynddo a'i glecio mewn un. Roedd Donna a'r lleill wedi bod yn deud wrtha i bod angen i mi fod yn llai o lygoden a mynd amdani – neu amdano yn yr achos yma.

'Mae gen i rwbath lot neisiach adre,' meddwn yn ei glust. Cododd ei aeliau a chochodd ei glustiau.

'O? Fel be?' meddai yntau yn fy nghlust innau.

'Rwbath neith i fodiau dy draed di gyrlio…' gwenais. Y? Am beth hurt i'w ddeud. Ond mi weithiodd. Rhoddodd ei fraich am fy ngwasg a fy arwain at y drws, allan i'r awyr iach, oer. Gwelais Donna yn codi ei bawd arna i o'r gornel lle roedd pawb yn smocio a fferru.

Roedden ni adre o fewn dim, a dwi ddim yn cofio llawer ar ôl llwyddo i agor y drws, ond deffrais oriau yn ddiweddarach yn ysu isio pi-pi. Roedd Wyn yn noeth wrth fy ochr, yr un mor noeth â fi. Edrychais ar fy nghloc larwm: 6.23. Codais o'r gwely yn ofalus, gan deimlo fy mhen yn troi a drybowndian yr un pryd, a brysio i'r stafell molchi. Pan welais fy hun yn y drych, ges i fraw. Am olwg! Llygaid panda, darnau o dinsel a lwmpyn o rywbeth arall, amheus yn fy ngwallt… stilton? Ac roedd fy ngheg mor sych. Yfais o'r tap, yna brwshiais fy nannedd – a fy nhafod – ac yna garglo am hir efo Listerine.

Eisteddais ar y pan eto, a'r cur yn fy mhen yn arteithiol. Roedd 'na ddyn noeth yn fy ngwely i. Diolch byth bod Mot ddim adre – mi fyddai wedi ei siomi ynof fi. Y? Ysgydwais fy mhen – be oedd yn bod arna i? Doedd cŵn ddim yn beirniadu fel'na, siŵr. Ond eto… doedd o ddim wedi licio Peter, nag oedd? Ac ro'n i'n gwybod y byddai wedi casáu Merfyn.

Roedd o wrth ei fodd efo Rhys wrth gwrs. Bechod.

Do'n i ddim yn cofio digon am hwn… Wyn? Ia, Wyn. Ffarmwr. Naci, plymar. Roedd o'n un da am swsian, ro'n i'n cofio gymaint â hynny. Wnaethon ni fwy na dim ond archwilio ffilings a thonsils ein gilydd? Doedd gen i ddim co' o hynny, a doedd fy nghorff i ddim yn teimlo fel y bydd o ar ôl noson o ryw. Roedd o jest yn teimlo fel y bydd o ar ôl noson o yfed llawer gormod – yn giami. Roedd pob rhan ohona i'n deud wrtha i fy mod i angen mwy o gwsg, ond doedd gen i fawr o obaith syrthio'n ôl i gysgu efo corff do'n i ddim yn ei nabod wrth fy ochr i. Lapiais fy hun mewn llian. Fyddai mynd i gysgu ar y soffa yn beth dideimlad i'w neud? Dyna ro'n i am ei neud beth bynnag, a chamais yn ofalus yn ôl mewn i'r llofft i fachu fy hoff obennydd, meddal, plu mân, ond wrth estyn amdano fo, trodd Wyn ac agor ei lygaid.

'Bore da…' gwenodd yn gysglyd. Damia.

'Bore da,' meddwn innau, a sefyll yno fel fflamingo, ddim yn siŵr be i'w neud.

'Ty'd 'nôl mewn, mae'n gynnes braf yma…' meddai gan godi'r dwfe i ddangos ei dorso cyhyrog. Ro'n i methu meddwl yn ddigon cyflym am esgus dros beidio, a do'n i ddim isio brifo'i deimladau o, ac roedd ei dorso o reit drawiadol… felly gorweddais yn ôl ar y gwely (efo'r llian yn dal amdana i) ac mi daenodd o'r dwfe drosta i. Roedd o'n deud y gwir, roedd hi yn gynnes braf yno, ac roedd ei freichiau o'n llyfn ac yn gwneud i mi deimlo'n fenywaidd a diogel. Ac wedyn roedd o'n datod y llian ac yn cusanu fy ngwar i, a dwi'n sensitif iawn fanna. Roedd gynno fo ddwylo medrus, a wnes i drio peidio meddwl amdano fo'n sgriwio a dadsgriwio pibelli anodd eu cyrraedd, a jest gadael i mi fy hun fwynhau'r teimladau roedd ei ddwylo medrus o'n eu deffro ynof fi.

Pan wnes i ddod, bron na wnes i udo, a do'n i rioed wedi udo wrth ddod o'r blaen. Iechyd, roedd hwn yn gwybod be roedd o'n neud. Ac mor ystyriol, yn gofalu fy mod i'n cael fy mhlesio yn gynta. Pan ges i fy ngwynt ataf, mi lithrais fy nghoes drosto ac oedd, roedd o'n bendant yn barod i fy nghroesawu i, ac roedd o'n hogyn mawr. Ond ddim yn rhy fawr; a deud y gwir, roedd o'n ffitio fel tasa fo wedi'i neud i mi, ac mi gawson ni'n dau brofiad gwirioneddol bleserus – am hir. Ond ddim yn rhy hir. A deud y gwir, roedd ein hamseru ni'n berffaith.

'Do!' chwarddodd pan wnes i chwalu'n ddoli glwt ar ei dorso hyfryd o.

'Y? Do, be?'

'Mi nath bodiau 'nhraed i gyrlio…'

Roedd fy nghur pen i wedi hen ddiflannu, ac wrth i ni'n dau baratoi brecwast i'n gilydd (fo yng ngofal yr wyau, finna yng ngofal y cig moch a'r tost), bron nad o'n i isio canu. Wnes i lwyddo i beidio llosgi gormod ar y cig moch na'r tost, ac roedd ei wyau o'n berffaith. Ro'n i jest â drysu isio i Mot ei gyfarfod o, ond roedd o'n gorfod mynd i'w waith. Rhoddodd fy rhif ffôn i yn ei iPhone o dan 'L', rhoi andros o gusan hir, feddal, felys, blas cig moch a thost a mêl i mi, a deud:

'Ffonia i di.'

PENNOD 14 *Mot*

Roedd 'na arogl rhyfedd ar Lea pan ddaeth hi i fy nôl i o dŷ Jet a Rhys. Roedd 'na olau gwahanol o'i chwmpas hi hefyd. Edrychais ar Jet. Edrychodd Jet arna i. Rhowliodd ei lygaid.

Mi glywais i bob dim ddywedodd hi wrth Rhys dros goffi yn y gegin, a phob gigl, ond mi faswn i wedi gwybod beth bynnag, achos yr eiliad gamais i'n ôl mewn i'n tŷ ni, ro'n i'n gallu ei ogleuo fo. Ro'n i'n gwybod lle'r oedd o wedi eistedd i fwyta, lle'r oedd o wedi gweud dŵr, lle roedd o wedi taflu ei ddillad budron, chwyslyd y noson cynt a LLE'R OEDD O WEDI CYSGU! Roedd y dieithryn yma wedi gwneud llawer mwy na chysgu yn ei gwely hi hefyd, roedd y lle'n drewi. Doedd gen i ddim bwriad o neidio ar ben yr union fan lle'r oedd y drewdod gryfa, y cwbl wnes i oedd eistedd yn glewt wrth ochr y gwely a throi i wynebu Lea efo'r edrychiad mwya siomedig allwn i ei roi at ei gilydd.

'O,' meddai hi. 'Ydi o mor amlwg â hynna?' Wnes i ddim symud, dim ond dal ati i syllu'n siomedig arni. 'Ia, ro'n i wedi meddwl newid y dillad, ond dwi jest isio cadw'i ogla fo yma cyn hired ag y galla i…' chwarddodd, gan daflu ei hun ar y gwely a chladdu ei phen yn y gobennydd lle'r oedd ei ben o wedi bod yn chwysu a gollwng cen ac ati drwy'r nos. Doedd hi ddim hyd yn oed wedi golchi'r blât roedd o wedi bod yn hel ei fol oddi arni. 'Mae jest sbio arni yn gneud i fy stumog i droi tu chwith allan, Mot!' meddai efo gwên gwbl hurt ar ei hwyneb. Asiffeta. Yr eiliad aeth hi o'r golwg, mi neidiais i ar ben y bwrdd a llyfu'r blât yn gwbl lân nes bod dim o'i ôl o ar ôl. Roedd hi'n flin efo fi wedyn, ond doedd dim ots gen i – roedd o werth o.

Mi fuodd hi'n edrych yn obeithiol ar ei ffôn am ddyddiau wedyn. Bob dau funud a deud y gwir, hyd yn oed pan oedd hi'n gyrru ac i fod i gadw ei llygaid ar y ffordd. Mi wnes i gyfarth arni pan wnaeth hi hynny. Adre, gyda'r nos, a ninnau'n glyd ar y soffa, bob tro y byddai'n clywed 'ping', byddai'n cythru am ei ffôn, ac yn trio peidio edrych yn siomedig wedyn. Mi fyddwn i'n rhedeg i'r gegin i nôl fy nhennyn a'i ddal o'i blaen hi a 'nghynffon yn troelli fel peth gwirion, achos ro'n i'n gwybod y byddai awyr iach yn gwneud lles i'r ddau ohonon ni. Byddai'n llusgo ei hun ar ei thraed, ond byth yn mynd â fi'n bell iawn, ac oni bai amdana i, mi fyddai wedi cerdded i mewn i sawl coeden a pholyn lamp. Sbio ar y blincin ffôn 'na fyddai hi dragwyddol, ynde, a cherdded fel malwen wedi meddwi. Wedyn, yn sydyn, a wastad yn yr un lle, byddai'n stopio'n stond.

'Sori, Mot, mae'r signal yn diflannu fan hyn. Wnawn ni droi rownd, ia?'

Nefi, roedd isio gras. Dwi'n caru Lea'n fwy na dim yn

y byd, ond roedd hi mor anodd ei gwylio hi'n gwastraffu cymaint o'i hamser fel yna. Mae'n amlwg bod pobl ddwygoes yn gallu gwneud pethau rhyfeddol: creu synau hynod o brydferth efo'u lleisiau ac offerynnau ac ati; gyrru ceir, adeiladu pethau fel tai, ceir a ffonau sy'n gweithio hyd yn oed pan ti'n symud: llwyth o bethau sy'n gwneud bywyd yn haws iddyn nhw, ond iechyd, maen nhw'n gallu gwneud bywyd yn anodd iddyn nhw eu hunain hefyd. Yn lle mwynhau'r hyn oedd ganddi a byw bob eiliad i'r eitha fel y byddwn ni gŵn yn ei wneud, roedd Lea yn gwneud ei hun yn drist yn disgwyl i bethau ddigwydd iddi ac i bobl eraill fod mor annwyl ac ystyriol a gonest â hi.

Pan fyddwn ni gŵn yn cyfarfod ci sy'n amlwg yn snichyn, neu'n amlwg â dim diddordeb ynon ni, iawn, dim problem, dan ni un ai'n ei anwybyddu fo neu, mewn rhai achosion, yn cael sgrap sydyn efo fo, ac yn anghofio am y cwbl wedyn. Wel, gan amlaf. Dwi'n dal i gofio'r ci diolwg 'na frathodd fi yn y parc, yr un oedd yn edrych fel tasa fo wedi bod yn gwgu drwy'r dydd, bob dydd ers blynyddoedd. Ro'n i wedi ei weld o unwaith neu ddwy wedi hynny, fo a'i berchennog mawr, moel, ac wedi cadw'n ddigon pell, ac mi fûm i'n cadw draw oddi wrth unrhyw gi tebyg iddo fo hefyd, jest rhag ofn. Dwi'n gwybod mai'r perchennog oedd ar fai ei fod o fel'na, a dyna pam fyddwn i'n amheus o unrhyw ddyn mawr, moel ar hyd fy oes hefyd – ar y dechrau o leia, nes ro'n i'n gallu synhwyro caredigrwydd ynddyn nhw. Erbyn meddwl, mi wnes i gyfarfod gast eitha tebyg i'r ci hwnnw ar y traeth ryw dro, efo wyneb oedd yn wg i gyd, ond roedd honno'n ddigon clên. Mi fuon ni'n chwarae yn y tonnau am ryw bum munud, nes i ni golli diddordeb a symud yn ein blaenau.

Ond yn y bôn, rydan ni gŵn yn tueddu i weld bywyd yn ddu a gwyn, yn caru ein ffrindiau a brathu'n gelynion os leciwch chi, ond mae pobl wastad yn gorfod gneud pethau'n gymhleth, yn cael trafferth caru mor llwyr â ni, ac yn cymysgu cariad ac atgasedd nes bod y du a'r gwyn wedi troi'n rhyw gawl llwyd, dryslyd.

Yn fy marn i, dydyn nhw ddim yn talu digon o sylw i'w gallu i arogli. Fy nhrwyn i sy'n deud wrtha i pwy sydd â'r potensial i fod yn ffrind, ond mae'r dwygoesiaid 'ma'n rhwbio a chwistrellu bob math o gemegolion drostyn nhw eu hunain, felly dim rhyfedd eu bod nhw'n meddwl eu bod nhw'n caru rhywun sy'n bell o fod yn gymar da iddyn nhw.

Dwi'n eitha siŵr y byddai Lea wedi anghofio am y boi yma yn y diwedd, ond mi bingiodd ei ffôn ryw noson pan oedd hi ar y soffa a finna'n llyfu ei phlât hi'n lân yn ôl fy arfer cyn iddi hi ei glanhau hi eto fyth drwy ei rhoi mewn powlen o swigod yn y sinc. Mi wylltiodd Leri'n gacwn pan welodd hi fi'n gneud hynna, a deud ei fod o'n 'disgysting!', felly wnes i ddysgu aros nes ei bod hi wedi mynd adre o hynny mlaen. Ond roedd ei sinc hi'n blocio'n llawer mwy aml nag un Lea, wrth gwrs.

Ond dwi'n crwydro eto – sôn am y 'ping' ro'n i, ynde? Rhoddodd Lea wich a dechrau crynu.

'Mot! Fo ydi o! O mai god!' Do'n i ddim yn siŵr sut i ymateb; roedd yn braf ei gweld hi mor hapus eto, felly mi ddechreuais ysgwyd fy nghynffon ar ei rhan hi, ond ro'n i hefyd yn gwybod pwy oedd o, felly ro'n i isio rhowlio fy llygaid a sodro fy nghynffon rhwng fy nghoesau a mynd i bwdu dan y soffa.

Mi gymerodd hi oes i bingian neges yn ôl iddo fo achos roedd hi'n newid ei meddwl am be'n union i'w ddeud bob munud. A'r eiliad yrrodd hi o, neidiodd i fyny a mynd i nôl yr hwfyr. Wedi deg munud gwallgo o sugno bob mymryn o lwch a phry cop a blew ci (euog…) o bob twll a chornel, golchodd y llestri oedd wedi hel yn fynydd yn y sinc a chwistrellu rhywbeth efo arogl ofnadwy o gry dros y bwrdd ac ati a thaenu cadach dros y cwbl. Wedyn rhedodd i'r tŷ bach lle bu'n stwffio brwsh a mwy o stwff cry i lawr y toilet, yna cadach dros y sinc yn fanno – a'r drych hyd yn oed! Roedd hi'n amlwg yn disgwyl ymwelydd: y dyn oedd wedi gadael ei ôl dros bob man, ro'n i'n eitha siŵr o hynny. Ond o 'mhrofiad i, doedd dynion ddim yn sylwi os oedd bwrdd neu ddrych yn sgleinio ai peidio. Wel, ar wahân i Rhys efallai; mae ei dŷ o wastad fel pìn mewn papur, ond ar y cyfan, roedd gan y dynion ro'n i wedi eu cyfarfod hyd hynny fwy o ddiddordeb yn y teledu a chynnwys yr oergell.

Neidiodd Lea i mewn i'r gawod wedyn. Fuodd hi ddim yno'n hir, ond bosib ei bod hi wedi bachu yn rhywbeth yn ei brys achos roedd 'na sgriffiadau bach coch ar waelod ei choesau hi. Doedd hi ddim wedi sylwi ei bod hi'n gwaedu nes i mi fynd ati a llyfu ei choes hi.

'Damia'r blydi rasal 'na!' meddai.

Felly dyna be oedd o. Ro'n i wedi ei gweld hi'n tynnu'r blewiach mân oddi ar ei choesau a'i cheseiliau o'r blaen, a methu'n lân â deall pam. Mae gan y dynion dwi wedi eu nabod dipyn go lew o flew ar eu cyrff – ddim hanner cymaint â ni gŵn wrth gwrs, a dyna pam eu bod nhw'n gorfod gwisgo dillad. Ac o be dwi wedi'i weld, maen nhw'n gadael llonydd iddo fo, yn gadael iddo fo dyfu ar eu coesau a'u breichiau, eu ceseiliau a'u cefnau – ar wahân i'w hwynebau weithiau. Mi fydda i'n hoffi barf ar ddyn fy hun, dwi'n teimlo'n agosach atyn nhw rhywsut, am eu bod nhw'n debycach i mi am wn i. Dwi wedi cyfarfod ambell gi sydd â barf hefyd: Kevin y *schnauzer* y byddwn ni'n ei gyfarfod ar lan y môr weithiau, a sawl *Airedale terrier*. Mae'r rhan fwya o'r rheiny'n ddigon hwyliog ond faswn i ddim yn pigo ffeit efo nhw. Dywedodd Waldo wrtha i ryw dro eu bod nhw'n enwog am beidio dechrau ffeit, dim ond eu gorffen nhw.

Ond dwi wedi crwydro eto. Dwi'n gwneud mwy a mwy o hynny yn fy henaint. Sôn am flew o'n i, ynde? Felly os ydi hi'n iawn i goesau a cheseiliau dynion fod yn flewog, pam fod merched yn mynnu cneifio eu hunain? Be sy o'i le efo chydig o flew? Mae o yna am reswm, tydi! Mae fy mlew i yn fy nghadw i'n gynnes, a chredwch neu beidio, yn sych, ac mae'n handi ar gyfer cario negeseuon i gŵn sydd ddim cystal am gyfathrebu. Mae o hefyd yn gneud i mi edrych yn dda. Dwi wedi gweld cŵn heb flew, a nefi, mae 'na olwg ryfedd arnyn nhw.

Ta waeth, gorweddais ar y landing wrth i Lea wisgo, tynnu, taflu ac ailwisgo hanner cynnwys ei wardrob, a phlastro'r hen baent 'na ar ei hwyneb, a chwistrellu rhywbeth cryf drosti. Mynd allan efo'r crinc yma oedd hi, felly, a finnau heb ei gyfarfod o i weld oedd o'n pasio'r Prawf Mot.

Pan ganodd y gloch, rhuthrais i lawr y grisiau gan gyfarth nerth fy mhen.

'Lea! Mae 'na rywun tu allan!' cyfarthais. 'Os ydyn nhw'n rhywun drwg, peryglus, mi fydd raid iddyn nhw ddod drwydda i yn gynta, a wnawn nhw byth!' Dyna oedd fy neges fwy neu lai bob tro y byddai rhywun annisgwyl yn canu'r gloch. Dwi ddim cweit mor swnllyd a hyderus y dyddiau yma. A bod yn onest, dwi ddim hyd yn oed yn gallu clywed y gloch yn canu bellach.

Rhuthrodd Lea i lawr ar fy ôl i – tan tua hanner ffordd i lawr y grisiau, pan arafodd hi'n arw a sychu cledrau ei dwylo ar ochrau ei ffrog. Os oedd modd ei galw yn ffrog, wrth gwrs, gan mai chydig iawn o ddefnydd oedd ynddi. Ond roedd hi'n edrych yn berffaith, fel arfer.

Pan agorodd hi'r drws, sefais yn stond i astudio'r ymwelydd. Dyn tal efo ysgwyddau llydan, breichiau blewog a llond pen o wallt melyn ond dim barf. Dim sgidiau sgleiniog ond rhai trymion efo ôl gwaith arnyn nhw. A rhyw olwg ddrwg yn ei lygaid o. Chwyrnais.

'Mot! Bihafia!' meddai Lea mewn llais braidd yn wichlyd.

'Helô boi,' meddai'r dyn. 'Ga i ddod mewn?'

'Cei siŵr,' meddai Lea gan gamu'n ôl. 'Ty'd, Mot, sym.' Ond aros lle ro'n i wnes i, reit o'i flaen o, gan barhau i chwyrnu'n isel. Doedd o ddim wedi cyflwyno ei hun i mi, nag oedd?

'Ti ydi'r bòs ia, Mot?' meddai'r dyn. Yna aeth ar ei gwrcwd gan ddeud, 'Wyn ydw i. Ac roedd gen i ast ddefaid ers talwm: Fflei. Chwip o ast.'

Astudiais o'n ofalus. Wyn aie? Llygaid digon caredig. Llais da, gonest a dim byd yn fygythiol ynddo fo. Dwylo mawr ag ôl gwaith arnyn nhw. Estynnodd un tuag ata i ac ar ôl eiliad neu ddwy, mi wnes i ei hogleuo. Roedd o wedi golchi ei ddwylo efo sebon yn ddiweddar ond ro'n i'n dal yn gallu arogli chwys, halen, brechdan wy a dwi'n meddwl mai rwber neu blastig oedd yr arogl arall. A mymryn o ogla plant a phobl eraill. Felly roedd o'n licio plant ac roedd o reit gymdeithasol. Iawn, dim rheswm i boeni – eto. Camais yn ôl i adael iddo fo ddod mewn, ond gan ddal i graffu arno i adael iddo fo wybod y byddwn yn cadw llygad barcud arno fo. Tynnodd ei sgidiau gwaith a'u gadael wrth y drws.

Dilynais y ddau i'r gegin lle cynigiodd hi baned neu rywbeth cryfach iddo fo. Aeth o am yr opsiwn cryfach a thynnodd hi ddwy botel o stwff melyn allan o'r oergell a'u hagor efo sŵn 'Pfffff'. Es i at fy mhowlen ddŵr ac yfed yn swnllyd am chydig cyn troi i rythu arno fo'n yfed o'i botel o. Ond edrych ar ei gilydd oedden nhw a fasen nhw ddim wedi sylwi taswn i wedi sefyll ar fy mhen a fflapio fy nghoesau fel iâr.

Iawn, ro'n i'n gwybod na allai Lea roi ei sylw i gyd i mi o hyd, ond do'n i ddim yn licio cael fy anghofio. Ochneidiais yn drwm, yn ddigon trwm i dynnu sylw'r ddau.

'O, Mot, be sy?' meddai Lea, fymryn bach yn fwy diamynedd na phryderus amdana i os dwi'n onest.

'Isio sylw wyt ti 'de, boi?' meddai Wyn. Ond ches i ddim cynnig sylw ganddo fo chwaith. Dim cyfle i ddod i'w nabod yn well cyn caniatáu i bethau ddatblygu ymhellach. 'Jelys ydi o, garantîd i ti,' meddai wrth Lea. 'A dwi'm yn ei feio fo. Tasa gen inna rywun mor ddel â ti yn rhannu tŷ efo fi, faswn inna ddim isio dy rannu di chwaith.'

O, ych. Roedd fy stumog i'n troi. Ond roedd Lea wrth ei bodd, ei bochau a'i chlustiau wedi troi'n binc, ei phen wedi gwyro am i lawr fel ei bod yn sbio i fyny arno fo fel llo, ac roedd hi'n giglan yn wirion. Giglan hollol wahanol i'r ffordd y bydd hi'n chwerthin yn fy nghwmni i.

'Sgen i'm lot o amser...' meddai Wyn wrthi ar ôl chydig. O? Ro'n i isio gwybod pam; be oedd mor bwysig – yn amlwg yn bwysicach na bod efo Lea, ac ro'n i'n disgwyl iddi hithau fod isio gwybod a holi, ond wnaeth hi ddim, achos roedd o'n sbio arni mewn ffordd od. Fel tasa fo isio'i bwyta hi, fwy na heb. Tasa fo'n gi, mi fyddai wedi stwffio'i drwyn i gyfeiriad ei phen ôl hi. Ac ro'n i'n gallu gweld bod ei llygaid hithau efo ryw olwg ddigon tebyg ynddyn nhw a bod ei chroen hi o dan ei gwddw hi'n mynd yn goch. Aroglais yr awyr. Roedd eu fferomonau nhw'n tasgu allan ohonyn nhw! A chyn i mi fedru hyd yn oed chwyrnu rhybudd, roedd y ddau wedi estyn dros y bwrdd ac yn llyfu cegau ei gilydd. Do'n i erioed wedi gweld y fath beth o'r blaen ac allwn i wneud dim byd ond syllu'n gegagored. Yna, roedd y ddau ar eu traed ac yn baglu i fyny'r grisiau, ond yn dal i lyfu a byseddu ei gilydd. Roedd y peth yn flêr, yn drwsgl ac yn hurt bost a do'n i ddim yn hapus. Cyfarthais yn flin, ond chymerodd yr un ohonyn nhw yr un blewyn o sylw ohona i. Carlamais i fyny'r grisiau ar eu holau, ond ciciodd o ddrws y llofft ynghau yn fy wyneb i.

Ro'n i'n gallu clywed ochneidiau a sŵn gwlyb eu tafodau a dillad yn cael eu tynnu a'u cyrff yn glanio ar y gwely. Gwichiais wrth droed y drws i Lea gael gwybod mod i yno. Yna clywais ei llais hi'n gwneud synau rhyfedd, fel petae hi mewn poen, felly neidiais ar y drws a dechrau crafu yn ogystal â gwichian a chyfarth. Ond dwi'n meddwl eu bod nhw'n rhy brysur yn gwichian a chyfarth eu hunain i gymryd unrhyw sylw, ac mi wnes i sylweddoli'n raddol nad mewn poen oedd Lea. Roedd hi'n gwneud synau eraill oedd yn dangos ei fod o'n ei gwneud hi'n hapus, drapia fo.

Ar y dechrau, wedi dychryn drosti ro'n i, wedyn mi wnes i deimlo'n drist ei bod hi'n mwynhau ei gwmni o gymaint, ac wedyn, mi wnes i ddechrau teimlo'n flin. Roedd hi wedi fy sbaddu i, cael rhywun i rwygo fy ngheilliau i allan ohona i, a dyma hi a'r bwystfil yma'n mynd ati fel tasa 'na ddim fory! Roedd y teimlad o annhegwch llwyr fel ton o wres yn codi o wadnau fy mhawennau i, ac erbyn iddo fo gyrraedd fy nghlustiau i, ro'n i isio dial. Ia, cywilydd o beth, dwi'n gwybod hynny rŵan, ond ro'n i'n ifanc a fy nheimladau i'n amrwd.

Sleifiais yn ôl i lawr y grisiau at ei sgidiau o.

PENNOD 15 *Lea*

Ro'n i braidd yn siomedig pan ddywedodd Wyn bod raid iddo fo fynd mor sydyn. Dim ond rhyw ddau funud o gwtsh post-coital ges i cyn iddo fo neidio i mewn i'r gawod. Mi wnes i feddwl ymuno efo fo ond doedd 'na'm pwynt os oedd o ar frys. A ph'un bynnag, wnes i ddechre meddwl efallai mai wedi penderfynu ei fod o ddim yn fy licio i na fy nghorff i oedd o. Wedi'r cwbl, roedd o'n sobor y tro yma. Ond y bore wedyn oedd y tro dwytha, ynde, felly doedd o ddim yn chwil bryd hynny chwaith, ond efallai mai jest ddim yn licio gadael heb neud dim byd oedd o bryd hynny. Bod yn garedig. Teimlo drosta i. A rŵan mae'n siŵr ei fod o'n meddwl mai ryw hen hoeden hawdd o'n i, yn neidio i mewn i'r gwely efo fo ar ddim. Doedd o ddim hyd yn oed wedi dod â bwnsiad o flodau neu botel o win i mi. Roedd cynnwrf y caru wedi pylu'n llwyr ac ro'n i'n teimlo fymryn bach yn fudur.

Pum munud fuodd o yn y gawod, ac roedd o wedi gwisgo eto mewn chwinciad. Wnes i jest aros dan y dwfe efo dim ond fy mhen yn y golwg. Plygodd drosodd i roi sws i 'nhalcen i.

'Aros di lle wyt ti,' meddai, 'na' i adael fy hun allan. Ga i ffonio ti eto?' O, felly roedd o isio 'ngweld i eto. Ro'n i'n teimlo'n well yn syth. Rhoddais wên fach iddo fo, a nodio. Optimist ydw i yn y bôn, ac efallai y byddai isio mynd â fi allan am fwyd neu rywbeth tro nesa.

'Grêt. Dolig llawen, Lea,' meddai efo gwên lydan, hyfryd. Iechyd, roedd o'n olygus.

'Dolig llawen i titha.' Ro'n i isio gwybod be fyddai o'n neud diwrnod Dolig, ond doedd gen i mo'r gyts i ofyn am ryw reswm. Fyddai o'n fy ffonio y bore hwnnw, neu yrru tecst neu rywbeth? Agorodd y drws a brysio i lawr y grisiau. Clywais o'n oedi i wisgo ei sgidiau, ac wedyn mi nath sŵn rhyfedd.

'Be uffar? Yyyyyy! Ffycin HEL! Y bastad ci!'

'Be sy?' galwais gan godi ar fy eistedd.

'Mae dy blydi ci di wedi cachu yn fy esgid i! Ffycs sêc!'

Tynnais hwdi hir dros fy mhen a brysio i lawr ato fo, a dyna lle'r oedd o'n eistedd ar waelod y grisiau yn trio tynnu ei hosan, ac roedd y drewdod yn taro'n syth.

'O mai god… sori…' Cydiais yn yr esgid a mynd â hi at y sinc. Diolch byth bod gen i marigolds, achos roedd o'n amlwg wedi gwasgu ei droed reit mewn iddi cyn sylweddoli. Mi wnes fy ngorau efo llwyth o *kitchen roll*, gan gyfogi. Be goblyn oedd Mot wedi bod yn ei fwyta? Roedd Wyn wedi hopian i'r gegin ar fy ôl i, efo'i hosan yn ei fys a bawd.

'Ti isio i mi ei golchi hi?'

'Na, jest tafla hi. A dwi angen golchi 'nhroed.' Do'n i ddim wir isio iddo fo ddringo'n ôl i fyny'r grisiau fel'na, felly wedi gollwng yr hosan yn y bin, mi wnes i lenwi'r bowlen golchi llestri iddo fo ac estyn lliain glân – a bag plastig tenau. Wedyn mi es i chwilio am Mot.

Roedd o wedi stwffio'i hun o dan y soffa. Mi fyddai'n gwneud hynny weithiau pan fydden ni'n chwarae gemau cuddio, heb sylweddoli bod hanner ei gynffon yn dal i'w weld yn glir.

'Mot… ci drwg!' chwyrnais. Dim ateb na symudiad, ond ro'n i'n gallu teimlo ei euogrwydd o'n treiddio drwy'r soffa. 'Dwi'n gwbod dy fod ti dan y soffa, Mot… mae dy gynffon di'n dangos.' Na, ro'n i'n gwybod na fyddai o'n dallt, ond pan ti'n byw ar dy ben dy hun efo ci, ti'n deud bob dim wrthyn nhw'r un fath. Ac ro'n i isio deud y drefn wrtho fo, ond ro'n i hefyd isio chwerthin. Chwerthin at ddagrau.

Daeth Wyn drwadd, efo'i droed yn ôl yn yr esgid – efo'r bag plastic fel math o hosan, a gwgodd ar gynffon Mot. Am eiliad, roedd o'n edrych fel tasa fo ar fin stampio arni ond daeth sŵn allan o 'ngheg i. Sŵn nid annhebyg i lyffant, ac mi ddaliodd fy llygaid. Er gwaetha'r sŵn llyffant, roedd fy edrychiad i'n berffaith ddealladwy. Sythodd, ac edrych ar y drws. Roedd o'n amlwg ar dân i adael.

'Faset ti ddim wedi gneud yr un peth tasat ti'n gi?' gofynnais wrth iddo gamu tuag at ei ryddid. Trodd, efo cysgod o wên.

'Yli, mi fydda i'n siŵr o weld hyn yn ddigri ryw ben, ond ddim rŵan,' meddai. 'Diolch am ei llnau hi i mi. Ffonia i di.'

Ac allan â fo i'r nos. Wnes i ddim clywed ei gar o'n tanio; mae'n rhaid ei fod o wedi parcio sbel i ffwrdd, er bod 'na ddigon o le i barcio y tu ôl i 'nghar i. Trois yn ôl i gyfeiriad y soffa, lle'r oedd trwyn Mot bellach wedi gwthio'i ffordd allan fymryn, fel petae o am synhwyro'r awyrgylch cyn mentro allan yn llawn.

'Gei di ddod allan rŵan,' meddwn, ac yn ara deg bach, sleifiodd mwy o'i ben o allan, hyd at ei glustiau. Edrychodd i fyny arna i â golwg mor euog arno fo, allwn i ddim peidio â chwerthin. Y munud welodd o hynny, llusgodd ei gorff cyfan allan a daeth ata i – yn ofalus i ddechrau, ac wedyn cyffroi i gyd a neidio i fyny a fy llyfu i. Roedd o'n gwybod mod i wedi maddau iddo fo, a do'n i ddim yn gwybod hynny fy hun nes i mi roi cwtsh mawr iddo fo.

'Y diawl bach drwg! Paid byth â gneud rhywbeth fel'na yn sgidiau neb eto!' meddwn gan drio pwyntio bys ceryddgar ato fo. Ond y cwbl wnaeth Mot oedd llyfu 'mys i. Chwarddais eto. 'Gwranda, dwi'n dallt yn iawn pam wnest ti'r ffasiwn beth; dwyt ti ddim yn ei licio fo, ond chwarae teg, dwyt ti ddim yn ei nabod o eto. Ond dyna'r peth, ia? Ti isio dod i nabod rhywun cyn i mi gysgu efo nhw?'

Bron na wnaeth o nodio'i ben, ond bosib mai dychmygu ro'n i. Ond ro'n i'n gwybod ei fod o'n cytuno, ac roedd o yn llygad ei le, yn doedd? Ro'n i wedi bod yn wirion, eto, ac roedd gan Mot fwy o barch ataf fi nag oedd gen i ataf fi fy hun. Iechyd, roedd fy nghi i'n trio fy nysgu i am foesoldeb.

'Wyt ti'n meddwl gawn ni gyfle rŵan i ddod i'w nabod o'n well?' gofynnais i Mr Moesol. 'Achos dwi'm yn siŵr os fydd o isio dod yn ôl yma.' Syrthiodd clustiau Mot yn llipa bob ochr i'w ben. 'Ond dwi'm isio'i weld o eto os na chawn ni ddêt go iawn, nacdw?' meddwn gan fwytho ei gorun. 'Dwi'n fwy na jymp sydyn, tydw?' Cododd Mot ar ei eistedd ac ysgwyd ei gynffon. Wel, ar f'enaid i. Allwn i ddim peidio gwenu.

'Iawn, tria ateb hyn 'ta, Mot: sut goblyn lwyddest ti i anelu mor gywir?' Y cwbl wnaeth o oedd mynd yn ôl ar ei stumog, ond parhau i ysgwyd ei gynffon gan wenu arna i.

Ro'n i jest â drysu isio deud yr hanes wrth Rhys neu Haf, unrhyw un o fy ffrindiau oedd yn berchnogion cŵn, ond roedd hi'n rhy hwyr i ffonio neb erbyn hynny, felly es i am fâth.

PENNOD 16 *Mot*

Gawson ni rip o ddiwrnodau gwahanol iawn i'r arfer yn fuan wedyn. Mi gododd Lea yn fuan un bore, wedi cynhyrfu'n llawer mwy nag arfer am ryw reswm, a ges i andros o fwytha ganddi i gyfeiliant cerddoriaeth uchel ar y radio, rhyw ganeuon roedden ni wedi bod yn eu clywed drosodd a throsodd ers tro.

Oherwydd ei bod hi'n anodd ei hosgoi mewn tŷ mor fach, ro'n i'n gwybod ei bod hi wedi rhoi math o goeden yn stafell y soffa, ond nid un go iawn, dim ond rhywbeth oedd yn esgus edrych fel coeden a ddim yn ogleuo fel un o gwbl. Ro'n i wedi trio chwarae efo hi y munud ddaeth hi allan o'r bocs, ond ges i row, a gorfod eistedd yna'n gwrando'n ufudd arni'n trio egluro i mi mai 'Coeden Dolig' oedd hi. Roedd Lea wedyn wedi trio rhoi ryw beli ac ati arni, ond allwn i jest ddim peidio chwarae efo'r rheiny, dim bwys faint o ddeud y drefn fyddai Lea, felly yn y diwedd rhoddodd hi'r cwbl yn ôl yn y bocs, heblaw am ddoli fach od efo adenydd oedd yn gorfod eistedd reit ar dop y 'goeden'. Doedd hi ddim yn edrych yn gyfforddus, y greadures.

Beth bynnag, roedd Lea wedyn wedi dechrau stwffio pecynnau lliwgar o dan y goeden 'ma, rhai efo arogl arbennig, ac ro'n i wedi cymryd yn fy mhen mai i mi oedden nhw. Wedi'r cwbl, fel arfer, os ydi hi'n rhoi rhywbeth ar y llawr, rhywbeth i mi ydi o, boed yn fwyd neu ddŵr, neu'n blât neu sosban i'w llyfu, neu bêl, neu degan. Ro'n i wedi hen ddysgu bod sgidiau a slipars yn wahanol. Ond am ryw reswm, anghofiodd Lea ddeud wrtha i nad i mi oedd y pethau newydd yma, ac mi gafodd ffit pan welodd fi'n rhwygo'r papur oddi ar un ohonyn nhw. Aeth y cwbl i mewn i gwpwrdd ar ôl hynna. Ond y bore yma, tynnodd rai ohonyn nhw allan a'u rhoi ar y llawr o mlaen i, efo gwên fawr.

'Dolig llawen, Mot!' meddai. 'Gei di agor dy bresant di rŵan!'

Edrychais yn hurt arni. Ro'n i'n dal i gofio'r row ges i y tro dwytha i mi 'agor' y papur coch yna, papur llachar, sgleiniog efo lluniau robin goch arno.

'Ty'd 'laen, gei di agor o rŵan!' Ond ro'n i'n dal i amau mai tric o ryw fath oedd o, felly mi fu'n rhaid iddi hi ddechrau rhwygo'r pecyn yn gynta, cyn fy annog i i orffen y gwaith. Ro'n i wrth fy modd – roedd o'n hwyl! Ond dim ond bocs oedd o dan y papur, efo llun ci arno fo. Agorodd Lea y bocs i mi a thynnu rhyw declyn mawr oren allan. Doedd o ddim yn edrych yn addawol iawn fel tegan, ond yna, tywalltodd stwff allan o botel i mewn iddo fo, pwyso switsh, a myn coblyn i, o fewn dim, roedd y stafell yn llawn o swigod, ac ro'n i wrth fy modd yn dal swigod fel'na. Byddai Cara a Caio yn treulio oriau yn chwythu rhai i mi yn eu gardd nhw. Ond roedd y swigod yma'n well na'u swigod nhw, achos roedd 'na flas cig moch ar y rhain!

Roedd ganddi anrhegion eraill i mi hefyd, a thros y blynyddoedd mi ddysgais innau gynhyrfu pan welwn i'r goeden gogio yn dod allan o'i bocs. Pethau i'w cnoi neu eu bwyta fyddai yn y papur sgleiniog gan amlaf, gwely newydd ambell dro, neu goler fwy, ond yn bendant: teganau, rhai'n gwichian, rhai ddim, a'r rhai gwichlyd oedd fy ffefrynnau – maen nhw'n dal i fod a deud y gwir. Efallai na fedra i ddal cwningen go iawn erbyn hyn, ond mi fedra i wneud i fy nhegan blewog, piws wichian unrhyw bryd lecia i, er nad ydw i'n clywed y wich cystal ag o'n i.

Y flwyddyn gyntaf honno, fel sawl blwyddyn wedi hynny, waeth be fyddai'r tywydd, mi fydden ni'n mynd am dro hir ar ôl brecwast, a Lea yn deud 'Dolig llawen' wrth bob ci a'i ddwygoes fydden ni'n eu gweld. Yna naid i mewn i'r car i dreulio amser efo rhieni Lea. Weithiau, byddai Cara a Caio a'u rhieni'n dod aton ni yno, dro arall, mynd i'w tŷ nhw fydden ni, ac roedd 'na wastad lot o chwerthin a chwarae (a checru) a bwyta drwy'r dydd. Mi fyddai fy stumog i bron â ffrwydro ar ôl cymaint o groen twrci a grefi a'r sbarion fyddai'r plant yn eu rhoi i mi o dan y bwrdd yn slei bach. Byddai gen i wynt ofnadwy wedyn, a doedd gen i ddim dewis ond gollwng rhechfeydd hirion, drewllyd yn dawel bach o dan y bwrdd neu o flaen y soffa. Ddim fi oedd yr unig un oedd wrthi, ond fi oedd yn cael y bai am bob un.

Byddai'r tridiau wedyn yn ddigon tebyg, ond efo andros o dro hir ar o leia un ohonyn nhw, efo Waldo a Haf neu Jet a Rhys, a'r dwygoesiaid i gyd yn cyfadde eu bod yn falch o gael awyr iach a thawelwch. Bydden ni'r cŵn yn edrych ar ein gilydd ac yn deud: 'Ddim hanner cymaint â ni, mêt...' Rydan ni'n hoff o drefn yn ein bywydau, dach chi'n gweld, a phan fydd pethau'n wahanol ac annisgwyl, mae'n ein taflu ni oddi ar ein hechel – ar y dechrau o leia. Ond os ewch chi â ni am dro difyr, llawn arogleuon a thaflu pêl/pric/unrhyw beth wedyn, rydan ni'n maddau'r cwbl.

Mae rhywun yn cyfarfod pob math o bobl wrth grwydro fel yna, a dyna ddigwyddodd pan aethon ni i Ynys Llanddwyn y Nadolig cyntaf hwnnw, efo Waldo a Haf y tro yma. Ro'n i wedi gwirioni: mae traethau mor hyfryd o ddifyr, efo digonedd o bethau drewllyd wedi eu taflu ar y tywod a'r cerrig gan y tonnau: sgerbydau pysgod a chrancod, slefrod môr a gwymon yn llawn o bob math o bethau wedi pydru, a phethau eraill y byddai Lea yn gweiddi arna i i beidio â meiddio rhowlio ynddyn nhw.

Ond y dŵr oedd yn denu Waldo'r labrador wrth gwrs. Byddai'n neidio ar ei ben i'r tonnau a nofio'n ôl a mlaen heb boen yn y byd, yn ei elfen go iawn. Mi wnes innau ei ddilyn fel dafad y tro cynta, ac er mod i wrth fy modd yn chwarae efo ewyn y tonnau bychain, wrth iddyn nhw geisio gwlychu fy mhawennau gyda'u swigod gwynion, do'n i ddim yn hapus o gwbl efo'r tonnau mwy. Mi ges i andros o fraw pan geisiodd un fy nhynnu oddi tani. Roedd pŵer y dŵr 'na'n frawychus, ac mi wnes i frwydro fy ffordd yn ôl at y tywod diogel yn o handi. Ro'n i wedi llyncu llwyth o'r stwff hallt, afiach yn fy mraw, a do'n i ddim ar frys i'w flasu eto. Dydi o ddim yn ein natur ni fel cŵn defaid i fod yn bysgod a dyna fo, ond dwi'n siŵr bod labradors a dyfrgwn yn perthyn yn agos i'w gilydd – yn enwedig y rhai brown fel Waldo. Ystyr dyfrgi ydi ci y dŵr, ynde, a dyna'n union ydi labrador. Mi gyfaddefodd Waldo wrtha i ryw dro ei fod o'n hapusach yn y dŵr nag yn unlle, ac y byddai'n gallu treulio diwrnod cyfan mewn afon neu lyn, dim problem.

'Dwi'n gi reit drwm, tydw, ac mae 'nghluniau i'n brifo weithiau ar ôl trio dal i fyny efo ti drwy'r dydd,' eglurodd, 'ond yn y dŵr, dwi'n pwyso dim; dwi'n teimlo fel hogyn ifanc, cyflym a di-boen eto.'

Felly ro'n i'n gadael i Waldo neidio a nofio a sblasho ar ôl pob darn o froc môr y byddai Haf a Lea yn ei daflu i'r môr, a dim ond rhedeg ar ôl y rhai fyddai'n glanio'n daclus ar dir sych fyddwn i, gan anwybyddu Waldo'n tynnu arna i a fy ngalw'n hen fabi, a thrio peidio sylwi ar y siom ar wyneb Lea.

Roedden ni wedi cyrraedd yr ynys ei hun y diwrnod hwnnw, a newydd fynd drwy giât fach ddel pan wnes i stopio'n stond a throi'n ôl i weld oedd Lea wedi gweld yr hyn ro'n i wedi'i weld: teulu yn cerdded tuag aton ni, a dyn tal, cyhyrog efo gwallt melyn yn dal llaw hogan fach efo gwallt melyn. Roedd gweddill y teulu'n gwisgo capiau a menyg achos roedd hi reit oer a gwyntog, ond doedd o ddim, felly roedd ei wallt o'n amlwg. Diflannodd y wên oddi ar wyneb Lea, a throis yn ôl i edrych ar Wyn.

Mi welodd o fi a fy nabod yn syth, achos dwi'n hawdd fy nabod efo fy nghôt goch a gwyn – ac ro'n i'n rhythu arno fo, toeddwn? Roedd hi'n amhosib i ni osgoi ein gilydd achos roedden nhw'n amlwg yn anelu am y giât a ninnau newydd ddod drwyddi ar y llwybr cul. Mae'n bosib mai'r gwynt oer drodd ei fochau o'n goch ond ro'n i'n gallu arogli ei chwys llawn euogrwydd o. Dechreuais chwyrnu, ond:

'Helô, ci ciwt,' meddai'r ferch fach wrth fy mhasio. Roedd hithau'n ciwt ac yn amlwg yn glên. Bechod am ei thad hi. Ro'n i'n ysu am roi brathiad sydyn i un o fochau ei ben ôl o, ac ro'n i'n gwybod ei fod o'n gwybod hynny hefyd.

'Helô,' meddai Haf wrthyn nhw yr eiliad ddalltodd hi mai Cymry oedden nhw. 'Mae'n wyntog, tydi?'

'Helô. Yndi, braidd,' meddai'r ddynes dwi'n cymryd oedd yn fam i'r ferch fach ac yn wraig iddo fo. Ond ddywedodd Wyn yr un gair, na Lea, dim ond pasio'i gilydd fel tasan nhw rioed wedi gweld ei gilydd o'r blaen.

Brysiais yn fy ôl at Lea. Roedd ei llygaid yn wlyb, ac roedd croen ei hwyneb hi wedi mynd yr un lliw â'r cymylau. Neidiais i fyny ar fy nghoesau ôl a rhoi fy mhawennau blaen am ei gwasg hi. Cusanodd hithau fy nghorun.

'Be sy? Oeddet ti'n eu nabod nhw?' holodd Haf. Oedodd Lea cyn nodio ac egluro mai fo oedd y boi roedd hi wedi bod yn sôn amdano.

'Be? Yr un fachaist ti noson parti'r cymorthyddion? A'r un gachodd Mot yn ei esgid o?'

Allai Lea ddim peidio â chwerthin, ond roedd hi'n crio hefyd.

'Soniodd y bastad ddim gair ei fod o'n briod!' meddai ar ôl chwythu ei thrwyn. 'Ond roedd yr arwyddion i gyd yna, erbyn meddwl. O, Haf, pam ydw i mor dwp?'

Doedd hi ddim yn dwp! Llyfais ei llaw wrth i ni

gerdded yn ein blaenau, yn trio deud hynny wrthi, ond mi ddeudodd Haf yr union eiriau hynny wrthi hefyd.

'Anlwcus wyt ti, dyna i gyd, Lea. Ges i fy siâr o gociau ŵyn cyn cyfarfod Dewi. Ond mae'n amlwg fod Mot wedi dallt bod 'na rywbeth ddim yn iawn amdano fo… yn do, 'ngwas i?' Ysgydwais fy nghynffon a gwenu arni. 'Dwi'n meddwl y byd o'r hen Waldo,' meddai, gan fwytho tu ôl i 'nghlustiau, 'ond mae 'na rywbeth am y Mot 'ma, yn does? Mae gen ti gi anghyffredin o glyfar fan hyn, sti.'

Ro'n i'n cerdded efo 'mhen a fy nghynffon yn uwch nag arfer ar ôl hynna. Nes i mi glywed Lea'n deud:

'Ond y peth ydi, os ydi o mor glyfar â hynna, pam na neith o byth ddod â phric na phêl yn ôl ata i?'

'Achos mae o'n gwbod mai pric arall ydi'r peth ola ti angen,' gwenodd Haf. Mi fu'r ddwy yn chwerthin ar ôl hynna. Ond do'n i ddim.

Pan gyrhaeddon ni'r traeth bach nesaf, cydiais mewn darn o froc môr, trotian at Lea, a'i ollwng wrth ei thraed. Edrychodd yn hurt arna i.

'Be? Presant i mi ydi hwnna?' Trois mewn cylch a chyfarth arni i'w daflu. Ufuddhaodd. Rhedais ar ei ôl a'i ollwng wrth ei thraed eto. Chwarddodd. A thaflu a gollwng priciau fuon ni wedyn am hir, nes i mi gael llond bol a gwrthod gollwng eto. Wel, mae o'n fwy o hwyl gweld dwygoesiaid yn trio rhedeg ar eich ôl i dynnu'r pric oddi arnach chi.

Pan oedden ni i gyd yn ôl yng nghar Haf, tynnodd Lea ei ffôn allan o'i phoced a dechrau pwyso botymau.

'... a *delete*,' meddai. 'Dyna ni, mae o wedi mynd. Y crinc.'

'Ieee! A twll dy din di, Ffaro!' meddai Haf wrth iddi danio'r injan. 'Mi faswn i'n bersonol wedi gyrru neges gas ato fo gynta, ond ti'n rhy glên i hynna, dwyt? Ond ti sy galla. Gei di anghofio amdano fo rŵan a symud ymlaen,' ychwanegodd wrth i ryw gân swnllyd ein byddaru. Chwarddodd y ddwy a bloeddio canu rywbeth fel:

'So what, I'm still a rock star, I got my rock moves, and I don't need you,' ac yna dyrnodd y ddwy yr awyr wrth weiddi: 'I'm alright, I'm just fine, and you're a tool, so...'

Roedd Lea'n chwerthin cryn dipyn yr holl ffordd adre, felly ro'n i'n falch, ac yn gobeithio bod yr hen Lea yn ei hôl. Ond dydi hi byth mor hawdd â hynna, nacdi?

Mi fuodd hi'n sâl i lawr y toilet ar ôl cyrraedd adre, ac mi wnes i sylwi ei bod hi'n dal i sbio'n hurt o aml ar ei ffôn am ddyddiau wedyn, a'i hysgwyddau'n dangos ei siom. Do'n i ddim yn dallt pam fod cael dyn yn ei bywyd mor bwysig iddi. Roedd ganddi Rhys, ond ro'n i wedi sylwi na fyddai o byth yn mynd i'w gwely hi, ac er eu bod nhw'n rhoi eu breichiau am ei gilydd weithiau, rhywbeth sydyn, byr oedd o, a fydden nhw byth yn llyfu cegau ei gilydd fel roedd hi wedi gwneud gyda Wyn a Peter. Mi wnes i benderfynu holi Jet pam fod eu perthynas nhw mor wahanol, ac mi ddywedodd o mai cegau dynion dwygoes fyddai Rhys yn eu llyfu. Ac mi wnaethon ni jest derbyn hynny.

Yn nhŷ Rhys oedden ni pan benderfynon nhw yfed rhyw ddiod llawn swigod ganol nos, ar ôl gwrando ar y cloc yn taro llwythi o weithiau. Dim ond ni'n pedwar oedd yno, ac ro'n i'n falch ein bod ni dan do achos er ei bod hi wedi bod yn noson hyfryd o dawel a chyfforddus tan hynny, ffrwydrodd yr awyr yn llawn o fflachiadau a tharanau a chleciadau arteithiol o swnllyd yr eiliad wnaethon nhw daro'u gwydrau yn erbyn ei gilydd. Ro'n i wedi gweld a chlywed rhywbeth tebyg gwpwl o fisoedd ynghynt, ond o bell oedd hynny. Roedd y fflachiadau yma yn agos, yn frawychus o agos, a dwi rioed wedi dychryn cymaint yn fy myw.

Ro'n i'n gwybod nad y tywydd oedd o: ro'n i wedi arfer efo ambell storm erbyn hynny, er nad o'n i'n rhy hoff o'r rheiny chwaith, ond roedd y synau yma'n galetach, yn fwy bygythiol ac yn gwbl ddibatrwm. Roedd y chwibanu'n erchyll, ac yn gwneud i fy mhen i deimlo fel petae'n cael ei hollti'n ddarnau. Y cleciadau oedd yn effeithio fwya ar Jet, a rhwng bob dim, doedd yr un ohonon ni'n gwybod be i'w neud efo ni'n hunain, heblaw udo a chrio a thrio cuddio dan y soffa i gau'r twrw poenus allan.

Roedd gen i gywilydd ohonof fi fy hun: fi oedd i fod i warchod Lea rhag peryglon, a dyma fi'n crynu fel cachgi da i ddim. Ia, cachgi… dyw'r dwygoesiaid byth yn deud 'cachgath' neu 'cachfuwch', nacdyn? Mae'n rhaid bod yr hen Gymry wedi nabod rhywbeth yn ein natur ni; yn gwybod ein bod ni'n ddewr ac ymosodol gan amlaf, yn eu gwarchod rhag anifeiliaid rheibus a dieithriaid oedd isio dwyn eu heiddo, ond bod rhai pethau jest yn ein troi'n bwdin a gwneud i ni anghofio bob dim am fod yn wrol.

Ro'n i'n falch bod Jet yn yr un stad â fi, yn crynu ac yn crio, felly do'n i ddim yn teimlo'n gymaint o gachgi wedyn.

Mi fuon ni i gyd yn eistedd ar y soffa efo'n gilydd tra parodd y twrw, Rhys yn mwytho Jet a Lea'n fy mwytho innau. Ond pan oedd y cyfan drosodd a 'nghlustiau a 'nghalon yn gallu ymlacio eto, mi wnes i addunedu i mi fy hun i chwilio am ddyn cystal â Rhys i Lea. Doedd hi'n amlwg ddim yn gallu dewis y rhai iawn drosti ei hun, felly roedd angen fy help i arni.

PENNOD 17 *Mot*

Un peth am gŵn defaid: dan ni'n gwybod sut i ddyfalbarhau. Er mod i'n hapus iawn i fod yr unig un i rannu ei chartre, ro'n i'n gwybod yn iawn bod Lea angen mwy na hynny. Mi fyddwn i'n ei gweld hi'n syllu ar gyplau yn dal dwylo wrth gerdded i lawr y stryd ac yn chwarae efo'u plant yn y parc ac yn gwybod ei bod hi'n dyheu am fod fel nhw. Felly mi wnes i ddal ati.

Mi wnes fy siâr o gamgymeriadau, fel ei llusgo at foi ro'n i'n meddwl fyddai'n berffaith iddi, dim ond i hwnnw neidio'n ei ôl fel taswn i'n fwystfil hyll o uffern a sgrechian arni ei fod o'n casáu cŵn. Roedd 'na un arall yn *allergic* i ni, ond dwi'n meddwl mai jest casáu blew oedd o.

Ac wedyn, dyna'r tro hwnnw pan oedden ni'n cerdded heibio'r caeau chwarae un pnawn Sadwrn pan oedd y blodau melyn wedi dod allan – y rhai sy'n dangos bod y gaeaf drosodd. Ro'n i ar dennyn ganddi, ond mi wnes i sylwi bod 'na nifer o ddynion cryfion, smart yn chwarae efo pêl, a'i bod hi'n methu peidio eu hedmygu. Pan stopiodd hi i siarad efo criw roedd hi'n eu nabod ar ochr y cae, ac estyn i'w phoced i ddangos rhywbeth iddyn nhw, mi laciodd ei gafael ar y tennyn ac mi fachais fy nghyfle. I ffwrdd â fi fel mellten ar ôl y bêl – a'i dwyn! Doedd hynny ddim yn anodd gan mod i gymaint cyflymach na'r un o'r chwaraewyr.

Roedd 'na griw go fawr o bobl yn gwylio'r gêm ac mi wnaeth rhai ohonyn nhw chwerthin, ond roedd 'na rai eraill yn gweiddi'n flin. A gweiddi oedd y chwaraewyr mewn trowsus cwta hefyd. Mi driodd y rhan fwya ohonyn nhw redeg ar fy ôl i, ond ro'n i'n gallu rhedeg cylchoedd o'u cwmpas nhw heb drafferth yn y byd. Triodd un boi daflu ei hun ata i ond ro'n i wedi'i weld o'n dod a llwyddo i neidio o'i ffordd o jest mewn pryd fel ei fod o'n glanio'n glewt ar ei stumog, wedi dal dim byd ond llond ceg o wair.

Ond roedd gen i dennyn yn llusgo ar fy ôl i, doedd, a phan lwyddodd un boi efo croen tywyllach na'r lleill i sefyll ar hwnnw, dyna ddiwedd ar fy hwyl i. Roedd wyneb Lea yr un lliw'n union â gwisg goch hanner y chwaraewyr, ac roedd hi'n deud 'Sori, sori, dwi mor sori!' fel tiwn gron wrth frysio ar y cae i fy nôl i. Ond mi roddodd y boi ddaliodd fi wên neis iddi, felly mi wnes i benderfynu cofio ei wyneb o.

Ar y llaw arall, ro'n i isio cnoi fferau'r dynion blin oedd yn bwian arnan ni wrth i ni frysio i ffwrdd, ac yn deud pethau cas am 'bloody dogs' a 'blydi rhech o ddynes methu cadw trefn ar ei chi'. Mae pobl yn gallu bod yn hyll iawn weithiau.

Roedd Lea'n flin efo fi am hynna, felly ro'n i'n dawel iawn am hir. Wel, nes i mi weld Cara a Caio ar y swings yn y parc chwarae. Dwi byth yn cael mynd i mewn i fanno am ryw reswm, ond ro'n i'n gallu eu gweld nhw drwy'r ffens. Mi naethon nhw nabod fy nghyfarthiad i'n syth a brysio draw at y ffens aton ni. Roedden nhw isio i ni ddod mewn atyn nhw ond pwyntiodd Lea at yr arwydd yn dangos ci du efo llinell fawr goch drwyddo fo.

'Ond dwyt ti ddim yn gi, Anti Lei!' meddai Caio. 'Gei di ddod i mewn!'

'Ond ble faswn i'n rhoi Mot wedyn?' gofynnodd Lea. 'Neith eich mam chi ddim edrych ar ei ôl o…' Roedd honno'n eistedd ar fainc yn darllen. Cododd ei phen.

'Mae'ch modryb yn llygad ei lle. Dwi'm yn symud o fan'ma,' meddai.

'Allwn ni ei glymu o'n sownd i goeden neu rywbeth?' cynigiodd Cara.

'Ond be tasa rhywun yn ei ddwyn o?' meddai Lea. 'Ti'm yn cofio'r ffilm *101 Dalmations*?'

'O ia! Efo'r ddynes ddrwg 'na – Cruella de Vil!' meddai Cara, ei llygaid fel soseri.

'Ond does 'na neb fel Cruella de Vil go iawn, oes?' gofynnodd Caio.

'Wel, ddim fel hi yn union o bosib, ond mae 'na bobl yn dwyn cŵn weithia. Ond mae'n iawn, achos mae gan Mot *microchip*, rhyw declyn bach dan ei groen o sy'n deud mai fi sy pia fo.'

'Ffiw,' meddai Cara. 'Achos ti'm isio i neb neud côt allan o Mot, nag oes?'

'Nefi, nacdw!' chwarddodd Lea. Ond do'n i ddim yn siŵr pam ei bod hi'n chwerthin chwaith. Gwneud côt allan ohona i? Mi fyddai'n andros o gôt smart, dwi'm yn deud, ond roedd y syniad yn codi croen gŵydd arna i. Oedd y dwygoesiaid wir yn gwisgo cotiau wedi eu gwneud o grwyn anifeiliaid? Roedd gan Haf gôt fer, flewog, ddu ond wedi i mi ei harogli, ro'n i'n gwybod nad croen anifail go iawn oedd o. Dim ond isio edrych fel ci neu gath neu wiwer oedd hi, am ryw reswm.

Er mawr siom i mi, fy nghlymu i wrth bolyn wnaethon nhw a mynd i gael hwyl ar y swings hebdda i. Mi fues i'n protestio am sbel drwy wichian a chyfarth ond doedd neb yn cymryd sylw, felly mi wnes i orwedd wrth y ffens i bwdu a theimlo'n unig a hel meddyliau am bobl yn gwisgo cotiau anifeiliaid.

Aeth chydig o bobl heibio gan wenu'n llawn cydymdeimlad. Ond pan wnaeth hogan fach ddod ata i, mi waeddodd ei mam arni i beidio â 'nghyffwrdd i rhag ofn mod i ddim yn licio plant. Fi? Ddim yn licio plant? Dwi'n caru plant! Ond er i mi ysgwyd fy nghynffon a thrio gneud bob dim i ddangos mod i'n hynod gyfeillgar, roedd y fam yn benderfynol. Y jaden.

Yna daeth y dyn 'ma heibio, un tal efo gwallt hir, brown mewn cynffon y tu ôl i'w ben. Pan welodd o fi, mi wenodd yn glên a deud 'Sut wyt ti, boi?' Eisteddais i fyny'n syth gan waldio fy nghynffon ar y tarmac a thrio dangos mod i isio cwmni. Ac mi ddalltodd! Aeth ar ei gwrcwd wrth fy ochr i a chosi fy ngwar i. Llyfais ei law. Llaw braf efo blas cig arni hi – a chaws, a nionod – bob math o fwydydd deud gwir. Aroglais ei sgidiau, ei drowsus, ei war – bob man roedd o'n fodlon i mi ei arogli, a doedd o'n bendant ddim yn arogli fel snichyn. Caredigrwydd oedd yn ei lygaid o, ac ambell gwmwl o dristwch. Ro'n i'n gwybod ym mêr fy esgyrn y byddai Lea yn gwerthfawrogi arogl a llygaid y dyn yma. Ond roedd hi'n dal i chwarae ar y swings, drapia hi!

'Mi fydd raid imi fynd rŵan, boi,' meddai'r dyn ar ôl sbel, 'gwaith yn galw yn anffodus. Gobeithio y daw dy berchennog di'n ôl cyn bo hir 'de. Hwyl!' A chydag un mwythiad arall i 'ngwar i, mi gododd a chamu i ffwrdd efo'i goesau hirion. Allwn i ddim credu'r peth: dyn da, addawol wedi ei golli fel'na! Ro'n i'n gallu clywed Lea a'r plant yn chwerthin ond ro'n i isio udo.

Wedyn mi ddoth dau fachgen dros y bont, rhai dipyn hŷn na Cara a Caio. Roedd 'na olwg wedi diflasu arnyn nhw, ac roedd gan yr un tenau efo clustiau mawr gangen yn ei law. Roedd o'n ei chwipio 'nôl a mlaen ac yn torri pennau'r blodau melyn i ffwrdd, dri neu bedwar ar y tro, gan adael llwybr o bennau a phetalau melyn fel yr haul ar ei ôl. Chwerthin oedd y llall a chodi dau fys ar y bobl oedd yn sbio'n gas arnyn nhw. Ro'n i'n gallu teimlo'r casineb yn treiddio allan ohonyn nhw o bell, felly es i'n ôl ar fy stumog a thrio gwneud i mi fy hun edrych yn llai. Wnes i ddim edrych arnyn nhw, dim ond o gil fy llygad, rhag ofn. Yr un efo'r clustiau mawr bwyntiodd ata i.

Edrychais i gyfeiriad Lea yn y parc chwarae ond roedd hi ar y siglen ym mhen arall y parc erbyn hyn, a'i chefn tuag ata i. Ddylwn i gyfarth arni, i ofyn am ei help hi? Roedd hi wedi dechrau deall y gwahaniaeth yn fy nghyfarthiadau: yr un 'gad fi mewn', yr un 'gad fi allan, dwi isio pi-pi', yr un 'mae 'na rywun neu rywbeth tu allan', yr un 'mae'n hen bryd i ti anghofio am y teledu/llyfr/cyfrifiadur 'na a chwarae efo fi', ond do'n i erioed wedi gorfod ei dysgu sut i ddeall 'Helpa fi, mae 'na ddau hogyn yn mynd i neud rhywbeth cas i mi'.

Ar y llaw arall, do'n i ddim isio tynnu mwy o sylw'r bechgyn chwaith, ac efallai y byddai cyfarth yn eu hannog i geisio cau fy ngheg i. Ceisiais dynnu ar y tennyn yn slei bach, ond doedd o'n llacio dim. Ro'n i'n gaeth, ac roedd y bechgyn yn dod yn agosach.

Stopiodd yr un efo'r gangen yn sydyn a phlygu i godi cerrig mân o'r llawr wrth ei draed. Gwnaeth y llall yr un fath, ac aros i'w ffrind wneud y symudiad nesaf. Ro'n i'n crynu rŵan ac yn gweddïo na fydden nhw'n gwneud yr hyn ro'n i'n amau'n gryf yr oedden nhw am ei wneud.

Taro'r polyn wnaeth y garreg gyntaf, ond daliodd y nesaf fi ar fy ysgwydd, ac un arall ar fy nghoes ôl. Roedd o fel draenen sydyn, filain a gwichiais mewn poen. Ond roedd clywed y wich fel petae'n bwydo eu hawydd nhw i fy mrifo i, ac yna roedd fy mhen, fy nghefn, fy nhrwyn, pob rhan ohona i'n cael ei phledu gan y bwledi bychain, poenus, a doedd rhai ddim mor fychan. Ro'n i ar fy nhraed rŵan, yn trio neidio, tynnu, unrhyw beth i osgoi'r boen, ac roedden nhw'n chwerthin ac yn codi a thaflu mwy o gerrig ata i. Do'n i ddim yn dallt – be ro'n i wedi'i neud i'r ddau? Pam eu bod nhw isio 'mrifo fi?

Yn sydyn, daeth y dyn efo'i wallt mewn cynffon i'r golwg o rywle, a gweiddi ar y bechgyn.

'Be ddiawl dach chi'n neud? Rhowch gora iddi – rŵan!' Oedodd y bechgyn, fel tasan nhw'n ystyried taflu cerrig ato fo hefyd, ond roedd o dipyn mwy na nhw, ac yn flin – yn flin iawn, a'i ddwylo yn ddyrnau. Dywedodd un ohonyn nhw rywbeth cas – rheg, dwi'n meddwl, ond yna rhedodd y ddau i ffwrdd gan chwerthin. Trodd y dyn ata i a mynd ar ei gwrcwd.

'Ti'n iawn, boi? Gad i mi weld… damia, ti'n gwaedu…' Tynnodd rywbeth fel hances allan o'i boced a chyffwrdd y rhan o fy nhrwyn i oedd yn llosgi. 'Blydi hel, pwy ddiawl adawodd chdi fan hyn, y?' Sythodd a chamu at y ffens a gweiddi: 'Hei! Pwy sy pia'r ci 'ma? Whose dog is this? It's just been attacked for god's sake!' Ond roedd Lea a'r plant eisoes yn rhedeg tuag aton ni.

Roedd Lea wrth fy ochr i o fewn dim, wedi dychryn a'i bochau'n goch.

'Be ddigwyddodd? Pwy nath hyn? Be –?' Eglurodd y dyn wrthi am y ddau fachgen, a'u disgrifio'n fanwl, a dechreuodd Lea grio. Mi wnes i lyfu ei dagrau hi a thrio deud wrthi i beidio â phoeni, mod i'n iawn rŵan. Wedyn roedd Cara a Caio wrth ei hochr hi, yn crio hefyd ac yn trio fy nghyffwrdd i a rhoi mwytha i mi. Yna roedd Leri y tu ôl iddyn nhw, ei bochau hithau'n binc ac roedd hi'n ymbalfalu yn ei bag.

'Mae gen i *wipes* antiseptic fan hyn,' meddai, gan eu hystyn i Lea. Roedd y rheiny'n llosgi chydig, ond ro'n i'n gwybod na fyddai Lea yn achosi poen i mi heb reswm. Roedd rhywun wedi datod y tennyn erbyn hyn a chefais fy annog i godi oddi ar y llawr. Wedi cerdded o gwmpas chydig, roedd 'na ddarnau ohona i'n dal i frifo a llosgi, ond dywedodd y dyn bod fy nghôt drwchus i wedi arbed gryn dipyn arna i. Es ato a sbio i mewn i'w wyneb, a diolch iddo fo am fy achub i.

'Diolch o galon i chi,' meddai Lea wrtho fo. 'Wnes i rioed feddwl y byddai hogia ysgol yn gallu bod mor greulon.'

'Mae gen i syniad go lew pwy ydi un ohonyn nhw,' meddai hwnnw. 'Mi nath ei dad o dipyn o waith plastro i mi, ac mi ga i air efo fo. Jac ydw i, gyda llaw. Jac Puw. Fi sy pia'r Sosban Aur.'

Cyflwynodd Lea ei hun, Leri a'r plant iddo fo,

'A Mot ydi hwn. A wna i byth ei glymu fo i bolyn mor hir eto.'

'Falch o glywed. Mae o'n chwip o gi annwyl. Dim ond gobeithio na fydd o'n ofni hogia ifanc yr oed yna ar ôl hyn. Dydyn nhw ddim i gyd fel'na, sti, Mot,' ychwanegodd gan roi mwytha i mi eto.

'Ddown ni i gyd draw i'r Sosban am bryd o fwyd un o'r dyddiau 'ma,' meddai Leri. 'Dan ni'm wedi bod yno ers i chi gymryd y lle drosodd – mor anodd codi allan pan mae gynnoch chi blant.'

'Geith Mot ddod?' gofynnodd Cara.

'Cara – na cheith siŵr, paid â bod mor ddi–' cychwynnodd Leri, ond roedd Jac eisoes wedi dechrau ateb.

'Ceith siŵr. Dan ni'n caniatáu cŵn call, ufudd. Ond ddim yn y gegin,' ychwanegodd wrth Leri gyda gwên. Ac i ffwrdd â fo gan godi ei law.

Edrychodd pawb arno'n mynd.

'Mae gynno fo gynffon!' meddai Caio.

'A tasa gen i un, mi faswn i'n ei hysgwyd hi,' meddai Leri. 'Doedd gynno fo ddim modrwy, sylwaist ti?' meddai wrth Lea. Do'n i ddim yn rhy siŵr be oedd gwisgo modrwy yn ei olygu, ond ro'n i'n gwybod na fyddai Lea'n sylwi ar bethau felly.

'Dyn clên iawn,' meddai honno. 'A phan wela i'r ddau grinc 'na, mi wna i eu hysgwyd nhw nes bod eu dannedd nhw'n clecian.'

'Ti'n gwbod pwy ydyn nhw?'

'Dwi'n gwybod yn iawn pwy ydi'r crinc tenau efo clustiau mawr. Mae o a'i gysgod i fod yn Blwyddyn Wyth, ond maen nhw adre'n chwarae gemau fidio fwy na maen nhw'n yr ysgol.'

'Nei di ysgwyd nhw go iawn?' holodd Caio.

'Wel, na, dydan ni ddim yn cael twtsiad plant heb sôn am eu hysgwyd nhw, ond mi wna i roi andros o lond pen iddyn nhw, a deud wrth y Pennaeth.'

Ro'n i'n falch o glywed hynna. A do'n i ddim yn mynd i anghofio ei wyneb o na'i ffrind annifyr o.

Yn fuan wedyn, roedden ni yn nhŷ bwyta Jac: Leri a'r teulu a Lea a fi. Ro'n i wrth fy modd, achos roedd pawb yn rhoi sylw i mi ac yn fy nghanmol am fod yn gi mor dda, mor ufudd, ac roedd Caio a Cara yn rhannu eu bwyd efo fi dan y bwrdd drwy'r nos. Ac roedd Bryn yn mynnu mai fo a Leri fyddai'n talu. Roedd gen i deimlad ei fod o'n flin efo Leri am beidio cynnig edrych ar fy ôl i y diwrnod hwnnw yn y parc. Ond dim ond teimlad oedd o; mae'n bosib mod i'n gwbl anghywir wrth gwrs.

Daeth Jac aton ni ar ôl y pwdinau, ac roedd Leri'n gwneud i Lea gochi drwy ofyn gormod o gwestiynau. Pethau fel: 'Lle wyt ti'n byw?' 'Ar dy ben dy hun?' 'Sgen ti blant?' Isio gwybod oedd gynno fo gi oedd y plant. Nag oedd. Ddim erbyn hyn. Bu gynno fo gi ond roedd o wedi marw ar ôl bwyta gwenwyn llygod mawr ar fferm ei ffrind. Aeth ei lygaid o reit ryfedd wedyn, ac roedd gwefus isaf Cara yn crynu (mae ganddi ofn llygod mawr ac mae ganddi ddychymyg byw), felly nath Bryn ddiolch iddo fo am bryd o fwyd 'gwerth chweil!'

Ar y ffordd yn ôl at y ceir, roedd Leri'n siaradus iawn:

'Felly dyna ni wedi dysgu ei fod o'n sengl, a dydi'r ffaith ei fod o wedi ysgaru ddim yn golygu mai fo oedd ar fai yn y berthynas, cofia – mae'n siŵr mai ei wraig o oedd yn hen ast. Doedd hi'm isio plant, nag oedd? Neu bosib mai methu cael plant oedd hi ac wedi troi'n chwerw a rhoi'r bai i gyd arno fo.'

'Leri, ti'n darllen gormod o *chick-lit*,' meddai Bryn. 'Diolch am dy gwmni di heno, Lea – a Mot,' ychwanegodd gan roi mwytha i mi. 'Rhaid i ni neud hyn yn amlach.'

'Bydd,' cytunodd Leri, 'ond 'sa'n syniad i ti fynd yno ar dy ben dy hun ryw noson, Lea.'

Edrychodd Lea'n hurt arni. 'Ar fy mhen fy hun? Wyt ti o ddifri?'

'Wel yndw siŵr – haws i ti gael sgwrs gall efo fo a rhannu rhifau ffôn, neu WhatsApp neu be bynnag mae pobl yn ei ddefnyddio dyddie yma.'

'Fedra i'm mynd yno ar fy mhen fy hun, siŵr!' meddai Lea.

'Pam ddim? Dwyt ti'm yn ddynes fodern, ddewr?'

'Ti'n gwbod yn iawn mod i ddim,' meddai Lea, braidd yn biglyd yn fy marn i.

'Ia, gad lonydd iddi, Mam!' meddai Caio, oedd yn cydio yn fy nhennyn i.

'Na, os ydi Anti Lea isio dyn yn ei bywyd, mae'n rhaid iddi fod yn fwy *proactive*.'

'Yn be?' gofynnodd Caio a Cara yr un pryd.

'Gneud i betha ddigwydd yn lle jest disgwyl iddyn nhw ddigwydd,' eglurodd Leri. 'Mae'n siŵr bod 'na air Cymraeg ond dwi'm yn gwbod be ydi o. Mae'n siŵr dy fod ti, Bryn?'

'Rhagweithiol,' meddai Bryn.

'Diolch. Mae'n handi cael cyfieithydd yn y teulu, tydi, blant?' meddai Leri gan wenu'n ddel ar ei gŵr, cyn troi at Lea eto, oedd wedi cyrraedd ei char bach gwyn erbyn hyn ac yn gwneud ei gorau i ddod o hyd i'w goriadau. 'Dyna pam ti wastad yn landio efo'r bois rong, ti'n gweld: ti'n gadael iddyn nhw neud y cam cynta bob tro, ond mae'r oes wedi newid, ac mae'r dynion mwy tawel a swil, y dynion fyddai'n dy siwtio di orau, yn disgwyl i'r ferch neud y cam cynta. Neu o leia'n gobeithio y gwnân nhw. Dyna ddigwyddodd efo ni, ynde, Bryn?'

Nodio wnaeth hwnnw. 'Ches i fawr o ddewis yn y mater,' gwenodd.

'A fysach chi'ch dau ddim yma taswn i wedi bod yn ormod o fabi i ofyn am ddêt efo'ch tad!' meddai Leri wrth Caio a Cara.

'Gofyn? Mynnu...' gwenodd Bryn.

'O, cau hi,' chwarddodd Leri. Dwi'n meddwl bod

chydig o win yn ei siwtio hi, roedd hi wedi chwerthin gryn dipyn y noson honno. Aeth hi yn ei blaen i ofyn i Lea feddwl am y peth o leia.

'Gawn ni weld…' oedd ateb Lea, gan ddod o hyd i'w goriadau o'r diwedd ac agor y drws i mi gael neidio i mewn. Wedi codi llaw ar bawb a thanio'r injan, 'Ddim diawl o beryg!' chwyrnodd dan ei gwynt a gyrru am adre. Ro'n i wedi mwynhau'r noson yn arw a chael llond bol o sbarion blasus, ond oherwydd fod Lea'n amlwg yn flin, ro'n i'n drist drosti. Ro'n i wedi bwriadu pendroni sut allwn i ei helpu hi ond yr eiliad gyffyrddodd fy mhen fy ngwely, es i i gysgu'n sownd a breuddwydio am redeg ar ôl cathod drwy'r nos.

Y diwrnod wedyn, aethon ni i lan y môr efo Haf a Waldo, a thra bu Lea'n deud hanes y bechgyn cas a Jac fy arwr wrth Haf, mi gafodd Waldo andros o hwyl yn rhedeg ar ôl tonnau, a minnau fodd i fyw yn rhedeg ar ôl gwylanod. Roedden nhw'n trio dial arna i drwy gachu ar fy mhen i ond yn methu bob tro. Ro'n i jest yn rhy gyflym iddyn nhw. Ond doedd Waldo druan ddim cweit mor heini, nag oedd, ac roedd o'n darged mwy. Roedd ei gefn o a hyd yn oed ei drwyn o'n sbrencs gwyn, drewllyd o fewn dim – ac yntau heb redeg ar ôl yr un wylan, y creadur! Ro'n i'n gweld y peth yn hynod ddigri ond doedd Waldo ddim. Ar ôl arthio arna i am sbel, aeth o'n ôl i'r môr i'r tonnau gael ei olchi o'n lân. Wel, bron yn lân. Stwff styfnig ydi baw gwylan.

Ro'n i'n dal i wenu pan gyrhaeddon ni'n ôl i'r maes parcio, ond lledodd y wên o ddifri pan welais i deulu o gŵn bach blew melyn yn dod allan o gar mawr crand, achos ro'n i'n nabod eu mam nhw.

'O mam bach, sbia del!' meddai Haf a Lea yr un pryd, wrth weld y tri chi bach oedd ddim cweit fel y fam. Rhewodd Pamela y *golden retriever* pedigri pan welodd hi fi, a throi ei thrwyn.

'They're gorgeous!' meddai Haf wrth y perchennog. Dwi'n dal ddim yn siŵr sut oedd hi'n gwybod nad Cymro Cymraeg oedd o.

'Thank you,' medda fo. 'They're for sale if you're interested.'

'Oh, I couldn't afford a golden retriever,' atebodd hi'n syth.

'They're only half golden retrievers, I'm afraid,' meddai'r dyn. 'A very athletic dog must have climbed over our very high and supposedly impenetrable fence. Probably a sheep dog…' ychwanegodd gan rythu arna i'n amheus. Ceisiais wenu'n ddiniwed arno, cyn troi fy sylw at y plantos tra buodd o'n sôn ei fod eisoes wedi gwerthu dau arall am nesa peth i ddim. Hy. Roedden nhw'n gŵn arbennig o hardd, a hynod fywiog a busneslyd, ac yn siŵr o dyfu'n gŵn gwell na ryw bedigris diflas.

Roedden nhw'n tynnu fel ffyliaid ar y tri thennyn tenau ac yn neidio a iapian, wedi cyffroi'n lân, yn trio fy nghyffwrdd i. Oedden nhw'n gallu deud mai fi oedd eu tad nhw? Doedden nhw'n cymryd dim sylw o Waldo.

Ro'n i ar fin snwffian pen ôl un ohonyn nhw pan ddechreuodd Pamela chwyrnu'n filain arna i.

'Pamela!' meddai'r ddynes oedd ar ben arall y tennyn. 'Sorry – she's never usually that protective of them.'

'Paid ti â meiddio'u cyffwrdd nhw…' chwyrnodd

Pamela, cyn i'w pherchnogion dynnu fy epil yn ôl a brysio yn eu blaenau. Edrychais ar fy mhlant – fy unig blant – yn cael eu llusgo i ffwrdd, yn iapian eu rhwystredigaeth ar dop eu lleisiau, a theimlo ton o dristwch, hiraeth a balchder yn llifo drwydda i.

'Rhywbeth i'w neud efo ti?' holodd Waldo.

'Euog,' atebais, gan deimlo fy hun yn dalach ac yn andros o foi, mwya sydyn.

'Felly dyna pam oedd hi'n chwyrnu arnat ti fel'na. Y diawl drwg,' meddai Waldo. 'Ches i rioed y cyfle, felly bydda'n ddiolchgar.'

'O, mi rydw i. Do'n i ddim ar y pryd, ond mi rydw i rŵan.'

'Wel, ia, efo *retriever* o fam, mi ddylen nhw fod yn llai o gachwrs na ti mewn dŵr, o leia,' meddai Waldo. Roedd o wastad yn un am siarad yn blaen.

PENNOD 18 *Lea*

Dwi'n caru fy chwaer, wrth gwrs mod i, ond iechyd, mae hi'n gallu mynd ar fy nerfau i hefyd. Roedd hi wastad yn trio fy rheoli i, yn gneud i mi wisgo fyny fel y gŵr pan fydden ni'n chwarae gemau priodi (dwi'm yn meddwl i mi gael bod yn briodferch a chael gwisgo hen ffrog briodas Mam erioed); yn mynnu clymu fy ngwallt yn blethen dynn a 'ngalw i'n hen fabi os byddwn i'n cwyno ei fod o'n brifo croen fy mhen i; yn cofio deud 'First pick!' o mlaen i pan fyddai Mam yn cynnig hanner afal yr un i ni, neu pan fyddai rhywun yn dod â fferins neu deganau i ni.

Ond hi oedd yr hynaf, ac roedd hi wastad wedi fy nhrin i fel rhyw ddoli iddi. Plastro colur Mam drosta i pan fyddai hi'n penderfynu 'practisio' a chwerthin am fy mhen i pan fyddwn i'n gweld wyneb clown yn y drych; actio bod yn athrawes oedd yn rhoi gwersi i mi a gneud i mi sefyll yn y gornel am fethu gwneud y syms roiodd hi i mi. Mi fydda i'n meddwl weithiau ai fy natur i ydi o mod i'n berson swil, dihyder, neu ai Leri nath sugno pob owns o hyder allan ohona i dros y blynyddoedd?

Ar y llaw arall, pan fyddai rhai o'r plant eraill yn tynnu arna i neu'n bod yn gas, mi fyddai Leri yna fel mellten i edrych ar fy ôl i a rhoi llond pen iddyn nhw. Pan nath Bryn Davies fy ngwthio i drosodd amser chwarae am mod i 'o'r ffordd', wna i byth anghofio ei gweld hi'n carlamu ar draws y cwad gan ruo fel rhyw darw gwyllt a rhoi anferth o wthiad iddo fo nes iddo fo daro'i ben ar y tarmac. Mi gafodd y ddau ohonyn nhw eu cadw mewn amser cinio ar ôl hynna.

Ta waeth. Ers iddi briodi a chael plant, mae hi wedi bod mewn byd isio i finna briodi hefyd. Ond dwi wedi cael hen lond bol arni'n trio ffindio partneriaid i mi.

Ar y llaw arall, ro'n i'n eitha ffansïo Jac. Doedd o ddim wedi fflyrtio efo fi o gwbl ond doedd 'na'm disgwyl iddo fo neud o flaen pawb, nag oedd? Do'n inna ddim wedi fflyrtio efo fo chwaith – Leri nath y siarad i gyd. Ond ro'n i wir yn licio'i olwg o a'i wên o.

Mi wnes i fynd am dro efo Rhys eto ychydig ddyddiau yn ddiweddarach, ac mi wnes i sôn am Jac a'r Sosban Aur a'r ffaith fod Leri – a Haf – wedi deud y dylwn i fynd yno ar fy mhen fy hun. Roedd o'n dallt pam na allwn i, byth bythoedd, wneud hynny.

'Ydi, mae'n wahanol i fenywod, on'd yw e?' meddai gan ryddhau Jet oddi ar ei dennyn a'i wylio fo a Mot yn rhedeg mewn cylchoedd. 'Dyw rhywun yn meddwl dim am weld dyn yn ciniawa ar ei ben ei hunan, neu'n eistedd wrth far drwy'r nos, ond wy'n cyfadde, os wy'n gweld menyw mewn tafarn ar ei phen ei hunan, yn enwedig os yw hi wrth y bar, wy'n meddwl: "Nawr 'te... beth mae hon moyn? Yfe chwilio am ddyn mae hi?"'

'Yn hollol,' meddwn, 'dwi'n gwbod bod rhai merched yn ddigon cry ac annibynnol i'w neud o, fel Leri a Haf, ond dwi ddim. Gas gen i feddwl bod pawb yn sbio arna i, a 'swn i'n marw tasa Jac yn meddwl mod i'n hen hoeden *pushy*.'

'Ti? Yn *pushy*?' chwarddodd Rhys. 'Dyna un ansoddair na fydden i byth yn ei ddefnyddio i dy ddisgrifio di! ... Hei – Jet! Na!' Roedd cwningen newydd lamu allan o'r gweiriach a Jet wedi saethu ar ei hôl hi, a Mot ar ôl hwnnw. Mi fuon ni'n dau'n gweiddi a chwibanu ond chymerodd y cŵn ddim llwchyn o sylw ohonon ni. Roedd y gêm rhedeg ar ôl cwningen yn llawer mwy o hwyl. Roedden nhw'n gwau drwy'r coed, yn neidio dros a thrwy wrychoedd, a chyn pen dim, yn diflannu dros ochr y bryn.

'O, ffor ffycs sêc...' ochneidiodd Rhys. 'A finne'n brolio dim ond bore 'ma bod ei *recall* e'n arbennig.'

Allwn i ddim peidio â chwerthin. A dyma ni'n dau'n dechrau rhedeg am y bryn. Ond cyn i ni gyrraedd hanner ffordd, daeth y cŵn yn eu holau, a rhywbeth llipa, blewog yng ngheg Jet. Roedd Rhys yn ei ddagrau.

'O fy nuw. *My dog's a killer*,' meddai.

Do'n i ddim yn dallt pam ei fod o wedi ypsetio gymaint. Doedd Jet ddim ond wedi gwneud yr hyn roedd o wedi ei fagu a'i fridio i'w neud, nag oedd? Ac roedd o wedi ei osod yn daclus o flaen Rhys fel anrheg, y creadur. Roedd hi mor amlwg o'i wyneb o mai disgwyl cael ei ganmol oedd o.

'Ond bues i'n ei ddysgu e i **beidio** rhedeg ar ôl pethau fflwfflyd!' protestiodd Rhys. 'Bydden i wastad yn rhoi *muzzle* arno fe pan ges i e gynta. Ro'n i'n meddwl ei fod e mas o'i system e ers blynydde!' Roedd o methu sbio ar gorff y gwningen, felly mi wnes i ei godi, ymddiheuro i'r anifail druan a'i daflu i ganol swp o ddrain. Byddai llwynog neu fochyn daear yn siŵr o wledda arno fo gyda hyn.

'Natur ydi o, Rhys, dyna i gyd.' Ro'n i'n synnu bod gwyddonydd yn ymateb fel'na, ond wedyn wnes i ddeall be oedd yn ei boeni o. Mae gynno fo gariad newydd – Josh – ac mae hwnnw'n figan.

'Jest paid â deud wrtho fo, 'de,' meddwn, gan roi mwytha i Jet druan. 'Ac mae gynno fo gath, does? Mae'n rhaid bod honno'n lladd adar a llygod rif y gwlith. Felly be ydi'r gwahaniaeth? Mae natur yn greulon a dyna fo!'

Nodiodd Rhys ei ben a chofleidio Jet ac ymddiheuro'n llaes iddo fo. Ar y ffordd adre, roedd o isio trafod fy mhroblem i efo Jac eto.

'Wy'n fwy na hapus i fynd i'w dŷ bwyta fe gyda ti, ond sai'n credu y bydde hynny'n rhoi'r neges gywir iddo fe. Ond sdim byd o'i le gyda ti'n mynd yno i ginio yn hytrach na swper, oes e?' meddai wedyn. 'Mae hynny'n ddigon cyffredin, on'd yw e? A cer â llyfr gyda ti. Cyfle iddo fe ofyn beth ti'n ddarllen – a dewisia rywbeth fyddai o ddiddordeb iddo fe!'

'Fel be? Llyfr coginio?'

'Nage'r twmffat! Rhywbeth diddorol, ond nage un o'r llyfrau *trashy romance* 'na, dim byd pinc gyda siocled, bag siopa neu sodlau ar y clawr.' Cochais. Un o'r rheiny sydd wrth fy ngwely i ar hyn o bryd. 'Beth sy gyda chi'n gyffredin?' gofynnodd.

'Dwi'm yn gwbod, nacdw. Dwi'm yn ei nabod o eto!'

'Cŵn!' meddai o'n sydyn. 'Llyfr gyda llun ci ar y clawr. Mae gyda fi rai – dere draw a gei di fenthyca un neu ddau. Mae *A Dog's Purpose* yn dda, ac, o ie! *The Art of Racing in the Rain*! Hwnna yw e. Y llyfr perffaith ar gyfer dyn gyda rhywbeth yn ei ben e. Wy'n cymryd bod gyda fe rywbeth rhwng ei glustie?'

Mi wnaeth o neud i mi addo rhoi cynnig arni, a dyna pam wnes i landio yn y Sosban Aur un amser cinio dydd Sadwrn efo llyfr yn fy mag. Ond do'n i ddim ar fy mhen fy hun wrth gwrs – roedd Mot efo fi. Er hynny, roedd cledrau fy nwylo i'n chwys i gyd a fy stumog yn corddi.

Doedd hi ddim yn brysur iawn yno, felly doedd 'na ddim gymaint â hynny o bobl i rythu a syllu arna i, ac fel mae'n digwydd, Jac oedd wrth y bar pan gerddais i mewn. Mi wenodd a holi ai paned neu fwyd o'n i isio. Roedd 'na gymaint o bilipalod yn fy stumog i, doedd gen i fawr o awydd bwyd, ond ddywedais i mo hynny. Mi nath o argymell y cawl i mi: seleriac, cnau cyll a thryffls. Do'n i rioed wedi blasu tryffls a doedd gen i ddim clem be oedd seleriac ond ddywedais i mo hynny chwaith, ac roedd o'n fy sicrhau i y byddwn i wrth fy modd efo'r cawl.

Yr eiliad eisteddais i wrth y bwrdd, mi dynnais y llyfr allan a chladdu fy ngwyneb ynddo fo. Doedd o ddim yn argoeli'n dda: y ci, Enzo, oedd yn siarad, a hynny mewn iaith reit goeth efo geiriau fel 'polysyllabic' ar y dudalen gynta. Mae derbyn bod ci yn gallu siarad neu sgwennu yn un peth, ond un sy'n gwybod be ydi 'polysyllabic'? *As if…*

O, a grêt, roedd o'n hen, ac yn gorwedd 'in a puddle of my own urine'.

Ro'n i wedi gofyn i Rhys oedd y ci'n marw yn y llyfr achos dwi'n osgoi llyfrau a ffilmiau lle mae'r anifail yn marw ar y diwedd. Roedd hanes Gelert yn ddigon drwg yn yr ysgol gynradd, ond dwi byth wedi dod dros farwolaeth Mufasa yn *The Lion King* a wnes i byth faddau i sgwenwyr *The Neverending Story* am adael i Artax y ceffyl gwyn hyfryd farw yn The Swamps of Sadness. Ond y gwaetha oedd *I am Legend* efo Will Smith. Peter fynnodd ein bod ni'n gwylio honna ryw nos Sul, ac er mod i'n gallu ymdopi efo'r cannoedd o *zombies* oedd yn ysu am waed Will Smith, do'n i wir ddim yn disgwyl yr olygfa pan fu raid iddo fo ladd Sam, ei gi ffyddlon, hyfryd ar ôl bod yn canu 'Three Little Birds' iddo fo. Mi wnes i chwalu'n gybolfa swnllyd, snotllyd, ac roedd y ffaith bod Peter yn chwerthin ar fy mhen i'n gwneud pethau'n waeth.

Ac ateb Rhys? Oedd, wrth gwrs bod y ci'n marw. Dim ond mewn straeon ar gyfer plant mae'r cŵn yn cael byw – wel, y straeon newydd, modern, gwleidyddol gywir.

'Fydde Bambi na Gelert byth wedi cael eu caniatáu heddi,' meddai.

Felly doedd gen i fawr o awydd darllen ymlaen, ond o fewn dim, ro'n i wedi fy swyno ac wedi syrthio mewn cariad efo Enzo'r ci a Denny, ei berchennog. Felly pan gyrhaeddodd y cawl ro'n i reit siomedig.

Nes i mi ei flasu o. O, waw. Ro'n i'n gallu llongyfarch Jac yn gwbl ddidwyll. A do, mi nath o sylwi ar y llyfr.

'O! Mae hwnna'n chwip o lyfr,' meddai o'n syth. 'Ond doedd y ffilm ddim cystal. Tydyn nhw byth, nacdyn?'

Cytunais, wrth gwrs, a chyfadde mod i ddim yn edrych ymlaen at ei orffen gan mod i'n gwybod bod y ci'n marw.

'Ia, wel, mae hynny'n un o reolau bywyd yn anffodus,' meddai. 'Os ti'n berchen ar gi, ti'n gwbod o'r dechrau un dy fod ti'n mynd i'w golli o ryw ben. Ond mae'n dal yn sioc pan mae'n digwydd.' Oedodd, fel petae o'n ystyried newid y pwnc. Ond wnaeth o ddim. 'Saith oed oedd Cira,' meddai gan sbio i gyfeiriad y ffenest. 'Y ci mwya annwyl, mwya ffyddlon erioed.'

'Damwain ddeudest ti, ynde?' meddwn ar ôl eiliadau o dawelwch.

'Ia, ro'n i wedi mynd i weld ffrind i mi ar Ynys Môn,' meddai gan eistedd ar y gadair gyferbyn â fi. 'Mae gynno fo ffarm go fawr yno, ac roedd o wedi deud ei bod hi'n iawn i Cira fod heb ei thennyn tra oedden ni'n cael potel o Stella yn yr ardd. Ond roedd o wedi anghofio ei fod o wedi gosod gwenwyn llygod mawr yn y sgubor. Ac am ryw reswm, mi nath Cira ei fwyta fo. Do'n i'n gwbod dim, nes iddi ddechrau mynd yn wan a chysglyd. Ro'n i wedi sylwi ei bod hi'n yfed lot mwy ac yn bwyta llai ers diwrnod neu ddau, ond wnes i'm meddwl bod unrhyw beth mawr o'i le nes i mi gael whiff o'i hanadl hi. Roedd o'n drewi. Es i â hi at y fet, ac mi wnaethon nhw eu gorau, ond roedd hi'n rhy hwyr. *Kidney failure.*'

'Mae mor ddrwg gen i,' meddwn. Do'n i ddim yn gwybod be arall i'w ddeud. Sbio ar ei ddwylo oedd o bellach.

'O leia ges i saith mlynedd o'i chwmni hi,' meddai. 'Ond ches i ddim ci arall ar ôl hynna. Dwi ddim isio mynd drwy hynna eto,' ychwanegodd gan roi mwytha i Mot, oedd yn syllu i fyw ei lygaid o. 'Sori, dwi'n *depressing*, tydw,' meddai gan godi ei ben i sbio arna i. 'Dwyt ti ddim isio meddwl am betha fel'na, a titha efo ci mor ifanc.'

'Wel… do'n i ddim wedi meddwl am y peth pan ges i o, rhaid i mi ddeud,' cyfaddefais. 'Ond mi fydd raid i mi baratoi fy hun, mae'n siŵr.'

'Fedri di byth,' meddai o'n syth. 'Sori,' meddai wedyn. Yna, 'Tisio coffi?' gofynnodd. '*On the house.*' Ro'n i methu gwrthod, felly mi ddoth â dau gapuccino perffaith i ni, a darn o groen mochyn i Mot.

'Rhag ofn i ti feddwl mai *doom and gloom* ydw i i gyd,' meddai gan eistedd eto, 'glywaist ti be ddeudodd Groucho Marx am gŵn a llyfrau?'

'Naddo.'

'Outside of a dog, a book is man's best friend. Inside of a dog, it's too dark to read.'

Ar ôl eiliad neu ddau, mi wnes i ddallt, a chwerthin. Ac mi chwarddodd yntau. Chwerthin cynnes, braf wnaeth i bawb o fewn clyw wenu arnan ni.

PENNOD 19 *Mot*

Roedd pawb wedi gwirioni pan ddechreuon nhw ganlyn. Roedd Leri'n trio deud mai hi oedd yn gyfrifol, a Rhys yn mynnu mai iddo fo oedd y diolch, a do, mi wnaethon nhw gyfrannu yn sicr, ond mae Jac a fi'n gwybod mai'r ffordd wnes i edrych arno fo wnaeth iddo fo ofyn iddi am ei rhif ffôn hi. Ro'n i'n trio ei hypnoteiddio fo efo pob gewyn, pob blewyn ohona i, a dwi'n eitha siŵr i mi lwyddo.

Doedd o ddim am symud yn rhy gyflym, a doedd Lea ddim chwaith, felly am fis neu dri, doedd 'na fawr o wahaniaeth yn ein bywydau ni. Roedden ni'n dal i fynd am droeon rheolaidd efo Haf a Waldo a Rhys a Jet, a Leri a'r teulu bob hyn a hyn, ond byddai Jac yn dod efo ni – pan oedd o'n gallu. Ro'n i'n cael fy ngadael adre pan fydden nhw'n mynd i'r pictiwrs neu i weld sioe, ond ar nosweithiau eraill, roedden nhw'n trio fy nghynnwys i hynny fedren nhw.

Ac ro'n i'n licio'i dŷ o yn ofnadwy; roedd 'na gymaint mwy o le yno, ac yn well na dim, roedd gynno fo ardd. Gardd go iawn efo llwyth o wair i redeg rownd a rownd a 'nôl a mlaen ynddo fo. Yr unig beth do'n i ddim yn licio oedd cath y tŷ drws nesa. Roedd hi'n hen jaden, yn mynnu eistedd ar y wal a syllu arna i – am oriau. Iechyd, roedd ganddi feddwl o'i hun. Roedd hi'n meddwl mai hi oedd pia'r ardd, ond Jac oedd pia hi, ynde? Pan fyddwn i'n sownd yn y tŷ, byddai'n neidio i lawr o'r wal, yn prowlan rownd yr ardd ac yn gneud ei busnes yn yr union le ro'n i'n licio gorwedd yn yr haul, yr hwch fudur iddi. Wrth gwrs, mi fyddwn i'n cyfarth fel peth gwirion nes i Jac neu Lea fy ngadael i allan ac yn saethu fel mellten tuag ati, ond ches i rioed hyd yn oed frathiad o'i chynffon hyll hi. Mi fyddai hi jest yn camu at y wal a neidio i fyny, wedyn yn gorwedd yno, ymhell o 'nghyrraedd i, yn syllu a chrechwenu arna i a 'ngalw i'n bethau ffiaidd.

Ar wahân i honno, ro'n i wrth fy modd yn cael mynd i dŷ Jac. Roedd Lea hefyd.

Pan aeth Jac â hi i'w wely o y tro cynta, ro'n i'n esgus cysgu o flaen y lle tân, ond yn gwenu i mi fy hun pan gaeodd o ddrws y llofft. Ro'n i'n licio Jac yn arw – ei addoli o hyd yn oed, achos roedd o wedi fy achub i rhag yr hogia cas 'na, doedd? Ond Lea oedd y ffefryn am byth wrth gwrs, ac er mod i'n falch tu hwnt bod 'na rywun arall i fy helpu i edrych ar ei hôl hi, ei lles a'i hapusrwydd hi oedd yn dod gynta i mi bob amser. Roedd Jac yn ei gwneud hi'n hapus, felly ro'n i reit hapus drostyn nhw a ddim yn poeni gormod am y synau rhyfedd fyddai'n dod o'r llofft weithiau.

Roedd o'n amlwg yn ei licio hi. Fyddai o byth yn ei bychanu hi na gwneud iddi deimlo'n dwp, a phan ddalltodd o nad oedd hi'n rhy wych am goginio, roedd gynno fo'r amynedd i'w dysgu hi. Gydag amser, mi ddatblygodd ei gallu i blesio dwygoesiaid yn y gegin a rŵan mae hi'n hapus braf yn gwneud omlets, stêcs, bob dim, a chymysgu rhyw stwff maen nhw'n ei dywallt dros ddeiliach gwyrdd.

Mi nath hi ei ddysgu o i wenu mwy, i chwerthin yn llawer amlach, ac i boeni llai am y Sosban Aur a jest ymlacio. Aethon ni'n tri am wyliau i ryw dŷ pren ar lan llyn, a cherdded milltiroedd a chwarae yn y dŵr, a physgota a rhwyfo am oriau cyn i'r haul fachlud. Do'n i ddim yn rhy siŵr am fod mewn cwch ar y dechrau, ond ro'n i wrth fy modd erbyn y diwedd, ac ro'n i wedi gwirioni efo cael llwyth o bennau pysgod i swper.

Mi fyddai o'n dotio at y ffaith bod gen i ddim ofn pethau mawr peryglus fel tractors a lorris, ceffylau a gwartheg, ond mod i'n rhedeg milltir pan fyddai Lea'n defnyddio peiriant bach du, swnllyd i sychu ei gwallt.

'Roedd Cira yr un fath yn union,' meddai. 'Ond roedd hi'n un drwg am fwyta bob dim, yn cynnwys ei baw ei hun. Chwarae teg, mae Mot reit gall fel'na, tydi?'

Mi wnes i fynd dan y bwrdd pan ddechreuodd Lea restru'r pethau gwirion ro'n i wedi trio eu bwyta pan o'n i'n iau: llyfrau, clustogau, cerrig, baw defaid, coesau byrddau, coesau cadeiriau, ac un tro anffodus, un o hoff glustdlysau aur Lea.

'Mi fu'n rhaid i mi aros i honno ddod allan y pen arall…' meddai Lea wrth Jac. Roedd o'n chwerthin, ond do'n i ddim.

Yn fuan ar ôl y gwyliau hwnnw, dechreuodd Lea bacio bob dim yn y tŷ. Ro'n i'n poeni i ddechrau, achos yn y dyddiau hynny, ro'n i'n mynd yn nerfus pan fyddai pethau'n wahanol i'r arfer. Dan ni gŵn yn licio trefn, yn licio gwybod be sy'n mynd i ddigwydd nesa. Wrth gwrs, roedd yr arwyddion yno ers sbel; ro'n i wedi sylwi bod ganddi ambell ddilledyn yno ac ambell bâr o sgidiau, a rhai o fy nheganau i, ond do'n i ddim wedi dallt y byddai hi'n symud bob un dim yno.

Dwi'n cofio sylwi ar Jac yn codi ei aeliau pan welodd o fynydd o'i chlustogau hi dros y soffa a'r gwely. A doedd gynno fo ddim llawer o feddwl o'i sosbenni hi am ryw reswm. O, ac mi nath o regi pan ddisgynnodd byddin o boteli siampŵ am ei ben o pan aeth o am gawod. Ond o fewn dim, roedd hi fel tasan ni wedi byw yno erioed. Roedd o'n hapus i mi gael gorwedd ar y soffa efo nhw gyda'r nosau ond roedd o'n gwrthod gadael i mi fynd fyny'r grisiau i'w llofft nhw. Dim ond unwaith oedd raid iddo fo egluro'r rheol honno i mi, ac er mod i'n esgus bod yn siomedig, mi wnes i dderbyn y drefn. Ro'n i reit hapus efo lleoliad fy ngwely i wrth ymyl y cotiau a'r sgidiau achos roedd hi'n gynnes a chlyd yno ac ro'n i'n gallu arogli cotiau a sgidiau Lea drwy'r nos – a chadw golwg ar y gath 'na drwy'r drws gwydr.

Ond ar ôl misoedd hirion a hapus tu hwnt, pan doddai un tymor i'r llall nes ei bod hi'n aeaf eto, mi wnes i ddechrau sylweddoli bod rhywbeth o'i le. Doedd Jac ddim yr un fath. Roedd o'n mynd yn fwy a mwy pigog, yn bigog efo fi pan wnes i fwyta pecyn cyfan o gaws glas un noson – ond roedd o wedi'i roi o ar lawr wrth setlo i wylio ryw ffilm, ac fel arfer, os ydi bwyd yn cael ei roi ar y llawr, i mi mae o, ynde? Ond nid y tro hwnnw, yn amlwg. Ac roedd o'n bigog tu hwnt efo Lea pan driodd hi roi ei choeden Nadolig ffug yn y lolfa. Roedd o'n mynd i gael coeden go iawn medda fo, ond wnaeth hi ddim ymddangos am hir. Doedd o ddim yn dod adre o'r Sosban nes ei bod hi'n hwyr iawn a Lea wedi mynd i'r gwely. Wedyn byddai'n tywallt diod o rywbeth cryf iddo fo'i hun ac eistedd yn y tywyllwch ar y soffa yn synfyfyrio. Mi fyddwn i'n mynd ato fo i weld oedd o isio 'nghwmni i, ac oedd, roedd o isio fi ar y soffa efo fo, ac roedd o'n rhoi mwytha i mi, ond ar ôl munud neu ddau, roedd ei feddwl o'n amlwg yn rhywle arall. Wedyn byddai'n sgrolio drwy'r ffôn a hwnnw'n goleuo weithiau ond byth yn gwneud y 'ping' arferol.

Gan ei fod o'n cymysgu cymaint efo gwahanol bobl, a'i ddillad a'i wallt wastad yn un cawl mawr o arogleuon bwyd o bob math, wnes i ddim sylwi am sbel fod 'na arogl newydd arno fo yn gynyddol aml. Arogl blodeuog, ddim yn annhebyg i'r stwff y bydd Lea'n ei roi tu ôl i'w chlustiau ac ar ei garddyrnau pan fydd hi'n gwisgo i fyny'n smart gyda'r nos. Ond roedd hwn yn gryfach.

Ac roedd o'n mynd am gawod neu fâth cyn ymuno efo Lea yn y llofft.

Do'n i ddim yn siŵr be i'w neud. Doedd gen i ddim ffordd o rannu fy amheuon efo Lea achos do'n i byth wedi dysgu siarad fel dwygoesiaid, nag o'n, a doedd y cyfarthiad hwnnw ddim yn ein geirfa gyfarth ni. Mi fues i'n trio syllu i'w llygaid hi ac roedd hi'n gwybod bod rhywbeth o'i le, ond roedd hi'n meddwl mai rhywbeth o'i le efo fi oedd o.

'Be sy, Mot bach? Ti'n edrych mor ddigalon... sâl wyt

ti? Oes 'na rywle yn brifo? Neu'r hen gath hyll 'na sy'n dy gael di lawr, ia?'

Roedd o'n gyfnod rhwystredig tu hwnt. Ond ar ôl sbel, mi wnes i sylwi bod Lea'n sylweddoli mai Jac oedd yn sâl, neu ddim yn fo'i hun. Byddai'n gofyn iddo fo weithiau: 'Be sy?' Ac wedyn roedd o'n mynd yn bigog ac yn deud ei fod o'n iawn, '… fel tro dwytha ofynnest ti.' Wedyn roedd hi'n mynd yn dawel ac yn ddigalon, felly ro'n i'n mynd i nôl fy nhennyn a'i ddal o'i blaen hi, achos mae mynd am dro yn yr awyr iach yn gneud byd o les, waeth faint o goesau sydd gynnoch chi.

Ar ôl pum munud o gerdded yn y glaw, byddai'n dechrau rhannu ei chalon efo fi.

'Mae 'na rywbeth ar ei feddwl o, yn does, Mot? Titha wedi sylwi, yn do? Ond pan dwi'n rhoi cyfle iddo fo ddeud be sy'n bod, mae o'n cega arna i.' Mi fyddwn i'n stopio ac yn syllu i fyw ei llygaid. Ro'n i'n trio deud: 'Be bynnag sy'n bod arno fo, a phwy bynnag ydi hi a be bynnag ddigwyddith, mi fydda i yma i ti.'

Dwi'n gwbod ei bod hi'n dallt y darn ola ond do'n i ddim yn siŵr am y darn canol. Ond wedyn mi fyddwn i'n rhedeg i chwilio am ddarnau o goed iddi gael eu taflu i mi, ac ar ôl rhyw ddeg munud o hynny, roedden ni'n dau'n hapusach a hithau'n gallu mynd i'w gwaith efo hanner gwên, o leia.

Ddyddiau yn ddiweddarach, roedd Lea newydd addurno'r goeden gan ganu 'O Dawel Ddinas Bethlehem' i gyfeiliant y radio pan ddoth Jac i mewn â golwg ddifrifol arno fo. Dywedodd wrthi bod gynno fo rywbeth pwysig i'w ddeud wrthi, a suddodd fy nghalon i fy mhawennau.

Mi wnaethon nhw eistedd wrth y bwrdd, gyferbyn â'i gilydd, ac mi wnes i orwedd wrth draed Lea, i gael bod yn agos ati pan fyddai hi fy angen i. Wnes i ddim dallt y cwbl, ond yn y bôn, roedd o wedi ailddechrau gweld ei hen gariad, rhyw ddynes o'r enw Annette. Dwi'n meddwl mai hi oedd efo fo pan nath Cira, ei gi o, farw. Roedd hi'n wirioneddol ddrwg gynno fo, ond hi oedd Yr Un. Roedd ei lais o'n rhyfedd, ac roedd ei goes o'n crynu dan y bwrdd, ond doedd Lea ddim yn symud o gwbl. Roedd o fel tasa hi wedi troi'n ddarn o bren. A doedd hi'm yn deud gair. Y cwbl oedd i'w glywed oedd sŵn y rhewgell yn canu grwndi, y clociau yn tician yn dawel, y glaw yn taro'r ffenest fawr sydd yn y to, a'r brain yn crawcian tu allan.

Pan glywais i ei llais hi yn y diwedd, roedd 'na graciau ynddo fo. Rhoddais fy ngên ar ei glin hi, ac wrth iddi fwytho fy mhen i, roedd y craciau'n lleihau chydig. Roedd hi'n amlwg wedi cael sioc, ond roedd pethau'n gwneud synnwyr o'r diwedd, meddai. Ro'n i mor falch ohoni; roedd hi mor urddasol. Mi faswn i wedi licio suddo fy nannedd yn ei grimog o, ond roedd hi'n diolch iddo fo am ddeud! Diolch iddo fo am ddeg mis fu'n rhai hapus iddi hi, o leia, a diolch am wneud hyn jest cyn Dolig a hithau efo nunlle arall i fyw.

Mi gaeodd o ei lygaid pan ddeudodd hi hynna. A dyna pryd sylwais i ar yr ogla chwys oedd yn dod allan ohono fo. A'r euogrwydd. Roedd o'n siarad yn gyflym iawn wedyn, yn baglu dros ei eiriau, a deud 'sori' bob tro y byddai o fel arfer yn cymryd ei anadl. Wedyn mi gododd yn sydyn a deud bod croeso iddi aros yno nes y byddai hi wedi dod o hyd i rywle arall, ei fod o'n mynd at Annette.

'Be, rŵan?' meddai Lea.

'Ia. Dyna fysa ora, ynde?' meddai o.

Saib hir cyn i Lea ddeud, mewn llais tyn:

'Iawn.'

Aeth o i fyny'r grisiau ac ro'n i'n gallu clywed sŵn cypyrddau a droriau yn agor a chau. Aeth Lea at yr oergell a thynnu potel o rywbeth allan. Wedyn agorodd y drws eto a thynnu lwmp o gaws allan – hoff gaws Jac. Mae'n wahanol iawn i'r cawsiau fyddai Lea yn arfer eu prynu, arogl cryf, moethus arno fo. Dydi Lea ddim yn ei hoffi o hyd heddiw ond roedd Jac yn hymian pan fyddai o'n ei fwyta fo. A rhoddodd hi'r cwbl yn fy mhowlen fwyd i. Ro'n i wedi ei sglaffio bob tamed cyn i Jac ddod yn ôl i lawr, a iechyd, roedd o'n flasus. Ro'n i'n dal i lyfu fy mhawennau pan gyrhaeddodd o waelod y grisiau efo bag mawr ar ei ysgwydd ac un arall yn ei law.

'Iawn,' meddai'n chwithig, heb fedru edrych yn iawn ar Lea. Ond roedd hi wrth y ffenest efo gwydraid o'r stwff o'r botel yn ei llaw, a'i chefn ato fo beth bynnag.

'Iawn,' meddai hithau. 'Nadolig llawen.'

'Ym. Ia. Ac i titha. Ddo i 'nôl eto i nôl mwy o... wsti.'

'Wn i. Ta-ta.'

Edrychodd o arna i, fel tasa fo isio rhoi mwytha i mi, ond wnes i droi i ffwrdd i sbio drwy'r ffenest, fel Lea. A wnes i'm troi eto nes i mi glywed y drws yn cau y tu ôl iddo fo.

Ro'n i'n teimlo'n gas wedyn, achos roedd o wedi fy achub i rhag y bechgyn annifyr 'na wedi'r cwbl, ac roedden ni wedi cael amseroedd gwych efo'n gilydd, wedi mynd am droeon hir, hir a rhedeg am filltiroedd yn y boreau pan fyddai Lea yn yr ysgol. Ond roedd o wedi brifo a siomi Lea, felly roedd o wedi chwalu'r atgofion hynny i gyd.

Ro'n i'n teimlo'n euog hefyd, oherwydd mod i wedi bod mor siŵr ei fod o'n pasio'r Prawf Mot ym mhob ffordd. Mi ddylwn i fod wedi gallu deud bod rhywbeth ddim cweit yn iawn. Ond roedd o wedi llwyddo i dwyllo'r ddau ohonan ni, yn doedd? A fo'i hun, mae'n debyg.

Pwysais fy nghorff yn erbyn coes Lea, iddi gael gwybod mod i yna iddi. Wedyn aeth ei chorff hi'n llipa ac yn feddal ac yn rhyfedd mwya sydyn, ac roedd hi ar y llawr efo fi, yn gwneud sŵn ofnadwy.

Mi fuon ni'n dau ar y llawr am hir, a finna'n llyfu ei dagrau hi yn lle ei bod hi'n boddi.

PENNOD 20   *Mot*

Aethon ni at Caio a Cara a'u rhieni am ginio Nadolig. Mi fynnodd eu mam nhw mod i'n aros yn y stafell gefn efo'r peiriant golchi dillad a'r welintyns tra oedden nhw'n bwyta, ond roedd y plant yn picio 'nôl a mlaen efo croen twrci i mi yn gyson. Ac ro'n i'n gallu gweld drwy hanner ucha gwydr y drws bod Lea yn gwenu bob hyn a hyn, ac roedd hi wedi rhoi tegan gwichlyd newydd sbon i mi yn anrheg Nadolig, felly ro'n i'n weddol fodlon.

Wedyn aethon ni i gyd am dro i'r parc, a thra oedden ni yno, wnaeth hi ddechrau bwrw eira! Ro'n i wedi gweld eira o'r blaen, ac ro'n i wrth fy modd efo fo. Mae'n gymaint o hwyl trio dal y plu cyn iddyn nhw gyrraedd y llawr, ac wedyn, pan mae'r ddaear yn wyn, mae rhedeg a neidio ynddo fo yn hyd yn oed mwy o hwyl. Wel, mi roedd o yn y dyddiau hynny. Gweld y stwff braidd yn oer fydda i bellach.

Ro'n i'n gwybod bryd hynny bod fy ngweld i'n actio fel clown yn rhoi gwên ar wyneb Lea ac yn gwneud i'r plant chwerthin, ac roedd eu gweld a'u clywed nhw'n chwerthin yn gwneud iddi hithau chwerthin, felly es i ati o ddifri i rowlio a phlymio a gwneud wynebau gwirion y pnawn hwnnw. Roedd Bryn yn tynnu llwyth o luniau efo'r camera mawr du gafodd o'n anrheg Nadolig, a dyna rai o fy hoff luniau i erioed. Mae un ohonyn nhw'n dal mewn ffrâm ar wal y lolfa fan hyn: Lea a'r plant mewn cotiau a sgarffiau lliwgar a'u hwynebau'n chwerthin allan o'r gwydr wrth i mi neidio i'r awyr i ddal pelen eira, jest cyn i mi daro mewn i Leri. Aeth hi ar ei phen ôl wedyn, ac mi dynnodd Bryn luniau o hynny hefyd, ond roedd Leri'n gwrthod gadael i Lea fframio'r rheiny.

Aethon ni'n ôl i dŷ Jac yn hwyr iawn y noson honno. Roedd hi'n dal yn rhyfedd yno hebddo fo, yn fawr ac yn dawel, a heb arogl y bwydydd fyddai o'n eu gwneud yno. Roedd Lea'n gallu coginio'n eitha da erbyn hynny wrth gwrs, ond doedd ganddi byth awydd mynd i drafferth, felly bwyd allan o becynnau a jariau fyddai hi'n eu bwyta: potyn mawr cyfan o hufen iâ o flaen y teledu, llwyth o dost a jam yn y pnawn, pecynnau creision a siocled drwy'r amser.

Erbyn i ni symud allan i dŷ mewn stryd yn y dre (un gwahanol i'r un drws melyn – drws du oedd gan hwn, ac roedd 'na ardd fechan yn y cefn, diolch byth), roedd Lea'n rhegi lot yn y boreau am ei bod hi'n methu cau botymau neu *zips*. Roedd y blodau melyn allan eto erbyn i ni adael tŷ Jac, ac aeth hi allan efo fforch ar y diwrnod olaf i godi fforcennaid reit dda ohonyn nhw a'u rhoi mewn bag plastig du. Y peth cynta wnaeth hi yn y tŷ newydd oedd eu plannu nhw yn ein gardd fach newydd ni. Dim ond wedyn wnaeth hi ddechrau gwagio bocsys a bagiau i osod pethau yn y tŷ, a dyna pryd ganodd y gloch: Rhys oedd yno, efo Jet, ac roedd o wedi dod i'w helpu hi – eto. Roedd o a Jason, ei gariad newydd (oedd ddim yn figan), eisoes wedi bod yn helpu i gario dodrefn y noson flaenorol. Wnaeth o hefyd archebu pitsas gyda'r nos. Dyna oedd ein pryd cyntaf ni yn 2, Stryd y Bont.

'Ond dyma dy bitsa olaf di am sbel, gwd gyrl,' meddai Rhys wrthi. 'Digon o'r *comfort eating* hyn – dyw e ddim yn dy siwto di. Ti'n dod gyda fi i Slimming World nos Iau, OK? Achos rydw inne angen colli pownd neu ddau hefyd.'

Roedd Lea wedi rhoi'r gorau i chwarae pêl-rwyd ar ôl i Jac ein gadael ni, ond mi ddechreuodd hi fynd eto ar ôl i Rhys ddeud hynna. Do'n i ddim yn licio cael fy ngadael am hir bob nos Fawrth, ond gan ei bod hi'n dod adre'n gwenu, ro'n i'n fwy na bodlon diodde am chydig. Doedd hi ddim wedi stopio mynd i'r gampfa efo Leri ar fore Sadwrn, achos roedd honno'n mynnu ei bod hi'n mynd, ond roedd 'na fwy o arogl chwys arni o hynny ymlaen.

Erbyn i'r nosweithiau gymryd oes i dywyllu, roedd hi'n edrych fatha hi ei hun eto, a ddim yn rhegi oherwydd bod botymau'n gwrthod cau. Ond roedd hi wedi gweld rhaglen ar y teledu am bobl yn rhedeg efo'u cŵn, rhywbeth o'r enw *canicross*, ac mi newidiodd ein bywydau ni dros nos.

Prynodd harnes i mi, a rhoi ei hun yn sownd ynddo fo efo rhyw dennyn rhyfedd, eitha meddal oedd yn sownd i felt am ei chanol. Wedyn mi fuon ni am oes yn ymarfer yn y parc – drwy gerdded i ddechrau. Ro'n i i fod i'w thynnu hi – rhywbeth doedd hi ddim yn fodlon i mi ei neud pan o'n i'n fychan, felly ro'n i wedi drysu braidd i ddechrau. Do'n i ddim i fod i dynnu'n galed, jest rhedeg o'i blaen hi. Ond y tro cynta i ni roi cynnig ar hynny, ro'n i wedi cyffroi gymaint, mi dynnais braidd yn rhy frwdfrydig ac aeth Lea druan ar ei hyd yn y gwair. Wedyn do'n i ddim cweit wedi deall bod angen rhedeg mewn llinell syth, nid gwau o un ochr i'r llall fel y bydda i pan fydda i'n rhedeg efo Waldo a Jet. Ar ôl sbel, do'n i ddim ond yn gwyro neu droi pan fyddai Lea'n galw 'Cym bai' os oedd hi am i mi fynd i'r chwith, neu 'Awê' os i'r dde. Yn ddiweddarach, wnes i ddeall bod canicroswyr eraill yn defnyddio galwadau gwahanol, ond gan mai ci defaid ydw i, galwadau cŵn defaid amdani. Ro'n i eisoes yn gwybod be oedd 'Aros' wrth gwrs, ond roedd 'Rafa!' yn un newydd – sef 'arafa', os o'n i'n peltio i lawr rhyw fryn a Lea'n baglu dros ei thraed y tu ôl i mi. Roedd 'na lot o regi a chwerthin yn yr wythnosau cynta hynny, ac mi ges i wybod nad oedd rhedeg ar ôl wiwer ddigywilydd efo Lea'n sownd i mi yn syniad da. Ond yn raddol, llwyddodd Lea a finna i ddod i ddeall ein gilydd i'r dim. Ro'n i wedi meddwl tan hynny nad oedd hi'n bosib i'n perthynas ni wella ac i ni ddod yn agosach, ond wir i chi, roedd gweithio fel tîm fel'na yn deimlad rhyfeddol. Doedden ni ddim wedi gallu bod yn dîm fel ffarmwr a'i gi defaid, felly am wn i bod hyn wedi creu'r un ddolen, yr un math o gwlwm rhwng ci a'i ddwygoes, ac ro'n i'n caru a gwerthfawrogi Lea hyd yn oed yn fwy nag o'r blaen.

Mi fydden ni'n cyfarfod cyplau eraill bob hyn a hyn, allan yn y bryniau ac yn y coedwigoedd, a'r *bungee lead* rhyngddyn nhw. Roedd rhai yn hen lawiau arni, fel Max yr hysgi mawr oedd yn giamstar arni, ond erbyn dallt, wedi eu magu i dynnu pethau fel slediau drwy'r eira mae hysgwn.

Dyna ddeudodd Max wrtha i beth bynnag. Roedd o a'i ddwygoes yn reit ffroenuchel am y peth. Megis dechrau oedd rhai o'r lleill, fel Jeni'r sbaniel bach bywiog, du oedd yn anghofio am ei pherchennog weithiau, pan fyddai'n gweld cwningen neu wiwer ac yn saethu ar ôl y rheiny gan lusgo Mary druan drwy ddrain a mieri, rhedyn chwe throedfedd a ffosydd drewllyd, a honno'n trio sgrechian 'STEADY!' arni. Ond mi ddysgodd Jeni yn y diwedd – mae sbaniels yn gŵn sy'n licio plesio.

Roedden ni'n cyfarfod lot o ddynion drwy *canicross*, ond ro'n i wedi penderfynu anghofio am gael hyd i ddyn iddi erbyn hynny. Roedd o'n achosi gormod o boen i'r ddau ohonon ni, ac roedden ni'n hapus fel oedden ni.

Ro'n i'n bump oed pan fu Waldo farw. Deg oedd o. Ro'n i'n gwybod ers tro nad oedd o'n rhy dda, achos roedd 'na arogl rhyfedd ar ei ddŵr o, ond doedd Waldo ddim yn un am gwyno. Do'n i'n amau dim nes i'r ffôn ganu ryw noson, ac aeth Lea a fi yn syth draw i dŷ Haf. Ddywedodd Lea ddim be oedd, ond ro'n i'n gallu gweld ei bod hi'n welw a'i dwylo'n dynn ar y llyw. Es i mewn i'r tŷ yn disgwyl cael snwffian pen ôl Waldo fel arfer, ond roedd ei fasged o'n wag a Haf ar y soffa efo mynydd o hancesi gwlybion o'i chwmpas, a'i llygaid yn goch. Doedd ei gŵr hi ddim adre am ryw reswm. Dwi wedi sylwi bod llawer o ddynion yn methu delio efo merched sy'n crio, ond efallai nad dyna oedd y rheswm wrth gwrs.

Wedi 'ngwylio i'n trotian o gwmpas yn chwilio am Waldo, ac yn araf sylweddoli bod rhywbeth mawr o'i le, gofynnodd Haf i mi neidio fyny ati ar y soffa lle buodd hi'n rhoi mwytha i mi am hir, hir, a syllu arna i efo dŵr yn diferu allan o'i llygaid. Dyna pryd wnes i ddallt na fyddwn i'n gweld Waldo eto. Aeth ton o dristwch drwof fi, a'r cwbl allwn i ei wneud oedd disgyn yn llipa ar lin Haf efo ochenaid hir, a gadael i'r atgofion o'n hanturiaethau redeg fel ffilm drwy fy meddwl i: fo'n trio fy annog i neidio dros fy mhen i'r dŵr ato fo; fi'n syllu mewn edmygedd ar ei allu i ymddwyn fel dyfrgi; y tro hwnnw roedden ni'n dau bron â dal cwningen; y diwrnod gachodd y gwylanod arno fo; y bore ddaethon ni ar draws draenog wedi cyrlio'n belen bigog, boenus, a'r tro rechodd o yn fy wyneb i ar y soffa a bu bron i mi basio allan. Roedd o'n meddwl bod hynna'n hynod ddigri wrth gwrs.

Mi fynnodd Haf bod Lea'n mynd â bag o'i fwyd o adre efo ni wedyn. Roedd o'n flasus, ond ro'n i'n teimlo'n euog bob tro ro'n i'n ei fwyta, ac ro'n i'n falch pan ddoth y bag hwnnw i ben.

Dod am dro efo ni ar ei phen ei hun fyddai Haf am rai misoedd wedyn, yn dawelach a thristach o beth coblyn ac yn sbio arna i am hir a rhoi mwytha hir, hiraethus i mi – nes iddi gael Kate, lab brown bach ifanc oedd yn wallgo bost ac wrth ei bodd yn paffio a chwarae a sgrialu o gwmpas y lle efo fi. Hi, bellach, ydi un o fy ffrindiau gorau i ymysg y cŵn dwi'n eu nabod. Mi fuodd hi a Haf yn gneud *canicross* efo ni am sbel, nes i Haf gael plant, ond mae Kate, hefyd, wedi arafu'n arw erbyn hyn, a'i gweflau brown wedi hen droi'n farf wen.

Er mod i, fel pawb arall, wedi gwirioni efo Kate bron yn syth, roedd gen i gnoi yn fy mol am y peth. Os oedd hi mor hawdd llenwi'r gofod adawodd Waldo, ai dyna fyddai fy nhynged innau yn y pen draw? Ci iau, llawn bywyd yn camu mewn i fy ngwely i, yn yfed allan o fy mhowlen i, a'i luniau o neu hi yn cymryd lle fy lluniau i ar ddrws yr oergell a'r silff ben tân a'r cyfrifiadur? Achos dyna ddigwyddodd yn nhŷ Haf.

Roedd perchnogion cŵn eraill wedi cael ci ifanc CYN i'r hen un farw! Do'n i wir ddim yn dallt y rhesymeg tu ôl i hynna, heblaw y byddai efallai'n lleihau poen y dwygoesiaid pan fyddai dyddiau'r hen gi wedi dod i ben. Ond be am deimladau'r hen gi, y? Dydan ni ddim yn dwp; dan ni'n gwybod yn iawn be sy'n mynd ymlaen. Dan ni'n dallt wrth gwrs, dyna ydi patrwm bywyd... yr hen yn gwneud lle i'r newydd drwy'r amser. Ond mae'n dal i frifo.

Felly, er nad o'n i'n hen o bell ffordd, bob tro y byddai Lea'n ffysian dros ryw gi bach ifanc, del, ro'n i methu peidio â theimlo'n amheus. Ro'n i'n mwynhau chwarae a chrwydro efo cŵn eraill, ond do'n i ddim isio byw a chysgu a rhannu fy nheganau efo nhw, a do'n i'n bendant ddim isio rhannu Lea efo nhw.

Ar ddechrau'r haf hwnnw, mi ges i reswm i feddwl ei bod hi wedi cael digon ohona i, a ddim isio ci o gwbl yn ei bywyd. Ro'n i wedi ei chlywed hi'n cyfadde wrth ryw ffrindiau di-gŵn bod cadw ci yn ei chaethiwo, ei bod hi'n anodd mynd i ffwrdd ar wyliau os nad oedd Rhys ar gael. Ro'n i wedi hen arfer treulio noson neu ddwy efo Jet a Rhys – a Martin, dyn ddechreuodd fyw efo nhw mwya sydyn ar ôl i Jason ddiflannu i rywle – ac roedd rhieni Lea wedi edrych ar fy ôl i am un noson, ond roedden nhw'n byw sbel i ffwrdd ac roedd ganddyn nhw gathod… a dyna pam mai dim ond am un noson wnes i aros efo nhw. Roedd y cathod 'na'n gangio i fyny arna i, a phan chwalodd rhyw jwg llawn blodau yn rhacs, a dŵr a blodau coch fel pyllau o waed dros y llawr, fi gafodd y bai. Wedyn aeth darn mawr o gig ar goll o'r gegin, a fi gafodd y bai am hwnnw hefyd. Ond welais i'r ddwy yn ei sglaffio fo! Mi wnes i drio protestio a sbio'n gyhuddgar ar y ddwy gath smyg, ond yn ôl mam Lea, doedd yr un darn mawr o gig fel yna erioed wedi diflannu o'r blaen, felly roedd hi'n amlwg mai fi oedd yn gyfrifol.

'Felly mae'n ddrwg gen i, Lea, ond allwn ni mo'i gymryd o eto.'

Do'n i ddim isio aros efo nhw eto beth bynnag, achos roedden nhw'n fy nghadw i ar dennyn drwy'r amser ac yn gwneud wynebau hyll pan fyddwn i'n gwneud fy musnes wrth fynd am dro, ac yn gwneud i mi deimlo'n euog pan fydden nhw'n trio ei godi efo'r bagiau bach duon 'na. Byddai mam Lea'n gwisgo menyg bach tenau, gwynion, ac yn eu rhoi yn y bin wedyn efo'r bag, cyn gwgu'n gas arna i. Ond mae pawb yn gorfod gwagu ei hun ryw ben, tydi? Ac roedd hi'n treulio oes yn y tŷ bach, a'r synau rhyfedda yn dod oddi yno. Cael bai ar gam oedd y gwelltyn olaf o'm rhan i.

Ta waeth, roedd Lea wedi cytuno i fynd ar wyliau i rywle efo rhai o'r merched pêl-rwyd a'u chwiorydd, a do'n i ddim yn poeni gormod achos ro'n i i fod i aros efo Rhys a Jet. Ond fel roedd hi'n dechrau rhoi dillad a sgidiau bach tila mewn cês, pingiodd y ffôn. Ro'n i'n gallu clywed llais Rhys yn glir:

'Lea, mae'n wirioneddol ddrwg 'da fi, ond mae gyda Jet *ringworm*! Mae ei ben e a'i goesau e'n batshys coch, moel i gyd, ac mae'r milfeddyg yn dweud bod e'n *catching*… Ni wedi taflu ei wely e, ei flancedi e, popeth, ac mae Martin ar ganol glanhau'r llawr gyda *bleach* nawr.'

'O, na, Jet druan! Fydd o'n ocê?' gofynnodd Lea.

'O, bydd. Mae gyda ni dabledi, eli, popeth. Ond Lea… fydd Mot ddim yn gallu dod yma, na fydd e? Ddim nawr. Wy mor sori.'

Ro'n i'n falch o glywed y byddai Jet yn iawn, ond ro'n i'n poeni mwy am lle fyddai Lea yn fy ngadael i rŵan. Ro'n i'n gobeithio y byddai'n penderfynu aros adre efo fi, ond roedd hi ar y ffôn a'r we am hir yn holi a chwilio ac yn deud pethau fel: 'No, it would be his first time' a 'Yes, I know that's not ideal but this is an emergency' a 'Yes, he's had all the jabs, including kennel cough'. Ro'n i'n cofio Rhys yn deud wrthi y dylwn i gael hwnnw, ac ro'n i'n flin efo fo, achos ges i fy llusgo i'r adeilad efo llwyth o geir budron tu allan eto, yr adeilad lle gollais i fy ngheilliau, a'r tro yma nath y ddynes mewn dillad glas chwistrellu ryw stwff afiach i fyny 'nhrwyn i.

Y bore ar ôl yr holl ffonio, roedd Lea methu edrych arna i'n iawn, ac roedd yr euogrwydd yn llifo allan drwy'r tyllau bychain bach yn ei chroen hi. Suddodd fy nghlustiau a fy nghynffon. Aethon ni i'r car, lle roedd hanner sach o fwyd Pero a fy hoff flanced a fy hoff degan gwichlyd yn rhythu arna i, ac ro'n i'n ofni'r gwaetha. Dim ond chwech oed o'n i, ac roedd Lea wedi cael llond bol ohona i'n barod.

Ar ôl rhyw hanner awr annifyr yn y car, parciodd Lea o

flaen adeilad oedd yn edrych yn debyg i'r ffarm lle ges i fy ngeni, dim ond fod hwn chydig yn daclusach, heb sgerbydau ceir mewn fforestydd o chwyn tu allan. Rhoddodd dennyn arna i a fy llusgo allan, achos do'n i ddim isio gadael y car. Ond mi gerddais yn ufudd at y drws efo hi, achos do'n i ddim isio iddi fy nghofio fel ci stranclyd, styfnig.

Aeth dyn digon clên yn ôl at y car efo ni i nôl fy mlanced a'r bwyd ac ati, wedyn aeth o â ni i'r cefn lle'r oedd 'na res o gŵn bach a mawr a chanolig mewn cenals go fawr, pob un yn cyfarth a gwichian arna i: 'Hei, ti'n newydd!' 'Hei! Mae gen i ffrind yr un lliw â ti!' 'Hy! Bet mod i'n gyflymach na ti!' 'Titha wedi colli dy geilliau, do?' a 'Paid ti â sbio arna i fel'na, neu mi na' i ddysgu gwers i ti, mêt.'

Roedd y cenal ar y pen yn wag ac yn drewi o gemegolion cryf, a dyna lle wnaeth Lea fy ngadael i. Roedd hi wedi trio deud y byddai'n fy ngweld eto cyn bo hir, ond roedd 'na gymaint o ddŵr yn ei llygaid hi, a finna methu sbio arni'n iawn, do'n i ddim yn gallu ei darllen hi gystal ag arfer. Ro'n i'n berffaith, gwbl siŵr mai dyma'r tro ola y byddwn i'n ei gweld hi. Hyd yn oed os nad oedd hi'n bwriadu fy ngadael i yno am byth, ro'n i wedi gweld maint y sach fwyd, ac mae'n cymryd oes i mi fynd drwy gymaint o fwyd â hynna. Os nad o'n i wrth ei hochr hi i edrych ar ei hôl hi, doedd wybod be fyddai'n digwydd iddi. Damwain, dyn drwg yn ei dwyn hi, cŵn mawr peryg yn ymosod arni... dyna'r cwbl oedd yn rhedeg drwy fy meddwl ac wrth glywed y car bach gwyn yn gyrru i ffwrdd, mi wnes i udo a wylofain a thaflu fy hun yn erbyn bariau'r cenal nes roedd fy nghorff i gyd yn brifo.

PENNOD 21

Lea

Ro'n i'n teimlo'n ofnadwy ac mi wnes i grio'r holl ffordd adre. Ro'n i'n dal yn ddagreuol wrth orffen pacio, ac yn cicio fy hun am beidio mynd â fo i genal am chydig pan oedd o'n iau, iddo fo gael arfer. Mae'n rhaid ei fod o'n goblyn o sioc i gi chwech oed. Ac nid am benwythnos ro'n i'n ei adael o, ond pythefnos!

Ond roedd Mr Lewis wedi addo y bydden nhw'n cymryd gofal arbennig ohono fo ac yn rhoi lot o sylw a mwytha iddo fo bob dydd. Ond mi fyddai o'n deud hynna am £15 y dydd, yn bysa, meddyliais. Roedd y gost am roi Mot drwy uffern yn fwy na chost y blincin awyren i Benidorm!

Chwerthin am fy mhen i wnaeth y genod i ddechrau, ond pan welson nhw mod i wir wedi ypsetio, roedden nhw'n gleniach. Roedd Janet yn dallt, meddai hi, achos roedd hi'n gadael ei hogyn bach dwy oed am y tro cynta erioed ac yn poeni non-stop. Ond roedd o adre efo'i dad, yn doedd, ddim mewn rhes o genals diarth efo llwyth o blant eraill doedd o ddim yn eu nabod!

Mi wnaethon nhw fynnu prynu G&T mawr i mi yn y maes awyr, ac un arall ar yr awyren, ac ro'n i'n teimlo'n well wedyn – fymryn. Ond ro'n i'n sgrolio drwy'r lluniau o Mot ar fy ffôn bob cyfle gawn i – pan fyddai'r lleill ddim yn sbio.

Roedd y gwres wrth i ni gamu allan o'r awyren yn llethol. Do'n i rioed wedi bod dramor o'r blaen, wel, ar wahân i drip hanes i Wlad Belg saith mlynedd ynghynt, pan oedd angen aelod ychwanegol o staff, a bwrw glaw oedd hi yn fanno, a'r cwbl wnaethon ni oedd sbio ar feddi. Ond doedd o ddim yn wyliau, nag oedd, ddim fel gwyliau i lan môr i jest mwynhau dy hun – a thrio ymlacio. Fedri di ddim ymlacio pan mae Melanie Lloyd yn mynd ar goll yn y maes awyr a Jake Thomas a Seren Wilkins yn cael eu dal yn hanner noeth yn y toilet anabl.

Rhyddhad oedd sylweddoli nad o'n i'n gorfod edrych ar ôl neb heblaw fi fy hun y tro yma. Roedd y gwesty'n fawr ac yn brysur a'r pwll nofio'n blydi lyfli. Felly ar ôl neidio i mewn i oeri, mi wnes i blastro fy hun efo Ffactor 25 a gorwedd i ymlacio efo fy iPod yn fy nghlustiau yn chwarae fy hoff ganeuon i gyd. Beyoncé wrth gwrs: 'Single Ladies – Put a ring on it' wrth reswm, ac 'If I Were a Boy', a Shakira, 'Hips Don't Lie', ac Avril Lavigne, 'Girlfriend' a 'Sk8er Boi', a fy ffefrynnau Cymraeg: 'Sebona Fi', Yws Gwynedd; 'Rebal Wicend', Bryn Fôn, llwyth o ganeuon fel'na. Caneuon fyddai'n gwneud i Merfyn, Peter a Jac droi eu trwynau a chwerthin am fy mhen i. AC/DC oedd Merfyn yn eu licio, fyddai Peter byth yn gwrando ar fiwsig Cymraeg, a jazz oedd yn cyffroi Jac. Does gen i ddim syniad am chwaeth gerddorol Wyn, a does gen i ddim diddordeb chwaith.

Ond roedd y genod, fy ffrindiau i, yn licio 'nghaneuon i ac yn gwybod y geiriau i gyd! Mae'n siŵr bod Mot erbyn hyn, hefyd. Roedd o wedi dawnsio rownd y gegin iddyn nhw ddigon.

Mi neidiodd fy nghalon i wrth feddwl amdano fo'n crio yn y cenal 'na. Ond roedd Mr Lewis wedi deud bod y cŵn yn cael chwarae lot a mynd am dro a wastad yn gwneud ffrindiau newydd, felly mi wnes i drio ei ddychmygu o'n rhedeg rownd a rownd efo llwyth o labradors a theriars a *golden retrievers* a *dachshunds* a *dalmations* a sbaniels a *red setters*, pob un yn gwenu'n braf ac yn cael andros o hwyl.

Mi ges inna hwyl efo'r genod, ond ar ôl wythnos, roedd y rwtîn o frecwast (os oedden ni'n gallu ei wynebu o neu godi mewn pryd), pwll, torheulo, cinio a coctels, pwll, torheulo, ambell drip i'r traeth ei hun, cawod, coctels / sangria, allan i'r tafarndai a'r clybiau a chamfihafio yn fanno efo hogia o Sunderland neu Lerpwl neu Nottingham yn dechrau deud arna i. Mi wnes i lwyddo i berswadio cwpwl o'r genod i neud rhywbeth gwahanol efo fi, fel mynd ar drip caiac a snorclo yn y Blue Lagoon. Doedd o ddim yn rhad, ond roedd o werth o. Roedd padlo i mewn ac allan o'r ogofâu yn brofiad bythgofiadwy.

Ddeuddydd yn ddiweddarach, mi wnes i lwyddo i berswadio Marian i fynd ar drip beiciau trydan efo fi. Do'n i ddim isio mynd ar fy mhen fy hun: dwi'n fwy hyderus nag o'n i, ond ddim mor hyderus â hynna. Ac roedd Marian yn cyfadde bod y rwtîn yn deud arni hithau bellach. Dwi'n siŵr bod y lleill wedi laru hefyd, ond doedd rhai ohonyn nhw ddim wedi bod ar feics ers yr ysgol gynradd ac roedden nhw'n mynnu bod gynnyn nhw ormod o ofn ynghanol y traffic. Cyndyn o wario oeddan nhw, isio cadw eu hewros i brynu diod. Wel, eu colled nhw oedd hi achos roedd y beicio mor hawdd, a doedd 'na fawr ddim traffic lle aethon ni. Oedd, roedd 'na elltydd serth, ond efo beic trydan, ti'n hedfan! Gawson ni weld rhannau hyfryd, difyr a gwahanol o Benidorm ac roedd Parc Naturiol Sierra Helada yn fendigedig. O, ac roedd Sergio, ein tywysydd ni, yn gorjys: yn dawel ac annwyl ond efo corff fel Ronaldo. Ro'n i wedi cael ambell snog feddw efo ambell Geordie a Sgowsar hynod feddw, ond wedi jibio gwneud mwy na hynny. Roedd Sergio yn fater arall, ond ches i ddim cynnig, yn anffodus. A deud y gwir, taswn i wedi cael cynnig, dwi'n meddwl y byddwn i wedi rhedeg milltir, achos roedd fy hyder i efo dynion wedi chwalu'n llwyr. Mi wnes i fodloni ar drio dysgu ambell air o Sbaeneg gynno fo. Ro'n i eisoes yn gallu deud 'gracias' a 'por favor' a 'cerveza' wrth gwrs, ond mi ddysgodd Marian a fi sut i ofyn be oedd enw rhywun – 'Cómo te llamas', a 'Esto es delicioso' (mae hwn yn blasu'n hyfryd), ac ro'n i wedi dotio at y ffaith mai'r gair Sbaeneg am gi ydi 'perro'!

Ro'n i wrth fy modd drwy'r dydd, nes i ni stopio am ddiod lle'r oedd 'na olygfa wych a chriw o Sbaenwyr yn tynnu lluniau. Mi rewais i. Roedd gynnyn nhw gi ofnadwy o debyg i Mot: roedd ei gôt o'n goch efo mymryn o wyn, roedd o tua'r un maint, ac roedd ei drwyn a'i wyneb o'n hynod o debyg. Jest i mi grio yn y fan a'r lle. Wnes i ofyn i Sergio ofyn iddyn nhw a fyddai'n iawn i mi roi mwytha iddo fo am fod gen i gi tebyg iawn adre, ac mi nath, ond roedd un ohonyn nhw'n siarad Saesneg yn eitha da, ac mi ddeudodd bod croeso i mi neud, siŵr.

'Your dog is Basque Shepherd dog too, yes?' gofynnodd wrth i mi gosi tu ôl clustiau'r ci.

'No, Welsh, but very similar,' atebais. '*Cómo te* – ym, what is your *perro*'s name?'

'Eder,' gwenodd, 'Basque name. It mean... yyy... *guapo*...' Trodd at Sergio am help.

'Good-looking!' meddai Sergio. 'Good name for a good-looking dog!' Cytunais gan syllu i lygaid Eder.

'Helô – naci, *hola* Eder,' sibrydais. Pan lyfodd o fy llaw i, doedd gen i mo'r help, mi wnes i ddechrau crio. 'Sorry,' meddwn gan drio sychu fy nhrwyn ar fy ngarddwrn, 'I just miss my dog so much.'

Diolch byth, roedden nhw'n dallt yn iawn, ac wedyn mi fuon ni i gyd yn tynnu lluniau o Eder, fi ac Eder, Eder a'i berchnogion, a fi'n dangos llun o Mot i Eder. Roedden ni i gyd yn ffrindiau gorau erbyn i ni ffarwelio.

O hynny mlaen, ro'n i jest â drysu isio mynd adre. Roedd Janet hefyd, er ei bod hi wedi gallu gweld a sgwrsio efo'i hogyn bach dwy oed bob bore a nos drwy WhatsApp. Ro'n inna o fewn dim i ffonio Mr Lewis i ofyn gawn i neud yr un peth efo Mot, ond ro'n i'n gwybod y byddai pawb yn meddwl mod i wedi'i cholli hi. Mi brynais i goler leder smart a reit ddrud iddo fo, er mod i wedi gwario llawer gormod o 'nghyflog i fel roedd hi. Ro'n i'n gwybod na fyddai o ddim callach bod ei goler o o'r safon ucha, ond roedd o'n gwneud i mi deimlo'n well.

Roedd yr awyren adre yn hwyr a'r cenal yn cau am

bump ac roedden ni'n dal yn Lerpwl am chwarter wedi pedwar a'r bws mini'n mynd fel rhech, felly mi wnes i ffonio Mr Lewis i ofyn plis plis fyddai'n iawn i mi ddod yn syth yno i nôl Mot beth bynnag. Mi nath o ochneidio dipyn, ond wedyn mi gytunodd, diolch byth.

'Dyna'r wên leta dwi wedi'i gweld ar dy wyneb di ers pythefnos!' meddai Linda ein *goal attack* ni wrth i mi ddiffodd y ffôn.

Do'n i ddim cweit mor hapus wrth yrru at y ffermdy. Be os oedd Mot wedi cael amser ofnadwy a byth yn maddau i mi? Roedd Mr Lewis wedi fy sicrhau ei fod o'n tsiampion ac wedi mwynhau ei hun, ond dyna fyddai o'n ei ddeud, ynde?

Ro'n i'n crynu wrth ei wylio fo'n mynd i nôl Mot. A phan ddaeth y ddau drwy'r drws, ro'n i'n fud. Roedd o'n edrych yn berffaith iach ac yn trotian yn hapus wrth sawdl Mr Lewis. Wedyn mi welodd o fi, ac mi rewodd. Edrychodd arna i'n od am chydig, fel tasa fo methu credu mai fi o'n i, mai fi oedd yno. Neu fel tasa fo wedi anghofio pwy o'n i.

'Mot!' galwais, a fy llais yn swnio'n ddiarth. 'Ty'd, Mot! Fi sy 'ma! Tisio dod adre efo fi?'

Oedodd am y mymryn lleia, wedyn cerddodd yn araf yn ei flaen tuag ata i. Stopiodd rhyw ddwy lath o mlaen i a rhythu arna i. Roedd o'n f'atgoffa i o'r ffordd fyddai Dad yn sbio arna i ers talwm pan fyddai Mam yn deud wrtho fy mod i wedi bod yn hogan ddrwg.

'Mot? Ti'm yn falch o 'ngweld i?'

Trodd ei drwyn i'r ochr heb dynnu ei lygaid oddi arna i. Wedyn cododd – a cherdded reit heibio i mi!

Ceisiodd Mr Lewis fy sicrhau i bod cŵn yn ymddwyn fel'na weithiau, y byddai'n iawn ar ôl cyrraedd adre, a rhoddodd y tennyn yn fy llaw i, a bag efo'i flanced a'i deganau a gweddill y bwyd yn y llaw arall. Camu yn ei flaen yn urddasol wnaeth Mot, nes cyrraedd y car, wedyn eisteddodd gyferbyn â'r drws a'i gefn ata i.

Agorais y drws, a chamodd i mewn, ac yna fy anwybyddu'n llwyr.

'Dwi mor sori, Mot. Ond dwi'n ôl rŵan, tydw? Awn ni adre, ia?'

Dim ymateb, felly rois i 'The Puppy Song', Harry Nilsson ymlaen. Fel arfer, mae Mot wrth ei fodd efo honna, yn enwedig pan dwi'n ei chanu hi hefyd:

I'd take my puppy everywhere
La, la, la-la I wouldn't care
And we would stay away from crowds
And signs that said no dogs allowed…

Ond dal i sbio yn ei flaen wnaeth Mot, heb droi i sbio arna i o gwbl. A fel'na fuodd o yr holl ffordd adre. Dim ond teimlo'n euog ro'n i cynt, ro'n i'n cael fy mwyta gan euogrwydd bellach. Ro'n i'n gwybod yn iawn mai gadael i mi wybod sut roedd o'n teimlo oedd hyn, fy nghosbi i am ei adael o mor hir.

'Iawn, wna i byth neud hynna i ti eto, ocê!' meddwn yn ddagreuol. Trodd ei ben yn araf i edrych arna i, yna troi'n araf yn ei ôl eto. Doedd o'n amlwg ddim yn fy nghredu i.

Daliodd ati i fy anwybyddu i pan aethon ni i'r tŷ. Aeth i archwilio ei wely a'i fowlen, yna bob cornel o'r tŷ cyn cyrlio'n belen wrth y drws cefn. Mi ddois i â fy magiau i mewn yna rhoi'r tecell ymlaen. Wedyn es i drwy fy mhost gan sipian fy mŵg o de. Pan es i'n ôl at y bagiau i fynd â nhw fyny staer i ddadbacio, roedd y cês yn wlyb. Roedd y diawl wedi piso arno fo.

'Mot!' Roedd o wrth y drws, yn edrych yn euog a'i glustiau'n llipa. Ochneidiodd yn drwm, yna camodd yn araf tuag ata i, edrych ar y cês, edrych arna i, yna llyfu fy llaw. Llifodd yr awydd i'w flingo fo allan ohona i'n syth. Cwpanais ei ben, syllu i'w lygaid a'i gusanu ar ei dalcen.

'Iawn, dan ni'n cwits rŵan, yndan?' Gwelodd bod fy llygaid wedi toddi, ac o fewn dim, roedd o fel ci bach wedi cynhyrfu'n rhacs eto, yn trio fy nghofleidio, fy llyfu, fy nghyffwrdd, fy reslo – roedd o fel corwynt. Chwarddais a'i gofleidio a'i reslo a'i gosi am hir.

Wedyn ni wnes i gofio am y cês a brysio i'w llnau gan weddïo nad oedd y pi-pi wedi treiddio drwadd i fy nillad i.

PENNOD 22 *Mot*

Y gwir amdani oedd mod i wedi eitha mwynhau fy hun yn
y cenal 'na yn y diwedd. Roedd 'na rywbeth yn digwydd
neu'n symud yno drwy'r amser, felly ar ôl deuddydd o
bwdu a theimlo bod y byd ar ben, mi wnes i ddechrau
cymryd diddordeb yn fy nghymdogion a'r bobl oedd yn
dod i fy mwydo i a mynd â fi am dro. Roedd y rhan fwya
o'r cŵn eraill wedi bod yno droeon ac yn fy sicrhau mai
dim ond dros dro fydden ni i gyd yno, ac y dylwn i drin y
cyfnod fel gwyliau bach a thrio mwynhau'r cyfle i fod mor
gymdeithasol.

Ddois i'n ffrindiau mawr efo Juno, gast *dalmatian*
hynod fywiog oedd bron mor gyflym â Jet, a Max, *German
Shepherd* oedd â'r dafod hira welais i rioed. Do'n i ddim
yn siŵr i ddechra, achos roedden ni i gyd yn amheus o'n
gilydd i raddau, ond unwaith i ti gael sniff bach a mynd
drwy'r mosiwns 'Na, dwi'm yn chwilio am ffeit', 'Mi gei di
sniff os ga i sniff wedyn', 'Nag oes, does gen i ddim ceillia
chwaith', 'Sut bod ti wedi cael cadw dy geillia di?' ac 'W,
mae 'na ogla ddigon difyr arnat ti, does?' a dod i ddallt ein

bod ni i gyd yn ddigon tebyg ac yn yr un cwch, ac yn fwy na bodlon mynd am dro neu redeg rownd y buarth neu'r cae, mi wnes i setlo'n eitha da.

Do'n i ddim mor hapus gyda'r nos yn gorwedd y tu ôl i'r bariau 'na, a do'n i ddim yn hapus o gwbl yn gorfod gwneud fy musnes ar y llawr yn fanno pan fyddai'r angen yn codi, ond roedd y staff yn dda iawn am lanhau'r lle wedyn, felly doedd o ddim fel pan o'n i'n gi bach ar y ffarm yn gorfod gorwedd yn fy maw fy hun am ddyddiau. A do'n i ddim ar fy mhen fy hun go iawn: ro'n i'n gallu sgwrsio efo Juno yn y cenal drws nesa, a chlywed y cŵn eraill yn chwyrnu cysgu, neu'n gwichian ar ganol breuddwyd neu'n crio am eu hanwyliaid.

Ac roedden ni'n cael chwarae a mynd am dro gryn dipyn, chware teg.

Felly do, mi wnes i eitha mwynhau'r profiad, ond do'n i ddim am adael i Lea wybod hynny. Ro'n i'n dal wedi fy siomi ynddi am fynd i ffwrdd hebdda i ac roedd angen gwneud iddi deimlo'n euog a diodde chydig. Dyna oedd cyngor Max i mi, 'achos mi gei di dy sbwylio'n rhacs gynnyn nhw wedyn,' meddai.

Ac roedd o'n iawn. Mi ges i gymaint o sylw a mwytha ac esgyrn a Dentastix, ro'n i'n teimlo fel y peth pwysica erioed ym mywyd Lea eto. Do'n i ddim wedi bwriadu mynd cweit mor bell â chodi 'nghoes dros ei chês hi, ond daeth ton o sbeit neu rwystredigaeth neu rywbeth drosta i mwya sydyn, ac ro'n i'n teimlo'n euog am sbel go hir, ond mi weithiodd, yn do?

Bob tro y byddwn i'n gweld y cês yn dod allan, byddai'r

un don yn bygwth dod drosta i eto. Wnes i byth adael i mi fy hun wneud dŵr drosto wedyn, ond ro'n i'n gwybod yn iawn bod ymddangosiad y cês yn golygu bod taith hwy nag arfer ar y gorwel. Weithiau, byddwn innau'n cael dod hefyd, ond weithiau, fyddwn i ddim, ac er bod y cyfnod yn y cenals yn well na'r disgwyl yn y diwedd, efo Lea ro'n i isio bod – drwy'r dydd, bob dydd os yn bosib.

Ond doedd hynny ddim yn bosib wrth gwrs. Mae dwygoesiaid yn gorfod mynd allan i weithio er mwyn prynu pethau – a gweithio am oriau hefyd. Ond wedyn maen nhw'n taflu cymaint o'r hyn maen nhw'n ei brynu yn y bin sbwriel. Ac maen nhw'n aml wedi blino ac yn swrth a chysglyd oherwydd yr holl weithio.

Dwi'n siŵr mai fi sydd wedi cadw Lea yn iach. Mae fy modolaeth i wedi mynnu ei bod hi'n mynd â fi allan i gael awyr iach a symud a rhedeg a chwarae, a bob tro y bydden ni'n mynd allan, a'i llygaid hi'n flinedig a'i hysgwyddau yn grwm ro'n i'n gallu gweld y sglein yn dod yn ôl, a'i chorff yn sythu a bywiogi efo bob cam. Ac roedd rhedeg efo hi efo'r cortyn rhyngon ni yn rhoi gwên anferthol ar wynebau y ddau ohonon ni.

Mi wnaethon ni ddechrau rasio yn erbyn cŵn eraill a'u perchnogion, a nefi, mi wnes i fwynhau hynna. Do'n i ddim yn licio colli, a do'n i ddim yn hapus pan fyddai rhyw hysgi mawr a'i berchennog heglog yn ein pasio ni, ond os o'n i'n rhedeg yn gyflymach, doedd Lea ddim yn gallu dal i fyny efo fi ac roedd hi'n gweiddi arna i. Felly mi wnes i ddysgu gadael i gyplau eraill ein pasio ni. Byddai Lea'n deud wrtha i wedyn, ar ddiwedd y ras, pan oedd pawb yn cael eu gwynt yn ôl ac yn chwerthin a llongyfarch ei gilydd:

'Dydi rhywun byth yn colli go iawn, ti'n gweld. Mae rhywun un ai'n ennill – neu'n dysgu. Dyna be fydda i'n deud wrth y plant yn yr ysgol, ac mae'n wir, sti. A sbia hwyl dan ni'n ei gael yn cyfarfod yr holl ffrindiau newydd!' ychwanegodd wrth i ast ddefaid fach ddel, ddu a gwyn ysgwyd ei chynffon arna i. 'Dyna be sy'n bwysig 'de, boi?' chwarddodd wrth ein gwylio ni'n snwffian gwahanol rannau o'n gilydd.

Mae dwygoesiaid yn gallu bod reit gall weithiau.

Doedden ni ddim yn rasio pan gafodd Lea ei damwain. Rhedeg yn eitha hamddenol oedden ni, yn y goedwig sy'n boblogaidd efo rhedwyr, cerddwyr a beicwyr. Roedden ni wedi bod wrthi ers rhyw hanner awr a phob dim yn mynd yn dda, nes i mi deimlo'r cortyn yn rhoi plwc sydyn a chlywed Lea'n sgrechian. Ro'n i wedi neidio dros fonyn y goeden yn gwbl ddidrafferth wrth gwrs, ond mae'n rhaid fod Lea wedi llithro neu faglu neu rywbeth, achos roedd hi'n gorwedd yn gam ar y llawr. Brysiais yn ôl ati a gweld bod lliw rhyfedd arni. Ac roedd hi'n gwneud sŵn rhyfedd. Sŵn tebyg i be ro'n i wedi ei glywed yn yr adeilad efo'r ceir budron tu allan lle maen nhw'n rhoi pwythau a nodwyddau ynot ti a gwneud i dy geilliau di ddiflannu. Sŵn tebyg i'r hyn fuodd hi'n neud ar ôl i Jac fynd.

Doedd hi ddim yn gallu siarad yn iawn chwaith. Mi wnes i drio llyfu ei hwyneb hi, ond ro'n i'n gwybod nad oedd hynny fawr o help iddi. Roedd hi wedi brifo. Mi wnes i ddechrau gwichian achos do'n i ddim yn gwybod be i neud, ac roedd gen i gymaint o isio ei helpu hi. Mi fues i'n troi yn fy unfan am chydig, wedyn cerdded yn ôl a mlaen yn trio gweithio allan be fyddai'r peth gorau i neud, wedyn mynd yn ôl ati i lyfu ei hwyneb yn ofalus a snwffian ei chorff yn betrusgar, rhag ofn y gallwn i arogli lle roedd y drwg. Roedd ei gên hi a'i dwylo hi'n gwaedu, ond ro'n i'n gwybod mai ei choes hi oedd wedi brifo fwya. Doedd hi ddim yn gorwedd yn iawn, rhywsut. Ond be allwn i ei neud? Mi wnes i drio cydio yn ei throwsus hi a'i thynnu i rywle diogel, ond pan udodd hi mewn poen, mi ollyngais yn syth.

Penderfynais mai mynd i chwilio am ddwygoesyn cryf oedd yr unig ateb: rhywun digon cryf i'w chario, neu o leia rhywun efo car, neu ffôn. Craffais i bob cyfeiriad: pa ffordd fyddai orau? Mynd yn ôl i'r cyfeiriad ddaethon ni ohono, neu fynd ymlaen? Clustfeiniais, rhag ofn y gallwn i glywed rhywun yn agos. Ond y cwbl oedd i'w glywed oedd sŵn y gwynt yn y coed, yr adar yn canu ac ambell wiwer neu ddraenog yn y drain a'r deiliach.

Ro'n i'n nabod y llwybr yn eitha da, felly ceisiais gofio lle'r oedd yr adeilad lle fydden ni'n cael bwyd weithiau ar ôl rhedeg. Oedd o'n agosach taswn i'n mynd yn fy mlaen? Penderfynais ei fod o, ac wedi rhoi un llyfiad arall i foch Lea, rhuthrais yn fy mlaen, cyn sylweddoli'n sydyn mod i'n dal yn sownd ynddi. Byddai'n rhaid i mi gnoi drwy'r cortyn, felly dyna fues i'n ei neud. Cnoi fel tasa 'mywyd i'n dibynnu arno, cnoi nes roedd fy nannedd i'n brifo. Wedyn i ffwrdd â fi.

Ar ôl munudau hirion o redeg yn gyflymach na wnes

i erioed o'r blaen, mi welais i deulu'n mynd â'u plant am dro a rhuthro ar eu holau, yn cyfarth nerth fy mhen. Ond roedd ganddyn nhw fy ofn i, ac roedd y plant yn sgrechian a chrio a'r dyn yn rhuthro am gangen ac yn trio fy waldio efo hi. Gwichiais mewn poen wrth iddo daro fy ysgwydd, wedyn sylweddolais nad oedd y rhain yn mynd i fy nallt i byth, felly rhedais heibio iddyn nhw, yn dal i gyfarth hynny allwn i, rhag ofn y byddai ci arall yn rhywle yn fy nallt i, o leia.

O'r diwedd, gwelais ddyn yn loncian heibio ar lwybr arall. Rhuthrais ato a stopio o'i flaen, yn gwichian. Efallai y byddai hynny'n gweithio'n well na chyfarth.

'Helô,' meddai hwnnw yn ddigon clên. Edrychais i fyw ei lygaid gan drio cofio lle ro'n i wedi ei weld o o'r blaen. Roedd ei groen o'n dywyllach na chroen y rhan fwya o bobl ro'n i'n eu nabod. Ond ro'n i'n cofio'i lygaid caredig o am ryw reswm. Yna daeth yn ôl i mi: y boi safodd ar fy nhennyn i pan wnes i ddwyn y bêl pan oedd llwyth o ddynion mewn trowsusau byrion yn trio chwarae efo hi! Es ar fy stumog gan ymbil arno, wedyn codi a chychwyn yn fy ôl i gyfeiriad Lea, yna stopio i weld oedd o'n fy nilyn i. Nag oedd! 'Ty'd 'laen, y crinc dwl!' ochneidiais yn flin. Rhedais yn ôl ato a gwichian a dechrau rhedeg yn ôl i fyny'r llwybr eto. Ond doedd o'n dal ddim yn fy nilyn i!

'Be sy, boi? Wyt ti isio i mi dy ddilyn di?' gofynnodd yn Saesneg. Wel, dyyyh!

'Wrth gwrs mod i,' cyfarthais. 'Ti'n meddwl mod i'n actio clown fel hyn bob dydd?' Ond roedd o'n dal i sefyll yn ddisymud. Felly cydiais yng ngwaelod ei siaced fach denau a cheisio ei dynnu ar fy ôl i.

'Oi! Be ti'n neud?' protestiodd. Gollyngais a dechrau crio. Dyna pryd aeth o ar ei gwrcwd a rhoi mwytha i mi a sylwi o'r diwedd bod 'na harnes arna i a chortyn yn sownd i hwnnw – a choler am fy ngwddw i efo fy enw i arni. O'r diwedd, disgynnodd y geiniog, a sythodd. 'Iawn, dangos y ffordd, Mot,' meddai yn Gymraeg.

Felly mi wnes.

PENNOD 23

Lea

Dim ond Mot fyddai wedi gallu dod o hyd i ddoctor mewn coedwig fel'na. Doctor! Ro'n i isio crio pan redodd o tuag ata i efo Mot a deud mod i'n mynd i fod yn iawn ac mai doctor oedd o. Ond ro'n i wedi bod yn crio ers sbel, felly doedd gen i fawr o ddagrau ar ôl ynof fi.

Ro'n i'n gwbod ei fod o'n mynd i ddeud mod i wedi torri rhywbeth, achos ro'n i wedi clywed y glec, ac roedd fy nghoes dde i'n brifo'n uffernol, a do'n i ddim wedi meiddio symud blewyn arni ers i mi jest â llewygu pan fues i'n ddigon gwirion i drio ei symud hi. Ond ro'n i wedi dechrau crynu – oherwydd y sioc am wn i, a'r ffaith bod fy nghorff i'n oeri ar y glaswellt tamp – ac roedd y crynu'n gwneud iddi frifo'n waeth.

Roedd o'n meddwl mai fy ffêr i oedd wedi ei thorri, ond 'ankle' ddwedodd o achos wnaeth o ddeud ei fod o methu cofio'r gair Cymraeg. Fi ddwedodd 'ffêr', a'i longyfarch ar ei acen Gymraeg o. Diolchodd i mi, tynnu côt allan o'i rycsac a'i rhoi drosta i cyn estyn ei ffôn a diflannu i chwilio am signal. Ro'n i'n gwbod nad oedd 'na signal lle roedden ni achos ro'n i wedi trio efo fy ffôn fy hun. Arhosodd Mot efo fi; gorweddodd wrth fy ochr i a llyfu fy wyneb i nes i fy achubwr ddod yn ei ôl.

Tra oedden ni'n aros am yr ambiwlans (a'r cwad aeth â fi at lle fyddai'r ambiwlans yn gallu cyrraedd) ges i wybod mai Abeo oedd ei enw o, enw Yoruba o Nigeria, oedd yn golygu 'sy'n dod â hapusrwydd'.

'Ro'n i reit hapus i'ch gweld chi, rhaid i mi ddeud,' meddwn.

'Dwi'n falch,' meddai. 'Dwi'n hapus os dwi'n gallu gwneud pobl yn hapus.'

'Dyna pam aethoch chi'n ddoctor?'

'Mae'n un rheswm,' meddai efo gwên oedd yn dangos ei ddannedd gwyn o. 'Ond dydi pawb ddim yn hoffi doctoriaid. Mae rhai pobl yn – be ydi "to frown" yn Gymraeg?'

'Ym... gwgu?'

'Gwgu! Dwi'n hoffi'r gair yna! Ia, mae rhai pobl yn gwgu pan maen nhw'n dod mewn i'r syrjeri. Achos maen nhw mewn poen, neu yn drist, neu ddim isio doctor fel fi.'

Do'n i ddim yn siŵr sut i ymateb i hynna. Ro'n i'n gwybod yn iawn bod hiliaeth yn broblem yn ein hardal ni; roedd gynnon ni lond llaw o blant yn yr ysgol oedd yn dod o dras gwahanol i'r rhan fwya, a doedd bywyd ddim wastad yn hawdd iddyn nhw.

'Mae'n ddrwg gen i am hynna,' meddwn yn y diwedd. 'Does 'na ddim llawer o bobl sy'n edrych fel chi yn yr ardal yma, felly dydyn nhw ddim wedi arfer.'

'Peidiwch chi ymddiheuro,' meddai. 'Ddim bai chi ydi

o! Beth bynnag, ar ôl siarad efo fi, fel arfer, maen nhw'n gwenu! Yn enwedig os dwi'n siarad Cymraeg efo nhw. Ond ddim os dwi'n gwrthod rhoi antibiotics i nhw...'

Mi wnes i drio chwerthin, ond roedd o'n brifo. Gofynnodd be oedd ystyr fy enw i, a digwydd bod, ro'n i'n rhyw lun o wybod. Enw Hebraeg ydi Lea, a'r ystyr gwreiddiol yn ôl Wicipedia oedd 'buwch wyllt' ond ers i fersiwn o'r enw ymddangos yn y Beibl, 'person lwcus' ydi o. Ond ro'n i wedi darllen yn rhywle arall mai 'blinedig' oedd yr ystyr yn Hebraeg a 'golau'r haul' neu 'heulwen' yn y Wyddeleg.

'Felly dwi'n fuwch wyllt, lwcus, heulog, nacyrd,' meddwn. 'A dwi'n meddwl mai nacyrd sy'n fy siwtio i orau heddiw.'

'Fel yn Saesneg, *knackered*?' gofynnodd Dr Abeo.

'Iyp. Dwi'm yn mynd i fedru rhedeg am sbel, nacdw?'

'Wel... mae'n dibynnu, ond efallai byddwch chi'n gallu rhedeg yn iawn mewn chwech mis, neu wyth neu naw.'

'Naw mis?!' Ro'n i'n teimlo fel chwydu eto.

'Mae'n dibynnu – mae pawb yn wahanol, a dach chi ddim wedi cael *X-ray* eto! Dwi'n siŵr byddwch chi'n gallu rhedeg chydig ar ôl tri neu pedwar mis, ond yn ofalus. Rhaid i chi fod yn... be ydi *patient*?'

'Amyneddgar.'

'Diolch. Rhaid i chi fod yn amyneddgar.' Wedyn mi sylwodd bod gen i ddagrau mawr tew yn llifo i lawr fy ngwyneb i, ac roedd fy nhrwyn i'n rhedeg, damia. 'Peidiwch â crio, byddwch chi'n iawn, dwi'n siŵr.'

'Ond – ond dwi'n byw ar fy mhen fy hun ac mae gen i

gi a fydda i methu gneud fy ngwaith yn –' Ac wedyn wnes i ddechrau crio go iawn, rhyw hen udo hyll, blêr oedd yn brifo 'mhen i. 'A be-be sy'n mynd i ddi-ddigwydd i Mot tra dwi'n yr am-ambiwlans?'

Roedd o'n amlwg wedi arfer efo pobl hysterical yn crio'n snotllyd achos nath o wasgu fy llaw i'n glên, wedyn holi pwy allai o ei ffonio i ofalu am Mot. Wnes i ddeud wrtho fo i ffonio Leri ar fy ffôn i, ac i ffwrdd â fo i chwilio am signal eto. Pan ddoth o'n ei ôl, roedd y cwad yn ei ddilyn o.

Mi ddilynodd Mot a fo y cwad at yr ambiwlans, a phan driodd Mot ddringo i mewn ar fy ôl i, mi gydiodd yng ngweddillion y tennyn i'w dynnu'n ei ôl. Wnes i glywed Mot yn gwichian a phanicio, felly mi wnes fy ngorau i drio deud wrtho fo y byddai bob dim yn iawn ac i fod yn glên efo'r doctor neis. Doedd gen i ddim clem wnaeth o fy nghlywed i achos wnaeth y drysau gau.

PENNOD 24 *Mot*

Ro'n i wedi dychryn go iawn. Ro'n i isio rhedeg ar ei hôl hi ond roedd Abeo'n cydio'n sownd ynof fi ac yn trio fy nhawelu i efo rhyw gymysgedd o eiriau Cymraeg a Saesneg a rhyw iaith arall. Mi ddois i'n agos iawn at blannu fy nannedd ynddo fo, ond ro'n i hefyd yn gwybod ei fod o'n ddyn da ac mai trio helpu oedd o. Mi fues i'n crio am hir, ac yntau'n fy nal i yn ei freichiau, yn sibrwd rhyw diwn fach ddiarth ond swynol i mewn i 'nghlust i.

Diflannodd y dyn ar y cwad, a'r bobl oedd wedi dod i fusnesu, gan adael dim ond fo a fi ar ochr y ffordd darmac yng nghanol y goedwig. Wedyn cododd ar ei draed a deud:

'Wel, Mot? Adref?'

Wnaeth o ddim gollwng y tennyn, ond ro'n i ar frys, rhag ofn eu bod nhw wedi mynd â Lea adre, felly ro'n i'n hynod o falch pan ddalltais i ei fod o'n fodlon rhedeg efo fi yn ôl at lle'r oedd y ceir a'r caffi. Roedd o'n rhedwr da, ond roedd o'n chwys diferol erbyn i ni gyrraedd ei gar mawr, hir o. Dwi'n gwybod bellach mai fan maen nhw'n galw cerbyd fel'na. Neidiais i mewn yn syth. Ro'n i methu gweld be oedd yn y cefn, ond roedd y seddi'n llawn siafflach: papurau, llyfrau a bocsys.

Mi fuodd yn chwarae efo teclyn fel sydd gan Lea am sbel, wedyn daeth llais allan o hwnnw yn deud wrtho fo pa ffordd i fynd. Edrychodd arna i.

'Iawn, Mot?' Nodiais. Gwenodd, a thanio'r injan.

Ond roedd y teclyn yn amlwg wedi torri achos nid adre aethon ni, ond i dŷ Cara a Caio a'u rhieni. Ymlwybrais yn drist i fyny'r llwybr efo Abeo, a gweld Leri'n agor y drws. Roedd hi'n sbio'n hurt arnon ni i ddechrau, neu, yn fwy penodol, yn sbio'n hurt ar Abeo. A deud y gwir, bron na fyswn i'n taeru bod 'na ofn yn ei llygaid hi. Ond cyn iddi ddeud dim, daeth Bryn at y drws a deud:

'Helô, Dr Abeo, ia? Weithiodd y Sat Nav felly, go dda. Dowch i mewn, dowch. Dach chi'n haeddu paned ar ôl hynna i gyd.' Ond aros lle'r oedd o wnaeth Abeo.

'Diolch, ond dach chi'n siŵr? Alla i aros fan hyn, os ydi o'n well.' Edrychodd Bryn yn hurt arno fo.

'Yn well? Dwi'm yn dallt... o, 'sa well i mi egluro,' meddai gan edrych ar Leri. 'Dyma Dr Abeo ddoth o hyd i Lea, ac sy wedi bod mor garedig â dod â Mot draw aton ni, fel y gweli di.' Nodiodd Leri a chamu'n ei hôl.

'O... sori, do'n i ddim wedi dallt. Dal mewn sioc. Ia, plis dowch i mewn, Doctor. Gymrwch chi baned?'

Gwrthod y baned wnaeth o, ond camodd i mewn ac es i'n syth at Cara a Caio a chael andros o ffŷs a bisgedi gynnyn nhw. Ond mi wnes i gadw clust wedi ei throi i gyfeiriad yr oedolion. Roedd Leri am fynd i'r ysbyty pan fyddai ymwelwyr yn cael mynd yno ac roedd Lea wedi gyrru neges i ddeud ei bod yn mynd i rywle o'r enw 'Ecsrei'. Doedd Abeo ddim yn gallu ateb y rhip o gwestiynau saethodd hi ato fo, heblaw am ddeud mai fi oedd wedi llwyddo i wneud iddo fo fy nilyn ati hi.

'Mae'n bosibl bydd hi'n dal yno oni bai am Mot,' meddai.

'Ci da wyt ti, 'de, Mot!' meddai Bryn, gan roi mwytha mawr i mi. 'Da iawn ti, boi.'

'Ond beryg na fyddai hi yno yn y lle cynta oni bai amdano fo,' meddai Leri mewn llais tyn. 'Dwi wedi deud o'r cychwyn bod y *canicross* 'na'n beryg.' Roedd 'na dawelwch reit annifyr am rai eiliadau, a doedd Abeo ddim yn gwybod lle i sbio.

'Leri, does 'na'm bai ar neb am hyn,' meddai Bryn. 'Mae damweiniau'n digwydd, ti'n gwbod hynny'n iawn. A dan ni'n mynd i edrych ar ôl Mot nes bydd Lea adre.'

'Ond mi allai hynny fod yn wythnosau!'

'Dydw i ddim yn meddwl hynny,' meddai Abeo wrthi mewn llais cynnes. 'Mae'n bosib iawn y bydd hi adref heno neu fory.'

'O,' meddai Leri, ac roedd ei chorff hi'n f'atgoffa i o pan wnaeth Caio adael gwynt allan o falŵn yn ei barti pen-blwydd, ond heb y sŵn.

Wedi i Abeo adael, aeth Leri at y soffa a gadael iddi ei hun syrthio'n drwm i mewn iddi a chau ei llygaid. Roedd hi'n amlwg yn poeni am ei chwaer. Neu'r ffaith mod i'n mynd i fod dan ei thraed hi am ddyddiau, do'n i ddim yn siŵr pa un. Chwarae teg i'r plant, mi wnaethon nhw fynnu mod i'n cael aros yn eu llofft nhw y noson honno; mae'n rhaid bod Leri mewn sioc go iawn achos do'n i byth yn cael mynd i'r tŷ heb sôn am fyny grisiau fel arfer. Mi wnaethon nhw wely bach cyfforddus i mi a rhoi llwyth o fwytha i mi, ac ro'n i'n falch iawn o'r sylw achos ro'n i'n poeni am Lea yn fwy na neb. Fi oedd yn byw efo hi bob dydd, ddim nhw. Ond dim ond y plant wnaeth ystyried hynny. Dyna dwi'n ei licio am blant, maen nhw'n gweld gymaint mwy nag oedolion.

Mi wnaethon nhw hefyd fynnu mod i'n cael mynd yn y car i nôl Lea o'r ysbyty y diwrnod wedyn. Ches i ddim mynd i'r adeilad ei hun, ond pan ddaeth Lea allan ar faglau a'i throed mewn rhyw fath o fwced mawr du, ges i ddod allan o'r car i'w chroesawu hi. Roedd Leri'n poeni mod i'n mynd i neidio i fyny arni a gwneud iddi ddisgyn drosodd, ond roedd synnwyr cyffredin yn deud y byddai hynny'n beth dwl i'w wneud. Ro'n i'n gallu gweld yn iawn ei bod hi angen dwy goes ychwanegol i gerdded, a'i bod hi'n welw. Do, mi wnes i gyfarth a gwichian nes iddyn nhw fy ngadael i allan o'r car, ond wrth symud tuag ati, mi wnes i orfodi fy hun i jest gwenu arni ac ysgwyd fy nghynffon yn rhacs, yna eistedd yn dawel o'i blaen hi yn syllu i fyny arni, a llyfu ei llaw hi pan bwysodd hi drosodd i roi mwytha i mi. Nefi, roedd 'na flas da arni.

'Wnest ti'm crio pan welaist ti ni…' meddai Leri.

'Ond Mam,' meddai Caio'n syth, 'Mot ydi ei ffrind gorau hi!' Chwerthin wnaeth Bryn, Cara a Lea. Chlywais i mo Leri'n chwerthin, efallai ei bod hi wedi gwenu ond faswn i ddim yn gwybod. Dim ond syllu ar Lea, fy hyfryd, annwyl Lea, o'n i. Fy ffrind gorau i yn y byd i gyd yn grwn.

Ro'n i wedi meddwl y byddai bob dim yn iawn unwaith roedd Lea adre, ond doedd pethau ddim yn hawdd. Roedd y soffa yn y lolfa'n gallu troi'n wely, felly roedd hynny'n sbario iddi fynd i fyny ac i lawr y grisiau o hyd, ond roedd o'n gorfod aros fel gwely drwy'r dydd achos roedd o mor anodd iddi ei droi'n ôl yn soffa ar ei phen ei hun. Mi wnes i drio helpu, ond ro'n i'n boenus o ymwybodol mod i'n dda i ddim. Dydi codi a gwthio gwely'n ôl mewn i soffa ddim yn un o sgiliau cŵn. Roedd o'n golygu bod llai o le i symud yn y lolfa, ond ro'n i wrth fy modd yn cael neidio ar y gwely efo hi a chael mwytha tra oedd hi'n gwylio'r teledu – am hir. Wedyn, er bod Leri wedi dod â dipyn o ddillad a stwff molchi i lawr o'r llofft iddi, roedd 'na wastad rywbeth arall roedd hi ei angen. Mi wnes i lwyddo i fynd i nôl llyfr iddi o'i llofft, ond er ei bod hi'n chwerthin yn braf pan gariais i o i mewn i'r lolfa, doedd hi ddim mor hapus pan gydiodd hi ynddo fo a sylweddoli bod fy ngheg i wedi ei wlychu o. Ro'n i wedi gwneud fy ngorau glas i'w gadw'n sych, ond mae tu mewn fy ngheg i'n wlyb, a dyna fo.

Roedd hi'n ffodus bod tŷ bach ychwanegol i lawr y grisiau, ond roedd y bath a'r gawod i fyny grisiau, ac mi fyddwn i'n poeni fy hun yn rhacs bob tro y byddai hi'n stryffaglu i fyny yno i 'molchi'n iawn'. Mi fyddwn i'n ei dilyn i fyny, reit wrth ei throed ôl hi, rhag ofn, ac yn rhoi pwt bach iddi pan fyddai hi'n ochneidio hanner ffordd. Wedyn doedd hi ddim i fod i wlychu'r droed, felly roedd ei gwylio hi'n trio cael bath efo un goes yn hongian dros yr ochr yn achosi mwy fyth o boen meddwl i mi. Pam na fyddai hi'n gallu bodloni ar lyfu'r darnau pwysig, fel fi?

Doedd mynd am dro ddim yn hawdd chwaith. Byddai Cara a Caio'n dod draw ar ôl ysgol i fynd â fi am dro, a Haf a Kate neu Rhys a Jet gyda'r nos neu ar benwythnos, ond yn y boreau, dim ond hi a fi oedd yno. Mi wnes i drio deud wrthi nad oedd angen iddi fy rhoi ar dennyn, ro'n i'n ddigon call i beidio rhedeg i'r ffordd neu ar ôl cath, ond roedd hi'n mynnu. Wedyn os oedd hi'n ei gadw'n rhy llac, byddai'r blwmin baglau'n bachu ynddo fo, ac os oedd o'n rhy dynn, doedd o ddim yn brofiad braf i'r un ohonon ni. Roedd cyrraedd y goedwig a chael fy ngollwng yn rhyddhad a deud y lleia. Ond mi fyddai hi'n gorfod eistedd ar un o'r meinciau ar ôl sbel a doedd crwydro ar fy mhen fy hun ddim yn hanner cymaint o hwyl. Do'n i chwaith ddim isio'i gadael hi ar ei phen ei hun yn rhy hir, rhag ofn.

Wedi deud hynny, ro'n i wrth fy modd yn cael ei chwmni hi drwy'r dydd, bob dydd, hyd yn oed os oedd hi â'i thrwyn yn ei ffôn yn llawer rhy aml. Diolch byth mod i wedi dysgu sut i agor y drws cefn er mwyn piciad i'r ardd pan fyddai angen.

Ar ôl chydig, byddai un o'i ffrindiau gwaith yn dod heibio yn y bore i fynd â hi i'r ysgol, ac ro'n i'n gorfod bodloni ar fy nghwmni fy hun drwy'r dydd eto. Byddai golwg wedi blino'n rhacs arni pan fyddai'n dod adre, felly ro'n i'n gorfod aros i Cara a Caio ddod draw cyn cael mynd am dro, ac weithiau, fyddai Lea ddim yn dod efo ni. Roedd yn gas gen i hynny. Pwy oedd yn mynd i edrych ar ei hôl hi os nad o'n i yno? Ro'n i'n tynnu yn erbyn y tennyn ac yn trio aros efo hi, ond wedyn byddai'n deud:

'Plis Mot, cer efo nhw. Dwi'n teimlo'n euog os na fyddi

di'n cael mynd am dro. Mi fydda i'n iawn fan hyn, dwi'n addo. Dwi jest angen rhoi 'nghoes i fyny am chydig, dyna i gyd.'

Un bore Sadwrn, roedd Leri wedi mynd â ni yn ei char i siopa. Wel, nhw oedd yn siopa, ro'n i jest yn gorfod aros amdanyn nhw yn y car, ar lwyth o fagiau plastig yn y darn cefn. Do'n i ddim yn drwglicio hynny, achos ro'n i'n gallu gwylio pobl yn mynd heibio efo'u trolis.

Dwi'n meddwl bod Abeo wedi fy ngweld i cyn i mi ei weld o. Daeth at gefn y car a syllu arna i. Ro'n i'n sbio'n hurt arno fo am chydig, ond wedyn mi wnes i ei nabod o, a phan neidiais i ar fy mhedwar ac ysgwyd fy nghynffon, mi wnaeth yntau wenu arna i, a gweiddi:

'Helô Mot! Rwyt ti'n cofio fi!' Ro'n i'n ysu isio dod allan i'w lyfu o a diolch iddo fo am helpu Lea, ond ro'n i'n hollol, gwbl sownd, doeddwn? Rhaid i mi gyfadde, es i'n reit rhwystredig a neidio a throi mewn cylchoedd yn y bŵt cyfyng, ac yn sydyn, roedd 'na sŵn a fflachio mwya ofnadwy. Roedd y car yn protestio. Mi wnes i orwedd i lawr a rhoi fy mhawennau dros fy nghlustiau yn y gobaith y byddai'r sŵn yn stopio ond aeth o mlaen a mlaen a mlaen nes roedd fy nghlustiau i bron â hollti. Ond ro'n i'n gallu clywed rhywun yn gweiddi hefyd, a llais Abeo yn trio swnio'n rhesymol.

'I was not. I saw the dog. I know him. I know the dog! I was just trying to say hello…' Ond roedd 'na fwy o leisiau'n gweiddi ac yn deud pethau cas. Neidiais i fyny eto a thrio cyfarth arnyn nhw i adael llonydd iddo fo, ond dwi'n meddwl bod hynny jest wedi gwneud pethau'n waeth.

Diolch byth, daeth Leri o rywle efo troli llawn bagiau, a Lea y tu ôl iddi, a nath Lea weiddi ar y lleisiau diarth, a gwneud i Leri agor y bŵt a 'ngadael i allan fel mod i'n gallu mynd at Abeo a dangos cymaint o'n i'n ei licio fo. Wnaeth y bobl flin adael wedyn, ond ro'n i'n gallu deud bod Abeo wedi cymryd ato, er iddo drio deud ei fod wedi arfer efo pethau fel hyn. Ond dydi rhywun byth yn dod i arfer efo pobl yn bod yn gas ac yn rhoi bai arnoch chi ar gam, nacdi? Roedd 'na boen a blinder yn ei lygaid o a gallai Lea weld hynny hefyd, a nath hi fynnu ein bod ni i gyd yn mynd i gaffi efo byrddau tu allan. Edrychodd Leri ar y teclyn ar ei garddwrn, ond ddywedodd hi ddim byd.

Eistedd yn sownd wrth goes Abeo wnes i yn y caffi, ac yna gorffwys fy ngên ar ei lin o. Ro'n i mor falch o'i weld o eto. Ro'n i wrth fy modd efo'i lais cynnes o'n holi Lea am ei ffêr ac oedd hi'n cael ffisio a'i weld o'n gwenu arni efo'i lygaid wrth wrando ar ei hatebion hi. Roedd ei ogla fo, ei ddwylo fo, bob dim amdano fo'n dangos i mi bod hwn, o'r diwedd, yn ddyn fyddai wir yn siwtio Lea. Ond oedd hi'n gallu gweld hynny? Astudiais ei hwyneb hi, ei chorff hi, ei llais hi, bob dim, ac oedd, roedd hi'n bendant yn mwynhau sgwrsio efo fo ac yn taflu ei phen yn ôl pan fyddai'n chwerthin. Mi wnes i ei dal hi'n chwarae efo'i gwallt wrth wrando arno fo hefyd. Ond ddim fi oedd yr unig un i sylwi. Roedd Leri'n ei gwylio hi – a fo – fel cath ar ben wal yn gwylio bwrdd adar.

'Gyda llaw, dwi wedi eich cyfarfod chi o'r blaen,' meddai Abeo wrth Lea, 'ond mae'n siŵr nad ydych chi'n cofio. Ro'n i'n chwarae rygbi a gwnaeth Mot ddwyn y bêl.'

'O mam bach!' chwarddodd Lea. 'Chi oedd yr un lwyddodd i'w ddal o, ynde! Roedd gen i ffasiwn gywilydd...'

'Roedd o'n ddoniol,' meddai Abeo. 'A doeddwn i erioed wedi gweld ci fel Mot o'r blaen, felly ro'n i'n cofio fo.'

'O, cofio Mot, ddim fi, ia?' Chwerthin wnaeth Abeo, doedd o'n amlwg ddim yn ddyn i ddeud celwydd jest er mwyn plesio. Ond roedd o wedi fy mhlesio i yn ofnadwy.

Mi gerddodd o'n ôl at y car efo ni wedyn, a do'n i heb eu clywed nhw'n trefnu i gyfarfod eto na rhoi rhifau ffôn i'w gilydd na dim, felly mi wnes i sioe o roi sylw mawr iddo fo a gwichian fel babi pan ddechreuodd o gerdded i ffwrdd a thynnu yn erbyn y tennyn fel taswn i isio'i ddilyn o. Leri oedd ar ben arall y tennyn, felly mi wnes i dynnu'n eitha hegar.

Chwerthin wnaeth Lea a deud:

'Mae o wedi cymryd atoch chi o ddifri!'

'Mae'n ddrwg gen i. Cymryd atoch?'

'Licio chi'n ofnadwy!'

'O! Wel, dwi wedi cymryd atoch chi hefyd,' gwenodd Abeo gan fynd ar ei gwrcwd i roi mwytha mawr i mi. Llyfais ei wyneb yn rhacs.

'Naci, wedi cymryd ato fo, ddim chi,' meddai Leri.

'O. Mae'n ddrwg gen i. Do, dwi wedi cymryd ato fo hefyd,' meddai Abeo. Ro'n i isio iddo fo ychwanegu 'Ond ddim chi'. Ond wnaeth o ddim.

'Fysach chi'n licio mynd am dro efo ni ryw dro?' meddai Lea yn sydyn. 'Efo Mot. A fi.' Ro'n i mor hapus o'i chlywed hi'n deud hynna, bron i mi bi-pi.

'Wrth gwrs!' gwenodd Abeo. 'Unrhyw amser.'

Felly wnaethon nhw gyfnewid rhifau ffôn ac mi ges i'r awydd cryfa erioed i udo. Ond dydi dwygoesiaid ddim bob amser yn gallu deud mai udo hapus ydi udo, felly wnes i ddim. Edrychais i fyny ar Leri, a doedd hi ddim yn edrych fel petae hi isio udo, ond doedd hi ddim yn gwgu chwaith. Tybed oedd hithau wedi llwyddo i weld bod hwn yn ddyn da?

Erbyn i Lea gael gwared o'r bwced du oddi ar ei throed, roedd Abeo a ni wedi bod am dro o leia unwaith yr wythnos ac roedden nhw wedi stopio galw ei gilydd yn 'chi'. Roedd o hefyd wedi mynd â hi allan am fwyd bedair gwaith, i'r sinema ddwywaith, ac roedd 'na gymaint o flodau yn y tŷ, roedd y lle'n arogli fel gardd. Bob tro y byddai o'n ffonio neu'n gyrru neges neu'n sefyll yn y drws efo'i wên swil, ro'n i'n gallu gweld croen Lea'n cynhesu a synhwyro ei chalon hi'n cyflymu.

Mi fues i'n ei astudio fo'n ofalus bob tro, achos dach chi byth yn gwybod efo dwygoesiaid. Mae'r ffin yn denau rhwng rhywun sy'n llawn sylw a gofal o rywun, a rhywun sydd jest isio rheoli. Ond doedd Abeo'n dangos dim gronyn o fod isio'i rheoli hi – na fi o ran hynny. Oedd, roedd o'n edrych ar ei hôl hi, ond mewn ffordd glên. Pan ddaethon ni'n ôl o fynd am dro chydig yn hirach nag arfer, roedd Lea'n amlwg wedi blino. Roedd ei hwyneb hi'n welw a'i llygaid yn llawn poen.

'Ar y soffa, coesau i fyny,' meddai o wrthi gan dynnu ei bwced hi oddi ar ei throed a rhoi clustogau o dan ei choes. Gwnaeth o baned iddi, wedyn aeth i'r cwpwrdd dan staer a thynnu'r hwfyr allan. Edrychodd Lea'n hurt arno fo, wedyn arna i. Gwenais arni, cyn ymuno efo hi ar y soffa – yn ofalus.

'Does 'na'm angen i ti neud hynna, Abeo,' meddai hi.

'Oes,' meddai, gan fwrw ati i hwfro. Ar ôl chydig, doedd o'n amlwg ddim yn hapus efo'r ffordd roedd yr hwfyr yn gweithio, felly dechreuodd dynnu'r peiriant yn ddarnau. Gofynnodd lle roedd hi'n cadw'r bagiau hwfyr a mynd ag un llawn iawn, iawn i'r bin tu allan. Bu'n ffidlan efo sgriwdreifar cyn rhoi'r cyfan yn ôl at ei gilydd. Roedd 'na sŵn llawer mwy pwerus ar y peiriant wedyn, a gwenodd arnon ni wrth lanhau'r stafell yn drylwyr – y cyrtens a'r nenfwd hyd yn oed, cyn symud yn ei flaen i lanhau pob stafell arall hefyd.

Cusanodd Lea dop fy mhen i cyn deud yn fy nghlust:

'Does 'na'r un dyn wedi hwfro i mi o'r blaen…'

Ar ôl cadw'r peiriant, gofynnodd Lea iddo fo pam fod meddyg yn gallu hwfro cystal.

'Bues i'n gweithio mewn gwesty mawr am blwyddyn neu ddau,' meddai. 'Dad, Mam, fi a fy chwiorydd. Ro'n i angen yr arian i dalu am y cwrs meddygaeth. Dwi hefyd yn gallu gwneud byrgyrs a sglodion, os wyt ti'n hoffi byrgyrs a sglodion. Ond rhaid i mi gyfaddef, dwi'n casáu'r ogla erbyn hyn. Joloff reis i mi phob amser.'

'Bob tro,' gwenodd Lea, cyn ychwanegu'n frysiog: 'Mae'n iawn i mi dy gywiro di weithia, yndi? Achos does 'na'm byd o'i le efo "bob amser", dim ond bod "bob tro" yn swnio'n fwy naturiol.'

'Cei di gywiro fi bob tro,' gwenodd Abeo. Crychodd Lea ei thrwyn.

'Wel, mae amser yn well yn fanna deud gwir, unrhyw amser, neu unrhyw adeg.'

Chwarddodd Abeo ac ysgwyd ei ben. 'Bydda i byth yn rhugl.'

'Paid â bod yn wirion, ti yn rhugl, dwi jest yn pigo arnat ti.'

'Cei di pigo arna i unrhyw amser.' Gwenodd y ddau ar ei gilydd ac mi wnes i deimlo rhywbeth yn symud yn fy nghalon. Do'n i ddim wedi gweld y ddau yn llyfu cegau ei gilydd eto, ond ro'n i'n gwybod y byddwn i'n hapus tasan nhw'n gwneud.

'Pryd wyt ti'n mynd i ddangos i mi sut i neud Joffol reis, 'ta?' gofynnodd Lea iddo fo.

'Joloff!' chwarddodd Abeo. Ro'n i wrth fy modd efo'r ffordd roedd o'n chwerthin. Roedd o'n dod o'i stumog, a'i ben a'i ysgwyddau'n ysgwyd. Roedd ei gorff o i gyd yn chwerthin. Edrychais ar wyneb Lea. Roedd hithau'n amlwg yn licio'r ffordd roedd o'n chwerthin hefyd. Roedd hi'n syllu arno fo efo llygaid fel yr awyr pan mae'r haul yn torri drwy'r cymylau. Daliodd o ei llygaid hi a rhoi'r gorau i chwerthin a syllu'n ôl arni. Ro'n i'n gallu teimlo corff Lea'n mynd yn boeth drwy fy nghôt i. Wedyn wnaeth o gerdded ati, plygu i lawr a llyfu ei cheg hi. Wel, ddim llyfu, roedd o'n fwy o gyffwrdd ei gwefusau hi efo'i wefusau o. Gan mod i'n gorwedd wrth ochr Lea, a fy mhen yn agos at ei phen hi, ro'n i'n gweld y cyfan yn agos iawn, iawn. Roedd o'n ddiddorol, ond roedd o'n rhyfedd, ac roedd o'n mynd ymlaen am hir, ac wedyn rhoddodd Lea ei breichiau am ei wddw o.

Ro'n i mewn lle cas, ac ro'n i mewn peryg o gael fy ngwasgu gan gorff Abeo. Ond ro'n i'n mwynhau eu gweld nhw'n mwynhau blas ei gilydd, felly mi wnes i benderfynu dangos mod i'n cymeradwyo'r datblygiad newydd yma, ac ymuno yn y llyfu cegau.

PENNOD 25 _Lea_

Felly roedd ein cusan gynta ni'n un na fydden ni byth yn ei hanghofio. Mi fuon ni'n chwerthin am y peth am flynyddoedd. Dwi'n dal i chwerthin pan mae rhywbeth yn f'atgoffa i ohono fo. Rhywbeth fel arolwg hurt mewn cylchgrawn neu ar Facebook am 'Your first kiss'.

Mi wnes i adael i Abeo wybod ei fod o'n amlwg wedi pasio'r Prawf Mot, ac mi ddatblygodd pethau'n eitha cyflym o fanno. Ond mi gymerodd o'i amser yn rhywiol, drapia fo! Doedd o ddim isio'i neud o'n rhy sydyn, medda fo, ac roedd y diawl wrth ei fodd yn fy ngweld i'n gwingo a chrefu, ond pan ddigwyddodd o o'r diwedd, ro'n i ar dân. Erbyn hynny, roedd o'n gwybod yn union pa rannau ohona i oedd fwya sensitif, ac ro'n i wir yn meddwl mod i'n mynd i ffrwydro.

Dwi'n cofio ein bod ni wedi gorwedd ym mreichiau'n gilydd am oriau wedyn, yn sbio i lygaid ein gilydd, a jest yn 'gwybod'. Pan wnaeth o adael i fynd i'w waith, roedd gen i ffasiwn hiraeth amdano fo. Allwn i ddim rhwystro fy hun rhag gyrru negeseuon hurt a dwl ato fo, yn emojis i gyd. Ond ro'n i'n cael rhai hurt a dwl a hyfryd yn ôl. Pan gyrhaeddodd o'n ei ôl y noson honno, a sefyll yn y drws efo llond ei hafflau o rosod cochion, bu bron i mi daflu fu hun ato fo. Bu'n rhaid i'r rhosod aros cyn cael diod, ro'n i isio bod yn noeth efo fo eto, yn fanno, ar y llawr, y munud hwnnw. Ac mi ges i fy ffordd, a jest i ni'n dau ffrwydro eto. Roedd Mot wedi mynd i'r gegin, allan o'r ffordd, chwarae teg iddo fo.

Ar ôl chydig fisoedd, gofynnodd i ni symud i mewn ato fo, achos roedd ei dŷ a'i ardd o chydig yn fwy, ac yn nes at y mynyddoedd, felly dyna ddigwyddodd. Roedd fy ffêr i wedi gwella'n dda ac roedd hi mor handi cael doctor i fy annog i ddechrau rhedeg eto, yn ofalus ac yn araf a dim ond chydig ar y tro. Beryg y byddwn i wedi gwneud gormod yn rhy sydyn oni bai amdano fo.

Roedd hi'n braf rhannu tŷ efo rhywun arall eto, a pheidio gorfod bwyta'r un pryd o fwyd am ddeuddydd a mwy. Byddai pethau bychain yn rhoi gwên ar fy wyneb i, fel gallu gwasgu'r diferion olaf allan o botel o siampŵ neu sebon cawod ar ôl cwpwl o fisoedd yn hytrach na blynyddoedd. Doedden ni ddim yn ffysian am ddefnyddio stwff 'fo' neu 'hi' ac roedd 'na rywbeth braf am y ffaith ein bod ein dau yn arogli o goconyt neu leim yr un pryd.

Doedd Abeo chwaith yn poeni'r un daten am yr holl glustogau oedd gen i. Roedd o wedi arfer achos roedd gan ei fam o fyddin ohonyn nhw.

Aethon ni am dro efo Haf a Kate, ac roedd y ddau wedi cymryd ato fo'n syth. Roedd Rhys wedi gwirioni efo fo, yn enwedig pan ddeallon nhw eu bod ill dau yn nyrds *Star*

Trek a dechrau siarad Klingon efo'i gilydd. Ond roedd Rhys yn gwybod mwy nag Abeo, felly wnaethon nhw fodloni ar ddyfynnu eu hoff linellau, o 'Highly illogical' i 'I canna' change the laws of physics', a 'You may find that having is not so pleasing a thing after all as wanting. It is not logical, but it is often true' i'r unig un ro'n i'n gyfarwydd â hi: 'To boldly go where no man has gone before.' Ond wnes i rioed ddallt apêl *Star Trek*. Na *Star Wars*. A dwi erioed wedi gallu dyfynnu unrhyw linell o fy hoff ffilmiau, ar wahân i'r un 'life is like a box of chocolates' allan o *Forrest Gump*. A phan wnes i drio ei deud hi wrthyn nhw, mi wnaeth y dau fy nghywiro i fel deuawd llefaru: 'Life **was** like a box of chocolates.' Dwi'n meddwl mai rhyw chwinc mewn dynion ydi'r holl ddyfynnu 'ma.

Roedd fy mywyd i'n sicr fel bocs siocledi Forrest Gump, achos wnes i rioed ddychmygu y byswn i'n diweddu efo doctor, a hwnnw o gefndir hollol, gwbl wahanol i mi. Mi ges i fynd i Lundain i gyfarfod ei deulu o, ac roedden nhw'n lyfli. Roedd Agnes, ei fam o, yn ddynes fawr, fywiog oedd yn chwerthin drwy'r amser ac yn mynnu ein bwydo efo hoff fwydydd ei mab. Roedd y *plantain* wedi ffrio yn neis, a'r peli bach *akara*; ocê oedd y *pounded yam* a'r *garri* ond do'n i ddim yn siŵr am y *moi moi* (cylchoedd o ffa wedi eu stemio) ac ro'n i wir methu cymryd at gawl *egusi*. Roedd o'n flas mor wahanol i unrhyw beth ro'n i wedi ei flasu o'r blaen. Hadau melon oedd yn rhoi'r blas hwnnw, mae'n debyg, ond doedd o ddim byd tebyg i felon. Allwn i ddim peidio â sylwi bod Agnes reit siomedig mod i ddim wedi mwynhau hwnnw, ond roedd hi'n gwenu fel giât pan gladdais i mewn i'r reis Joloff. Ond ro'n i wedi hen arfer efo hwnnw erbyn hynny.

Ikemba oedd enw ei dad o, ond wnaeth o ddeud bod pawb Saesneg yn ei alw'n Ike, i odli efo 'like', am ei fod o'n haws iddyn nhw ei ddeud a'i gofio. Dwedais i mod i'n gallu deud a chofio 'Ikemba' yn iawn, ac mi wenodd arna i, ac yna ar Abeo. Ro'n i'n amlwg wedi plesio. Fo oedd y cyntaf o'r teulu i adael Nigeria, pan symudodd o i Lundain yn y saithdegau efo cannoedd o bobl eraill o Nigeria.

'The oil boom was over and the economy plummeted,' meddai. Roedd ganddo swydd dda yn Lagos, yn ddyn busnes fyddai'n gwisgo siwt a thei bob dydd, ond doedd dod o hyd i waith yn Llundain ddim yn hawdd i rywun du ei groen yn y dyddiau hynny, a chrafu am waith casglu sbwriel a glanhau fu ei hanes am hir. Daeth Agnes draw flwyddyn yn ddiweddarach a setlodd y ddau yn Peckham. Glanhau fu hithau ond rhyngddyn nhw, llwyddodd y ddau i sefydlu busnes glanhau reit lwyddiannus.

'I wear a suit and tie to work again,' meddai, 'as does my son – the doctor. And one of my daughters is a lawyer, the other an accountant. I am happy. We are both happy. It was worth it,' meddai gan glincian gwydrau gyda'i wraig.

Ges i wybod ar y ffordd adre ar y trên bod rhieni Abeo wedi mynd drwy brofiadau caled iawn er mwyn sicrhau bywyd gwell i'w plant: cael eu trin fel baw yn y gwaith ac yn gymdeithasol, pobl a phlant yn galw enwau arnyn nhw yn y stryd, pobl yn gwrthod llety iddyn nhw pan fydden nhw'n trio mynd am wyliau i rannau eraill o'r wlad, staff siopau yn eu dilyn o gwmpas, yn ei gwneud hi mor amlwg eu bod nhw'n meddwl eu bod yn mynd i ddwyn, a *skinheads* yn ymosod arnyn nhw dim ond am fodoli.

'Cafodd un o ffrindiau gorau Dad ei ladd ar ôl bod yn gweld gêm bêl-droed,' meddai Abeo. 'Ond cafodd neb ei gyhuddo.'

Roedd o'n swnio fel uffern i mi. Ond 'It was worth it,' roedd Ikemba wedi ei ddeud. Tybed?

'Oedd hynna'n fywyd gwell go iawn?' gofynnais. 'Oedden nhw ddim yn difaru gadael Nigeria? Achos dach chi i gyd yn amlwg wrth eich boddau'n mynd yn ôl yno ar wyliau.'

Rhoddodd hanner gwên i mi a chymryd sip o'i goffi cyn ateb.

'Mae'r tywydd yn llawer gwell,' meddai. 'Ac oes, mae gen i berthnasau sydd wedi gwneud yn dda iawn yno. Ond mae gen i berthnasau eraill oedd yn y lle anghywir ar yr amser anghywir… mae'n amhosib gwybod be fyddai ein hanes ni tasai Dad ddim wedi dod i Brydain pryd – pan – wnaeth o. Ond byddwn i'n bendant ddim wedi dy gyfarfod di.'

Allwn i ddim peidio, mi rois i andros o gusan iddo fo, ar y trên, o flaen pawb.

Doedd fy rhieni i ddim cweit mor gynnes eu croeso iddo fo, ond wnaethon nhw erioed roi croeso cynnes iawn i unrhyw un o fy nghariadon i. Ro'n i wedi cael sgwrs 'dim lol' efo Mam ar y ffôn ddyddiau ymlaen llaw.

'Dwi ddim isio i ni drafod gwleidyddiaeth na chrefydd na lliw ei groen o na dim byd felly, iawn, Mam?'

'Lea, dwi'n gwbod dy fod ti'n meddwl ein bod ni'n

hiliol, ond tydan ni ddim. Ro'n i wedi meddwl y gallen ni i gyd wylio *Luther* efo'n gilydd ar ôl swper, iddo fo gael teimlo'n gyfforddus.'

'*Luther?*' Doedd gen i ddim syniad am be roedd hi'n sôn.

'Ia, y gyfres newydd 'na ar y BBC efo Idris Elba. Mae o'n dipyn o bishyn am ddyn du, tydi? Fel Sidney Poitier. Dwi wastad wedi licio hwnnw hefyd.'

Asiffeta. Roedd gynnon ni fynydd i'w ddringo.

'A does gynnon ni ddim byd yn erbyn Moslemiaid. Mae'r ddynes yn y *chemist* yn Foslem ac mae hi'n neis iawn.'

'Mam... Mae teulu Abeo yn Fethodistiaid.'

Saib.

'Be? Fel ni?'

'Ia, Mam. Yn union fel ni.' Ro'n inna wedi fy synnu pan ddwedodd Abeo wrtha i gynta, achos roedd gen i syniad gwirion yn fy mhen mai rhywbeth Cymreig oedd Methodistiaeth, ond na, mae'n debyg bod 'na ddwy filiwn o Fethodistiaid yn Nigeria, heb sôn am y rhai o dras Nigeriaidd ym Mhrydain.

'Ac mae o wrth ei fodd efo *Pobol y Cwm*,' ychwanegais. 'Nath o ddechre gwylio pan oedd o'n dysgu Cymraeg a rŵan mae o'n *hooked*.'

'*Pobol y Cwm?* Dow...'

Ro'n i'n llawer mwy nerfus nag Abeo yn cerdded mewn i'w byngalo nhw, ond aeth y noson yn rhyfeddol o dda. Roedd Dad wedi chwarae rygbi yn ei ddydd hefyd, felly mi fuon nhw'n trafod perfformiadau Shane Williams, James Hook a Jonny Wilkinson am hir.

'Felly cefnogi Cymru neu Loegr fyddi di?' gofynnodd Dad.

'Wel, Sais ydw i,' meddai Abeo, 'felly dwi wastad wedi cefnogi Lloegr, ond ers byw yng Nghymru a dysgu Cymraeg – a cyfarfod Lea, dwi'n gorfod cefnogi Cymru…' Do'n i ddim yn siŵr pa mor wir oedd hynna pan fyddai Cymru a Lloegr yn chwarae yn erbyn ei gilydd, ond gan nad oedd gen i gymaint â hynny o ddiddordeb yn y gêm ar y pryd, do'n i rioed wedi ei holi. Ro'n i jest yn falch bod ei ateb wedi plesio Dad.

Roedden nhw eu dau yn amlwg yn licio'r ffaith ei fod o'n ddoctor. Yn anffodus, mi fuon nhw'n ei holi'n dwll am eu problemau meddygol; Mam am boen oedd ganddi yn ei phenelin a Dad am ryw rash ar ei droed. Mi dynnodd ei hosan i'w ddangos a bob dim. Es i i'r gegin i olchi llestri.

Ro'n i wedi gadael Mot adre efo Rhys a Jet pan es i i Lundain i weld teulu Abeo, achos do'n i ddim yn ffansïo mynd â fo yr holl ffordd ar y trên, a dydi hi ddim yn deg mynd â chi mawr fel'na i gartref rhywun sydd ddim wedi arfer efo ci yn y tŷ, ond es i â fo efo ni at Mam a Dad. Nacdyn, dydyn nhw ddim wedi arfer efo ci yn y tŷ chwaith, ond tyff. Caru fi, caru 'nghi. Roedd eu cathod nhw wedi marw erbyn hynny, diolch byth. Ac roedd Mot yn esgus i Abeo a finna adael y tŷ i fynd â fo am dro. Aethon ni'n syth ar ôl y sioe dangos y rash.

'Sori am hynna,' meddwn wrth i ni gamu i fyny'r stryd.

'Paid â phoeni, mae'n digwydd o hyd,' meddai. 'Ond… ro'n i jest isio gofyn: ydi Mot yn arfer rhoi cymaint o sylw i dy dad?'

Ro'n i wedi sylwi bod Mot wedi mynd reit od ar ôl i Dad roi rhyw fwytha sydyn i'w ben o cyn pwyso'n ôl yn ei gadair. Roedd o wedi snwffian o'i gwmpas o'n arw, rhoi 'ielp' bach rhyfedd, wedyn eistedd o'i flaen o'n syllu arno fo am hir. Wedyn roedd o wedi mynnu trio'i lyfu o fwy nag unwaith, a Dad wedi ei wthio i ffwrdd bob tro gan gwyno bod 'y blydi ci 'ma wedi'i ddifetha, isio sylw bob munud'. Ro'n i wedi cydio yn ei dennyn o a'i gadw wrth fy ochr i ar ôl hynna, ond wnaeth o ddim setlo fel y bydd o'n arfer gwneud, ac roedd o wedi mynd reit anniddig pan dynnodd Dad ei hosan, ond do'n i ddim yn mynd i adael iddo fo lyfu'r rash 'na, nag o'n?

'Nac ydi. Byth,' atebais. 'Pam ti'n gofyn?'

'Dwi ddim yn siŵr, os dwi'n onest. Ond dwi wedi clywed am gŵn sy'n gallu arogli salwch mewn pobl. Roedd ci wedi bod yn llyfu briw y tu ôl i glust dyn 75 oed, drosodd a throsodd, a phan aethon nhw at y GP, melanoma oedd o.'

Es i'n chwys oer drosta i'n syth.

'Ti'n meddwl bod gan Dad gansar?!'

'Na, dwi ddim yn deud hynna,' meddai Abeo yn syth, 'ond ces i deimlad od. Cest ti ddim?'

Pan aethon ni'n ôl i'r tŷ, mi wnes i ollwng Mot yn rhydd o'i dennyn, ac aeth o'n syth at Dad a thrio'i lyfu o eto, yna edrych arna i, wedyn ar Dad eto, drosodd a throsodd. Edrychodd Abeo arna i. Cododd Dad yn flin gan gyhoeddi ei fod angen mynd i'r tŷ bach.

'Mr Williams,' meddai Abeo. 'Dwi'n meddwl bod Mot yn trio dweud rhywbeth wrthon ni. Fyddech chi'n gallu gwneud dŵr i mewn i jar neu sosban neu rywbeth?'

'Y?' Edrychodd Dad arno fo fel tasa fo wedi gofyn iddo fo ddawnsio'n noeth.

'Dim ond arbrawf... un meddygol,' meddai Abeo. Mae'n rhaid bod y gair 'meddygol' wedi ei gneud hi, achos aeth Dad â jar wag i mewn efo fo. Roedd Mam wedi brysio i nôl un o'i chwpwrdd jariau achos doedd hi'n sicr ddim isio defnyddio un o'i sosbenni.

Pan roddodd Abeo y jar o flaen Mot, edrychodd hwnnw'n hurt arni cyn ei sniffian, ac yna cyfarth a gwichian yn boenus a mynd at Dad i edrych yn ddigalon arno eto.

Aeth Abeo â'r jar i'r gwaith efo fo drannoeth, a dyna pam gafodd Dad ei alw mewn i weld ei feddyg ei hun. Roedd ganddo ganser y prostad, ond gan ei fod wedi ei ddal yn gynnar, byddai modd ei reoli. Bob tro y bydden ni'n mynd i weld fy rhieni wedi hynny, byddai Mot yn cael andros o groeso a ffŷs. Byddai hyd yn oed yn cael anrheg Nadolig ganddyn nhw, wedi ei lapio a'i labelu a bob dim, ond Mam oedd yn gwneud hynny, nid Dad. Dwi'm yn meddwl bod Dad wedi lapio unrhyw anrheg Nadolig yn ei fyw, ond ges i wybod gan Mam mai fo fyddai'n dewis yr anrheg bob tro. Mi fydden nhw'n rhoi anrheg i Abeo hefyd, yn ddi-ffael, hyd yn oed cyn i ni briodi: potel o whisgi fel arfer. Mae gynnon ni fyddin ohonyn nhw yn y cwpwrdd diod erbyn hyn.

Roedden ni wedi bod yn canlyn ers dwy flynedd pan wnaethon ni benderfynu y byddai priodi'n syniad da. Roedden ni'n dau isio plant ond roedd ei rieni o'n grefyddol iawn, yn Fethodistiaid pybyr, a doedd Abeo ddim isio eu siomi nhw drwy gael plant y tu allan i briodas.

Dwi ddim yn grefyddol, ond mewn capel Methodist ges i fy medyddio, ac roedd hynny wedi eu plesio nhw.

Felly naddo, ches i mo'r profiad o'i weld o'n mynd ar ei ben-glin i ofyn mewn ffordd ramantus. Dwi ddim hyd yn oed yn cofio pwy wnaeth grybwyll y peth gynta, roedd o jest yn rhywbeth naturiol i'w wneud, rhywsut. Roedden ni'n caru'n gilydd ac yn gallu byw efo'n gilydd heb fynd ar nerfau'n gilydd – wel, ddim gormod.

Dwi'n cofio pryd wnes i sylweddoli gynta mod i'n ei garu o. Roedden ni wedi mynd allan ar nos Sadwrn a landio yn y Llew Coch, lle'r oedd 'na DJ ym mhen draw'r stafell a chwpwl o ferched mewn sodlau hurt o uchel yn trio dawnsio. Eistedd ar stolion wrth y bar wnaethon ni, ond roedd Abeo'n amlwg jest â drysu isio dawnsio, achos roedd ei draed a'i ben a'i ddwylo methu peidio symud. Yna daeth 'Tubthumping' Chumbawamba mlaen, yr un sy'n mynd 'I get knocked down but I get up again', ac mi neidiodd oddi ar ei stôl, cydio yn fy llaw i a fy llusgo i ddawnsio. Ro'n i wrth fy modd, achos ro'n i'n licio'r gân yna hefyd, ac mi fuon ni'n dau (ac ugeiniau o bobl eraill) yn cydganu (neu weiddi) a neidio i fyny ac i lawr i'r gytgan. Ond doedd neb arall, yn fy nghynnwys i, yn siŵr be i'w neud yn y darnau tawelach rhwng y gytgan. Roedd Abeo'n wahanol: roedd o'n dal i ddawnsio fel tasa neb yn ei wylio fo, yn gwenu fel giât, ei lygaid ar gau, a'i gorff a'i gyhyrau o'n symud yn hypnotig i'r miwsig. Dwi'n cofio teimlo lwmp yn fy ngwddw a 'nghalon i'n toddi, ac ro'n i'n gwybod mod i mewn cariad llwyr efo fo.

Dwi'n cofio achlysur arall ddaeth â dagrau i fy llygaid i.

Roedden ni'n gyrru adre ar ôl bod am dro ar y Carneddau. Abeo oedd yn gyrru, a phan oedden ni ar ffordd fach dawel rhyw filltir o'r tŷ, mi freciodd yn sydyn, mor sydyn, mi faswn i wedi taro'r windsgrin oni bai am y belt oedd amdana i. Ges i andros o sioc achos do'n i ddim wedi gweld rheswm iddo fo stopio mor ddirybudd, ac ro'n i'n flin. Edrychais yn hurt arno'n neidio allan o'r car ac yn plygu o flaen y bonet. Camais allan yn barod i roi llond pen iddo fo, a gweld teulu o ddraenogod: un oedolyn a thri o rai bach reit ynghanol y ffordd. Roedd 'na gar diamynedd y tu ôl i ni erbyn hyn, ond aeth Abeo ddim yn ôl at y llyw nes roedd y teulu wedi croesi'n ddiogel a diflannu i'r coediach. Roedd gen i ddagrau yn fy llygaid, a dwi'n cofio teimlo ton o wres hyfryd yn codi drwy 'nghorff i, nes bod fy nghalon i'n teimlo o leia ddwywaith yn fwy a blaenau fy mysedd i'n canu.

Er gwaetha'r boi blin yn bibian y tu ôl i ni, wnes i ddim gadael i Abeo yrru yn ei flaen nes i mi orffen rhoi andros o sws hir iddo fo.

Yn fuan wedyn, roedden ni mewn gŵyl leol, lle roedd 'na fandiau a bwyd a llwythi o bobl yn yfed. Roedden ni'n dau wrth ein boddau, nes i mi weld Peter yn sbio arnan ni. Sefyll wrth far tu allan oedd o, efo peint o Guinness yn ei law a'i fêts o'i gwmpas o. Ro'n i wedi llwyddo i'w osgoi o bob tro fyddai o adre tan hynny, ond ro'n i'n gwybod y byddai hyn yn siŵr o ddigwydd yn hwyr neu'n hwyrach. Doedd Abeo rioed wedi fy holi'n rhy fanwl am fy hanes carwriaethol, ond ro'n i wedi deud wrtho fo am Mot yn gwneud ei fusnes yn sgidiau Wyn, ac wedi rhyw hanner sôn am yr uffern es i drwyddi efo Merfyn ac am 'un boi wnaeth ddim pasio'r Prawf Mot o gwbl' a bod Mot wedi'i frathu o. Peter oedd hwnnw. A dyma fo rŵan yn cerdded yn ddioglyd tuag aton ni efo'i goesau hirion a'i liw haul. Roedd Mot wedi ei weld o, neu ei synhwyro fo, yr un pryd â fi. Sythodd a chamu o mlaen i.

'Wel helô,' gwenodd Peter gan stwffio ei frest allan fel ceiliog, ond gan gadw hyd tennyn i ffwrdd hefyd. 'Ydi'r ci 'ma'n dal yn beryg bywyd gen ti?'

'Dim ond efo pobl 'di o ddim yn eu licio,' gwenais yn ôl.

'Mae o'n amlwg yn licio dy bartner newydd di,' meddai gan amneidio at Abeo, oedd ddim ond newydd droi i sbio arno fo. 'I was just saying you must like dogs,' eglurodd braidd yn rhy nawddoglyd yn fy marn i.

'Ydw, dwi wrth fy modd efo cŵn,' meddai Abeo. 'A siarad Cymraeg,' ychwanegodd pan welodd bod Peter wedi dechrau piffian chwerthin. Estynnodd ei law ato gan ddeud ei enw.

'Abi-be?' meddai Peter efo piffiad arall.

'Abeo. Ab-e-o.' Roedd ei lais o'n hollol glên, ac er nad oedd o'n gwenu, doedd o'n sicr ddim yn edrych nac yn swnio'n flin, ac roedd o'n dal i ddal ei law allan nes bod Peter yn gorfod ei gwasgu. 'A pwy wyt ti?'

'Peter. Hen… ffrind i Lea. Dwi'n beiriannydd – *engineer* ar *oil rigs*.' Roedden nhw'n dal i ysgwyd dwylo ond doedd 'run ohonyn nhw i'w weld yn gwingo, felly do'n i ddim yn siŵr pa mor galed oedden nhw'n gwasgu. Ar y pryd.

'Braf dy gyfarfod di, Peter. Dwi'n feddyg – GP – mewn syrjeri.' Doedd Peter ddim yn siŵr sut i ymateb i hynna, ar wahân i ollwng ei law o, ac roedd 'na fymryn o saib, felly mi wnes i benderfynu ei lenwi o.

'Dan ni'n priodi,' meddwn mewn llais ddoth allan fymryn yn uwch nag arfer, gan ddangos fy modrwy. 'Wyt ti wedi ffindio rhywun eto?'

'Fi? Ti'n nabod fi, Lea. Dim brys, nag oes? Neu... oes gynnoch chi reswm i frysio?' Edrychais arno'n hurt. A gwnaeth yntau bwynt o edrych ar fy stumog i. Y snichyn digywilydd! Fu gen i rioed stumog fel crempog, ac oedd, efallai bod fy nhop i fymryn yn dynn, ond blydi hel! Mae'n rhaid bod Mot wedi fy nheimlo'n gwylltio achos mi ddechreuodd chwyrnu.

'Dim rheswm penodol,' meddai Abeo mewn llais fel melfed, 'dim ond fy mod i wedi bod yn chwilio am y ferch berffaith ers talwm, a do'n i ddim isio ei cholli hi. Sori os ydi hynna'n swnio'n crinji, ond dyna'r gwir,' ychwanegodd gan roi ei fraich am fy ngwasg i. Ro'n isio ei gusanu o, ond doedd o ddim wedi gorffen. 'Dwi'n gobeithio y cei di gyfarfod dy ferch berffaith di cyn bo hir, achos... wel, mae Lea wedi fy ngwneud i'n dyn – naci, yn ddyn hapus iawn. Sori, dwi'n dal i gael trafferth efo treigliadau.'

Rhythodd Peter arnon ni'n fud. Dwi'n eitha siŵr nad oedd o'n gwbod be oedd treigliadau. A thrwy fod mor glên, roedd Abeo wedi chwalu unrhyw fwriad oedd gan Peter i'w fychanu o neu fi, neu'r ddau ohonon ni. Mi fwmiodd rywbeth aneglur ac i ffwrdd â fo.

Trois i edrych ar Abeo, a gwenu.

'Ti jest yn briliant, ti yn.'

'Diolch,' meddai. 'Ond aw, dwi'n meddwl bod y gwaed wedi dechrau dod yn ôl i fy mysedd i…'

'Be? Oedd o'n gwasgu?'

'O, oedd.'

'Wnest ti wasgu'n ôl?'

'Naddo. Dim ond efo fy meddwl. Mae hynny'n gweithio'n well fel arfer.'

Felly mi wnes i ei wasgu o'n dynn, dynn.

Ro'n i hefyd yn ei garu o oherwydd y ffordd roedd o'n delio efo pobl fyddai'n deud pethau gwirion wrtho fo oherwydd ei liw o. Fyddai o byth yn gwylltio, dim ond codi ei ysgwyddau'n glên a deud rhywbeth fel:

'Mae'n ddrwg gen i, ond dwi ddim yn dallt y jôc. Allwch chi egluro wrtha i, plis?' Roedd hynna'n gweithio bron yn ddi-ffael, yn gwneud i'r person sylweddoli pa mor hurt neu afiach oedd yr hyn roedden nhw wedi'i ddeud, ac os nad oedd o'n gweithio, roedden ni'n osgoi cwmni'r person hwnnw wedyn.

Dyna ddigwyddodd efo Donna yn ystod fy mharti plu i. Mi ddwedodd hi rywbeth am gael gwaed gan berson du nad o'n i'n meddwl oedd yn ddigri, ac am mod i wedi cael tipyn i'w yfed, ond hefyd wedi fy ysbrydoli gan Abeo, mi ges i'r hyder i ddeud wrthi'n blaen:

'Doedd hynna ddim yn ddoniol, Donna. Plis paid â deud petha fel'na eto.' Ond roedd hithau wedi cael tipyn i'w yfed a ddim yn derbyn cael ei 'chywiro' fel'na.

'O, ffyc off, Lea,' poerodd. 'Cymra *chill pill*, nei di? Ac eniwe, **maen** nhw'n wahanol i ni, a fyswn i ddim isio i doctors roi gwaed du ynaf fi chwaith.' Rhythais arni'n hurt, yn methu credu fy nghlustiau. Ro'n i'n gwybod bod cenhedlaeth fy nain a 'nhaid wedi meddwl fel'na, ond rhywun o fy nghenhedlaeth i? Gwaeth fyth, rhywun oedd yn gweithio efo plant, i fod yn helpu plant i ddysgu? Ro'n i isio chwydu. Mi wnes i sobri'n syth, digon i fedru anadlu'n ddwfn a gofyn iddi adael fy mharti plu i.

'A paid â boddran dod i'r briodas chwaith.' A wnaeth hi ddim. Mi wnaeth hi ymddiheuro ychydig flynyddoedd yn ddiweddarach, ac mi wnes i drio maddau iddi, ond wnes i byth anghofio.

Mi gafodd hi golled, achos roedd ein diwrnod priodas ni'n un i'w gofio. Wnes i adael i Mam a Leri ofalu am y darnau anodd, fel trefnu'r morynion a'u dillad. Doedd gen i ddim dewis, roedd yn rhaid cael Cara fel morwyn, felly roedden ni methu peidio cael tair nith Abeo hefyd. Wrth lwc, roedd y pedair yn dallt ei gilydd yn iawn ac yn gallu delio efo Leri'n rhyfeddol. Un syml iawn oedd y ffrog ges i, ond roedd hi'n gwneud i mi deimlo'n ffantastig. Roedd Abeo wedi meddwl gwisgo agbada, gwisg draddodiadol liwgar o Nigeria, ond mi fynnodd ei dad y dylai wisgo siwt ar gyfer y gwasanaeth (dwyieithog) yn y capel. Ond mi newidiodd i agbada glas llachar ar gyfer y parti. Roedd ei fam, ei nain a'i fodrybedd mewn gwisgoedd hyfryd o liwgar ac yn edrych yn anhygoel.

Edrychai Mot yn hynod o smart hefyd, mewn dici-bo mawr piws i fatsio ffrogiau'r morynion. Fo gariodd y modrwyau i mewn i'r capel, mewn basged fach yn ei geg, ac eistedd yn daclus wrth fy ochr i drwy gydol y gwasanaeth, 'ngwas i. Mae o'n gwenu fel giât yn y lluniau priodas.

Aethon ni i Bortmeirion ar gyfer y neithior, achos roedd Abeo wedi gwirioni efo'r lle pan aethon ni yno un pnawn Sul.

'Lliwiau hapus o'r diwedd!' meddai. Ac roedd y lle wir yn berffaith efo'r holl wisgoedd llachar, a'r awyr yn las fel tasan ni yn Affrica.

Doedd fy rhieni i rioed wedi gweld y fath ddawnsio, a doedd fy nghriw i ddim yn siŵr be i'w neud efo'r holl fiwsig diarth ar y dechrau, ond wedi i ffrindiau Abeo a'r aelodau iau o'i deulu o i gyd ddechrau gwneud yr un ddawns, yr Azonto (o Ghana'n wreiddiol erbyn dallt), roedd y Cymry hefyd yn rhoi cynnig arni. Mi wnes innau hefyd, a Rhys a Martin – a Leri hyd yn oed, a nefi, gawson ni hwyl!

Aethon ni i Puerto Rico ar ein mis mêl, achos ro'n i'n benderfynol bod Mot yn dod efo ni. Wel, fel ddwedodd Abeo yn ei araith, fydden ni ddim efo'n gilydd heblaw amdano fo! Roedd pawb yn meddwl ein bod ni'n hurt wrth gwrs, ond stwffio nhw. Fyddai 'na ddim lol cwarantîn er mwyn mynd yno na dod yn ôl ac roedden ni wedi cael gwybod am westy yno oedd yn croesawu cŵn; roedd 'na hyd yn oed barc arbennig efo cwrs *agility* a bob dim, a digon o draethau hyfryd oedd ddim yn gwrthod cŵn.

Roedd Mot wrth ei fodd. Ar wahân i'r daith wrth gwrs. Dim ond chydig dros bump awr oedd y daith yn yr awyren, ond roedd o'n gorfod bod yn styc yn ei gaets o'r funud roedden ni'n cyrraedd Heathrow tan i ni ei weld o eto y pen arall. Ac roedd o'n gorfod cael *chip* arbennig yn Puerto Rico, a thabledi llyngyr cyn mynd adre – a *Pet Passport* a'r holl bigiadau cyn mynd i nunlle. Ond wnaeth o ddim cynhyrfu nac ypsetio o gwbl, ddim un waith, a dwi'n meddwl ei fod o wedi cysgu'r holl ffordd yn yr awyren achos roedd o'n llawn bywyd pan gafodd o'i ollwng o'r caets. Mi redodd yn ôl a mlaen ar y traeth 'na, was bach, a rownd a rownd mewn cylchoedd, ac ar ôl y *frisbee*, ac i mewn i'r môr hyd yn oed. Daeth yn ffrindiau efo nifer o'r cŵn eraill, ac os oedd yr haul yn rhy boeth iddo fo, byddai'n griddfan a fy mhwnio i a sbio i gyfeiriad y gwesty. Felly mi fyddai un ai Abeo neu fi'n mynd â fo'n ôl i'n stafell ni, a'i adael o yno am ryw awren efo'r *air con* ymlaen nes roedd o'n barod i fentro allan eto.

Yn ystod y dyddiau ola mi wnes i sylwi ei fod o'n rhoi ei ben ar fy mol i'n amlach nag arfer ac yn aros yno'n berffaith, gwbl lonydd am hir. Gwnaeth yr un peth eto ar y diwrnod ola, ond yna llyfu fy mol i.

'Dwi rioed wedi ei weld o'n gwneud hynna o'r blaen,' meddai Abeo.

Ro'n i wedi stopio cymryd y bilsen ers cwpwl o fisoedd, ond doedd y peth ddim yn bosib, nag oedd? Edrychodd Abeo arna i a rhoi ei law yntau ar fy mol i. Allai o ddim peidio, aeth o'n syth i'r fferyllfa agosaf, a do, mi drodd y llinellau'n las.

PENNOD 26

Mot

Ro'n i wedi gweld digon o eist beichiog i wybod pam fod bol Lea'n tyfu mor gyflym. Do'n i ddim yn siŵr be ro'n i wedi'i synhwyro y tro cynta hwnnw ar y gwyliau poeth ond hyfryd 'na, ond ro'n i'n gwybod bod rhywbeth yn tyfu yn ei bol hi. Wedi i ni gyrraedd adre, ro'n i'n cael gwrando ar ei bol hi bron yn ddyddiol, ac yn gallu clywed curiad y galon fechan fach yn cryfhau o hyd.

Dim ond fi oedd efo hi pan ddechreuodd o ddod allan. Roedd hi'n rhoi dillad ar y lein yn yr ardd am ei bod hi'n chwythu cymaint; gwynt oer efo dannedd, gan mai'r gaeaf oedd hi, a'r mynyddoedd yn eira i gyd. Busnesa y tu ôl i wrych yng ngwaelod yr ardd ro'n i, achos roedd 'na ogla wenci yno, ogla hynod o gry a hynod o ddiddorol, ac yn sydyn roedd 'na sŵn dŵr yn tywallt o rywle, a llais Lea'n rhoi rhyw fath o waedd ryfedd.

Rhedais ati a sbio'n hurt arni'n sefyll yna, efo peg yn un llaw ac un o dronsiau Abeo yn y llall a'i throwsus llac lliw golau wedi troi'n dywyll. Fedra i ddim deud pa liw oedden nhw'n union achos dydan ni gŵn ddim yn gallu gweld lliwiau cweit yr un fath â dwygoesiaid. Mi glywais i Abeo'n darllen oddi ar y we ryw dro bod cŵn ddim yn gallu gweld lliwiau o gwbl, ond mae hynna'n lol botes. Ro'n i'n gwybod o'r dechrau mai glas oedd lliw llygaid Lea, a rŵan, roedden nhw'n fawr a golwg wedi dychryn ynddyn nhw.

'Mae o'n gynnar!' meddai. 'Shit!' Edrychodd arna i fel taswn i'n gallu deud wrthi be i'w wneud. Wel chwilio am Abeo, ynde, dwedais wrthi, a saethu y tu ôl iddi a rhoi gwthiad iddi ar waelod ei choes. Dalltodd yn syth a dechrau cerdded am y tŷ. Doedd ei chamau hi ddim yn fawr iawn, ond roedd hi'n symud yn gyflymach nag o'n i wedi'i gweld hi'n symud ers misoedd, ond pan gyrhaeddon ni'r gegin doedd hi ddim yn gallu cofio lle'r oedd hi wedi rhoi'r ffôn.

'Mot! Lle mae'r blydi ffôn?!' meddai, fel petae hi'n meddwl mai fi oedd yr un diwethaf i'w ddefnyddio. Dwi'n glyfar, ond ddim mor glyfar â hynna. Ond wedi i mi weld y cas piws ar y soffa, es i draw ato, ei godi'n ofalus yn fy ngheg a mynd ag o ati. Ffoniodd hi Abeo, ond gorfod gadael neges iddo fo, oedd yn llawn geiriau drwg nad o'n i wedi eu clywed ganddi ers tro byd. Wedyn ffoniodd hi rywun arall efo rhif llawer byrrach a gofyn am ambiwlans. Ro'n i'n cofio be oedd hwnnw. Roedd hi'n eistedd wrth fwrdd y gegin erbyn hyn, yn crynu ac yn chwysu. Llyfais ei llaw.

'Mi fydd bob dim yn iawn, yn bydd, Mot?' meddai, gan fwytho fy mhen. 'Fyddan nhw yma mewn chwinciad. Ond damia, dwi'm wedi pacio bag na dim byd!' Estynnais fag siopa iddi, a chwarddodd, wedyn ffoniodd Leri. Yn y cyfamser, llusgais ei bag llaw draw ati o'r lolfa (mae o'n un mawr), yna mynd i fyny'r grisiau i weld allwn i ddod o hyd i rywbeth fyddai o ddefnydd iddi. Yn anffodus, wrth drio cael gafael yn ei brwsh dannedd hi, tynnais y silff gyfan i lawr ac aeth bob dim i bob man, a malodd un jar fach gron nes bod hufen dros y llawr ac ochr y bath a drosta i. Roedd y blas yn afiach. Yn lle hynny, es i i'r llofft, cydio yn ei chôt godi hi a mynd â honno i lawr ati.

Doedd dim golwg o Leri erbyn i'r ambiwlans gyrraedd, ac ro'n i braidd yn nerfus yn gadael i ddau berson diarth ddod i'r tŷ, ond ro'n i'n cofio'r dillad llachar a bod pobl debyg iddyn nhw wedi gwella Lea pan falodd hi ei ffêr, felly mi wnes i adael iddyn nhw fynd ati ar ôl sgyrnygu chydig arnyn nhw. Roedd hi'n cael ei llwytho mewn i gefn yr ambiwlans cyn i ni droi rownd.

'Mot!' galwodd Lea. 'Cer i'r tŷ, aros am Leri neu Abeo! Dyna ti – i'r tŷ, hogyn da!' Do'n i ddim yn hapus. Roedd gen i gymaint o isio mynd efo hi, ond roedd hi angen i mi edrych ar ôl y tŷ, yn doedd? Felly dechreuais gerdded yn ôl am y drws. Ond yr eiliad ddiflannodd yr ambiwlans drwy'r adwy yn sŵn mawr i gyd, newidiais fy meddwl a rhedeg ar ei ôl. Mi wnes i gadw at y pafin hynny fedrwn i, ond doedd gen i ddim dewis ond rhedeg dros y ffordd weithiau. Ro'n i'n ymwybodol iawn bod ceir yn bibian a phobl yn gweiddi arna i, ond do'n i ddim yn mynd i adael yr ambiwlans allan o 'ngolwg i. Diflannodd yn llwyr ar ddarn hir, hir, syth, ond ro'n i'n dal i fedru ei glywed o ac mi wnes i sylweddoli y byddai'n gynt i mi neidio dros ffens i gae a jest dilyn y sŵn, felly dyna wnes i. Ddwsinau o ffensys, tair ffos, pedwar gwrych a choedwig fechan yn ddiweddarach, ro'n i wedi blino a 'nhraed yn brifo ond ro'n i'n dal i fedru clywed y sŵn a gweld y golau'n fflachio yn y pellter. Wedyn ro'n i ar bafin eto yn pasio rhesi o dai, ac yna o flaen adeilad anferthol lle'r oedd 'na gannoedd o geir – a hanner dwsin o ambiwlansys! Pa un oedd Lea ynddo fo?

Rhedais yn ôl a mlaen ond doedd dim golwg ohoni. Mae'n rhaid eu bod wedi mynd â hi i mewn. Gwelais bobl mewn dillad llachar yn gwthio hen ddyn ar wely efo olwynion drwy ddrysau gwydr a saethais i mewn ar eu holau. Mater o arogli oedd hi wedyn, oedd ddim yn hawdd gan fod cymaint o arogleuon cryfion o gwmpas, ond roedd 'na fymryn o Lea ar yr awel, a gwelais gip ohoni mewn cadair olwyn jest cyn i ddrysau metel gau. Roedd drysau eraill cyfagos yn agor eiliad wedyn a saethais drwyddyn nhw. Ond stafell fechan iawn oedd hon, efo tair wal fetel sgleiniog a botymau ar un ohonyn nhw. Ro'n i'n dal i bendroni be i'w wneud pan gaeodd y drysau y tu ôl i mi, ac ro'n i'n gallu teimlo fy hun yn codi. Clywais lais rhyfedd yn deud geiriau hirion, diarth, ond 'mamolaeth' oedd un ohonyn nhw. Doedd gen i ddim clem be'n union roedd o'n ei feddwl, ond ro'n i'n nabod y darn 'mam'. Pan agorodd y drysau, roedd y ddynes oedd yn amlwg yn aros i gamu i mewn yn rhy brysur yn sbio ar y ffeil o flaen ei thrwyn i 'ngweld i, felly camais allan yn araf a gofalus. Ro'n i mewn stafell hir, gul a gallwn weld pobl mewn dillad tebyg i byjamas yn gwthio trolis a helpu merched efo boliau mawr fel Lea i gerdded yn araf i rywle. Ro'n i yn y lle iawn. Ond ro'n i'n gwybod nad o'n i i fod yno, a phan sylwodd un o'r merched boliau mawr arna i, edrychodd yn wirion arna i a phwyntio.

'Ci! Mae 'na gi yma!' meddai. 'Wyddwn i ddim bod cŵn yn cael dod mewn i sbyty?' Trodd y bobl mewn pyjamas ata i a rhythu'n fud arna i. Rhewais, a cheisio gwenu a gwneud i mi fy hun edrych mor fychan a diniwed â phosib. Ond roedden nhw'n dod amdana i, yn estyn amdana i. Llwyddais i osgoi'r ddau gynta, a saethu heibio iddyn nhw, ond roedd y trydydd yn amlwg yn fwy cyfarwydd efo cŵn achos aeth hi ar ei chwrcwd a deud mewn llais clên, cyfeillgar:

'Wel helô boi, be wyt ti'n neud fan hyn, y? Chwilio am rywun wyt ti? Gad i ni weld os alla i dy helpu di...' A dyna ni, roedd hi wedi cydio yn fy ngholer i – yn ddigon clên, ond yn dynn – a gweld mai Mot oedd fy enw i, a bod 'na rif ffôn taswn i'n mynd ar goll, ac wedyn roedd rhywun wedi dod â belt o rywle a'i roi drwy'r goler fel mod i methu dal ati i chwilio am Lea.

Doedden nhw'n amlwg erioed wedi cael ci yno o'r blaen achos doedd gan neb syniad be i'w neud efo fi tra oedd rhywun yn galw'r rhif ffôn.

'Allwn ni mo'i gadw fo ar y ward, siŵr!' meddai rhywun. 'Mae o'n ffilthi! Sbia arno fo!' Edrychais ar fy nhraed a fy nghoesau. Roedden nhw'n iawn; roedd y cae olaf es i drwyddo wedi bod yn un eitha mwdlyd.

'Mae'n rhaid ei fod o wedi dilyn ambiwlans,' meddai un, 'siŵr ei fod o angen dŵr, y creadur,' ac anwybyddu protestio ei chyd-weithwyr drwy lenwi powlen siâp rhyfedd efo dŵr a'i rhoi ar y llawr o mlaen i. Ro'n i isio'i llyfu hi, ond ro'n i fwy o isio dŵr, ac yfais yn ddiolchgar. Nefi, roedd o'n dda.

'Does 'na neb yn ateb,' meddai'r ferch oedd wedi bod

yn ffonio. 'Dwi wedi gadael neges, ond dwi'm yn gwbod be arall fedran ni neud.'

'Tria fo eto,' meddai rhywun, 'dwi'n siŵr mod i wedi clywed ffôn yn canu yn rhywle…' Dyna sut ddaethon nhw o hyd i ffôn Lea yn ei bag. Roedd hi'n rhy brysur i'w ateb, mae'n debyg. Ond o leia roedden nhw'n gwybod pwy o'n i a pham mod i yno. Ond roedden nhw'n gwrthod gadael i mi fynd ati! Ro'n i'n dechrau gwylltio ac ar fin strancio pan glywais i lais cyfarwydd y tu ôl i mi. Abeo! Agorodd ei lygaid yn fawr pan welodd o fi. Ac wedyn mi regodd, a dydi hynna ddim fel Abeo. Lea ydi'r un sy'n rhegi. Ac ro'n i'n gallu ei chlywed hi'n rhegi yn ofnadwy o uchel o ben draw'r stafell hir yr eiliad honno! Doedd y dwygoesiaid o 'nghwmpas i ddim yn ei chlywed hi, ond roedd hi'n glir fel cloch i mi – roedd hi mewn poen! Cydiodd Abeo yn y belt a cheisiais ei dynnu tuag at lais Lea, gan wichian wrtho bod raid i ni ei helpu hi, ond roedd o'n mynnu tynnu'r ffordd arall a fy ngalw i'n bob enw dan haul.

'Mot! Plis!' meddai yn y diwedd. 'You can gweld hi wedyn!' Mae o'n anghofio'i Gymraeg weithiau pan fydd o'n flin. Yn y diwedd, doedd gen i ddim dewis ond gadael iddo fynd â fi ar ras yn ôl i'w gar, oedd yn bell i ffwrdd, a fy nghau yno, cyn iddo redeg yn ei ôl am yr adeilad mawr, mawr.

Fues i rioed mor ddigalon. Ro'n i'n brifo mewn cymaint o ffyrdd; roedd fy mhawennau'n llosgi, ond Lea oedd yn bwysig ac roedd hi mewn poen a f'angen i efo hi. Roedd ei gweiddi hi'n dal i drywanu 'mhen i, ond o leia roedd Abeo efo hi.

Ro'n i yn y car 'na am hir, achos pan ges i fy neffro

gan Leri'n agor y drws, ro'n i wedi cyffio a jest â drysu isio
gwneud dŵr. Llwyddais i ollwng fy hun ar y tarmac cyn cael
fy llusgo i mewn i'w char hi; roedd hi'n gwrthod gadael i mi
fynd yn ôl mewn at Lea. Ond yr holl ffordd adre, roedd hi'n
gwenu a siarad yn glên efo fi, sydd ddim fel hi.

Pan ges i weld Lea eto, roedd hi'n edrych fel bore
heulog, ac roedd ganddi anrheg i mi: babi bach, bach
oedd yn arogli bron yn union fel Lea, o'i thraed i'w
chorun, dim ond bod ei chorun ag arogl cwbl nefolaidd
arno. Ro'n i wedi gwirioni, ac yn ei snwffian yn ofalus ac
yn llyfu ei dwylo bach, bach hi bob cyfle gawn i. Am ryw
reswm, doedden nhw ddim yn gadael i mi lyfu ei hwyneb
hi am hir; Leri ddywedodd rywbeth, ac er bod Abeo wedi
ysgwyd ei ben a deud rhywbeth am 'germs' ac 'antibodies',
doedd o'n amlwg ddim yn siŵr chwaith. Ond doedd o
ddim yn fy mhoeni i o gwbl, ro'n i'n berffaith hapus i jest
edrych ar y babi am oriau a gorwedd wrth ochr ei gwely
bach hi, wedyn y gwely mwy efo ffens bren o'i amgylch, a'i
chadair ryfedd, fownslyd hi, yn gwneud yn siŵr ei bod hi'n
ddiogel. Ro'n i hefyd yn licio pwyso fy mhen yn ofalus ar
ei blanced hi a theimlo synau rhyfedd yn dod o'i stumog
hi, a theimlo ei bysedd bach hi'n cyffwrdd fy nghlustiau
i a thynnu yn fy mlew i. Roedd hi'n gallu tynnu'n o galed
weithiau, ond doedd o ddim yn brifo. Wel, ddim llawer, a
byddai Lea neu Abeo yn fy rhyddhau i o fewn dim.

Ema Fflur oedd ei henw hi; eglurodd Abeo wrtha i
mai heddwch oedd ystyr Ema yn ei iaith arall o, ond roedd
hi'n gallu bod braidd yn swnllyd weithiau. Mi fyddwn i'n
mynd i guddio i'r ardd neu o dan y soffa ar adegau felly,

achos roedd hi'n gallu nadu'n uchel iawn, iawn, ac er mod i'n gwybod yn iawn be oedd hi ei isio, doedd Lea ac Abeo ddim wastad yn siŵr, ac roedd hynny'n deimlad rhwystredig tu hwnt.

Ro'n i'n caru Ema Fflur gymaint â Lea, ac ro'n i wrth fy modd yn cael dwygoes fach arall i ofalu amdani. Wrth iddi dyfu a dysgu cropian a cherdded ro'n i ar ddyletswydd yn gyson, yn ei rhwystro rhag cyffwrdd rhywbeth allai wneud niwed iddi, ac yn bachu yn ei chlwt hi un tro er mwyn ei rhwystro rhag cropian i mewn i bwll o ddŵr yng ngardd Rhys.

Doedd Jet ddim mor siŵr ohoni.

'Mae hi'n cymryd eu sylw nhw i gyd,' meddai. 'Dwyt ti ddim yn cael hanner cymaint o sylw rŵan.'

Ro'n i'n anghytuno. Fi oedd yn rhoi mwy o sylw i'r babi nag i Lea neu Abeo, a doedden nhw ddim yn genfigennus o gwbl.

'Gwaith tîm ydi o,' meddwn. 'Dan ni i gyd isio iddi dyfu i fyny'n ddiogel ac yn hapus.'

'Os ti'n deud,' meddai. 'Iawn, tisio rhedeg rownd yr ardd efo fi neu beidio?'

Ond doedd Jet ddim yn gallu rhedeg cystal erbyn hynny; roedd ei gymalau wedi cyffio ers tro, a Rhys wedi bod yn rhoi ffisig yn ei fwyd bob dydd. Ond un diwrnod, pan oedden ni i gyd wedi mynd am dro, ac Abeo yn cario Ema Fflur mewn rhyw declyn ar ei gefn, sylwais bod Jet mewn mwy o boen nag arfer ac yn gwingo wrth orwedd i bawb gael hoe fach wrth y llyn. Wedi sniffian o gwmpas ei goesau ôl, ro'n i'n gwybod bod rhywbeth mawr o'i le.

'Jet, mae 'na rywbeth yn tyfu yn dy esgyrn di,' meddwn. 'Rhywbeth hyll.' Ond roedd o eisoes wedi amau hynny. Edrychodd yn drist arna i.

'Dwi mewn poen ers tro, sti,' meddai, 'ond dwi'n trio'i guddio fo achos dwi'm isio i Rhys boeni.' Ond ro'n i'n gwybod y byddai Rhys isio gwybod, felly es i at Abeo a syllu i mewn i'w lygaid fel y gwnes i efo tad Lea, cyn brysio'n ôl at lle'r oedd Jet yn gorwedd yn y gwair gwlyb a llyfu cefn ei goes ôl.

Mi ddalltodd Abeo'n syth, ac aeth Rhys â Jet at yr adeilad efo'r drws glas y noson honno. Gwrandewais yn astud ar Abeo'n sgwrsio efo fo ar y ffôn.

'Osteosarcoma? O, mae'n ddrwg gen i. A pha ddewis gefaist ti? … O. Dwi'n gweld. Wel, mae cŵn yn gallu gwneud yn iawn efo dim ond tair coes… sori? Y ddwy? O. O diar. Wyth oed ydi o, ia? … Bron yn ddeg? Ydi hynna'n hen i filgi? Hmm… ia… oes. (*Ochenaid*)'

Daeth Lea i mewn wedyn, wedi llwyddo i gael Ema Fflur i gysgu, a siaradodd hi efo Rhys mewn llais tawel, trist.

Rai wythnosau'n ddiweddarach, aethon ni i gyd i ardd Rhys. Ro'n i'n gwybod bod rhywbeth pwysig wedi'i drefnu achos roedd Lea ac Abeo mor dawel dros eu bwyd ac wedyn yn y car. Doedd hyd yn oed Ema Fflur ddim yn gwneud ei synau digri arferol yn ei chadair fach drws nesa i mi.

Pan gyrhaeddon ni, daeth Rhys aton ni'n bwyllog, yn trio gwenu ond ddim yn llwyddo'n rhy dda. Ro'n i'n amau'r gwaetha'n syth: Jet fyddai'n ein cyrraedd ni gynta fel arfer, ei gynffon denau'n chwipio'n wyllt, wedyn byddai'n rhoi ei goesau blaen ar led fel eu bod nhw a'i frest ar y llawr, a'i ben ôl yn yr awyr, fel petae o'n gweddïo, cyn neidio i fyny eto a bownsio o gwmpas, wedi cyffroi'n llwyr. Bob tro yr un fath. Ond nid y tro yma.

'Mae e mas yn yr ardd,' meddai Rhys, gan droi a'n harwain drwy'r giât fechan bren. Roedd Martin ar ei gwrcwd yng nghanol y lawnt, a Jet yn gorwedd wrth ei ymyl ar flanced. Cododd ei glustiau pan frysiais i tuag ato, ond wnaeth o ddim cyfarth. Fu o rioed yn un am gyfarth. Ci tawel oedd Jet. Wnaeth o ddim symud chwaith, ar wahân i ysgwyd chydig ar ei gynffon a phwyso ei ben i lawr fel tasa fo'n gweddïo eto. Roedd o'n amlwg isio codi ei ben ôl, ond doedd o ddim yn gallu. Mi wnaethon ni gyffwrdd trwynau a snwffian ein gilydd am sbel, a chamodd Martin yn ei ôl i ymuno efo'r dwygoesiaid eraill oedd yn ein gwylio'n boenus o dawel. Gofynnais am ganiatâd Jet i arogli ei goesau ôl.

'Cei siŵr,' meddai. Felly mi wnes, ac roedd yr arogl mor gryf, mor greulon. Roedd y peth hyll wedi tyfu ac ymestyn ei grafangau ar hyd a thrwy ei esgyrn, ac yn ddyfnach na hynny hefyd. Es yn ôl at ei glustiau a sibrwd fy nghydymdeimlad, a fy niolch am gael ei nabod, ac am fod cystal ffrind. Yna llyfais ei dalcen a'i drwyn hir, cyn gorwedd ar fy ochr wrth ei ymyl a'i gyffwrdd â fy mhawennau. Arhoson ni'n dau fel'na am hir.

'Dwi'n barod i fynd, wsti,' meddai wrtha i yn y diwedd. 'Ges i fywyd da, ond dwi wedi blino rŵan. Mae'n bryd i mi neud lle i gi arall edrych ar ei ôl o.'

'Ci arall? Fydd Martin ddim yn ddigon iddo fo?'

'Na fydd. Mae Rhys angen ci yn ei fywyd.' Nodiais. Ro'n

i'n dallt be roedd o'n ei feddwl yn iawn. Nid pob dwygoes sydd angen ci ac nid pawb sy'n ein haeddu ni chwaith.

Daeth Lea ac Abeo draw i ffarwelio efo fo, a gwenodd Jet arnon ni i gyd.

Codais ar fy nhraed.

'Gawn ni rasio faint fynnwn ni yn y byd nesa, Mot,' meddai, 'mewn cae hir gwyrdd efo afon gynnes, braf yn y pen draw, a llwyth o esgyrn a dim cathod, ac mi gura i di eto pan ddoi di. Yn rhacs.'

Dwi'n dal i'w golli o.

Cafodd Rhys a Martin filgi arall, Storm, ar ôl chydig o fisoedd. Mae dwygoesiaid yn tueddu i fod yn driw i'r un math o gi, a pherchnogion milgwn yn fwy na neb hyd y gwela i. Ddois i'n ffrindiau efo Storm hefyd, yn y diwedd. Doedd o ddim wedi arfer efo cŵn oedd yn edrych yn wahanol iddo fo, ac mi gymerodd sbel iddo fo ymlacio efo fi. Doedd o erioed wedi cael chwarae'n wirion chwaith, ac am hir, byddai jest yn sbio'n hurt arna i pan fyddwn i'n bownsio i fyny ac i lawr o'i flaen o. Ond yn ara deg, mi ddoth i arfer, a byddai ei gynffon denau yntau'n chwipio'n union fel un Jet pan fyddai'n fy ngweld i.

Doedd o ddim yn byw i redeg fel Jet chwaith. Oedd, roedd o'n mynd fel mellten am chydig, ond yn rhoi'r gorau iddi'n llawer cynt na fyddai Jet, ac yn cael dim pleser o weld pa mor bell ro'n i y tu ôl iddo fo.

'Ges i lond bol o rasio,' meddai. 'Pan ti'n rhedeg mor gyflym ar ôl un peth, dwyt ti ddim yn gweld be arall sy o dy gwmpas di.' Byddai dwygoesiaid yn gallu dysgu lot gan gŵn fel Storm, tasan nhw'n gallu'n dallt ni'n well.

PENNOD 27 *Mot*

Roedd gweld Ema Fflur yn tyfu yn bleser. Roedd hi'n ferch mor annwyl, mor fywiog, ac roedden ni i gyd wedi dotio ati. Pan oedd hi'n fach, byddai'n fy nilyn o gwmpas efo'i phen ôl yn yr awyr a'i thrwyn fodfeddi o'r llawr, yn union fel fi.

'Dwi'n meddwl ei bod hi'n treulio gormod o amser efo Mot,' meddai Abeo, ond roedd o'n chwerthin. Doedd o ddim yn ei feddwl o go iawn. Byddai hi hefyd yn dringo mewn i 'ngwely i weithiau, a Lea wedyn yn gorfod pluo fy mlew i oddi ar ei dillad hi. Ro'n i'n colli blew yn arw ac yn teimlo'n euog pan fyddai pentyrrau o fy mlewiach i i'w gweld yn glir yng nghorneli'r tŷ. Ond nid y fi oedd yn gallu trin yr hwfyr, naci? A doedd Lea ddim wastad yn cofio brwshio 'nghôt i, er y byddai'n treulio oes yn chwarae efo gwallt Ema Fflur. Tyfodd hwnnw'n hir ac yn gyrliog a byddai'n cosi fy nhrwyn i pan fyddai hi'n gorwedd efo fi ar y soffa.

Ro'n i'n wyth oed pan gyrhaeddodd Toni. Roedd ei enw swyddogol o'n hirach na hynna, rhywbeth fel

Oluwatoni Rhys, ond Toni roedd pawb yn ei alw o, a Lea, yn fwy na neb, yn pwysleisio wrth bobl ddiarth mai 'i' oedd y llythyren olaf, nid 'y'.

Mi ges i weld Toni'n cyrraedd, achos roedden nhw wedi trefnu mai adre fyddai'r enedigaeth y tro yma, efo llwyth o flancedi a thywelion wrth law, darn mawr o ddefnydd llithrig, sgleiniog oddi tani a miwsig yn chwarae drwy'r cwbl, miwsig ro'n i wedi ei glywed droeon dros y blynyddoedd. Doedd Elen y fydwraig ddim yn rhy hapus mod i yno, a do'n i ddim yn siŵr chwaith am hir, am fod Lea druan yn brifo a gweiddi mor ofnadwy, ond wnes i aros y pen arall iddi, sef wrth ei phen hi drwy'r amser, gan lyfu ei hwyneb neu ei dwylo pan oedd hynny'n briodol.

Roedd Lea ac Abeo'n crio mwy na Toni pan gyrhaeddodd o, ond crio hapus oedd o, achos roedden nhw'n chwerthin, a ges i fod yn un o'r bobl gynta i'w arogli o. Unwaith eto, roedd o'n arogli bron yn union fel Lea, ond yn gryfach, ac mi wnes i ei arogli o'n ddwfn fel na fyddwn i byth yn ei anghofio fo ac y byddwn i'n gallu dod o hyd iddo fo'n gyflym petae o'n mynd ar goll neu'n cael ei ddwyn.

Fel mae'n digwydd, mi dyfodd Toni i fod yn dipyn o grwydrwr. Roedd o'n gallu cropian yn rhyfeddol o gyflym ar wair, carped, tarmac, tywod a cherrig mân, hyd yn oed. A phan ddysgodd o gerdded ar ddwy goes, roedd angen llygaid yng nghefn eich pen. Ro'n i'n gorfod rhedeg ar ei ôl o a'i wthio'n ôl i lle roedd hi'n ddiogel byth a hefyd, ond ro'n i wrth fy modd.

Roedd o'n un blêr wrth fwyta, ac yn colli cryn dipyn o'i fwyd ar y llawr, llawer iawn mwy nag Ema yn ei oed o, ac ro'n i wrth fy modd efo hynny hefyd, debyg iawn. Ar wahân i'r stwnsh banana. Ro'n i methu diodde hwnnw. Darnau o wy wedi'i ferwi, tost ac uwd oedd fy ffefrynnau, a'r stwnsh cyw iâr allan o jar.

Pan ddechreuodd o fynd i'r ysgol, fel Ema Fflur, ro'n i'n drist, ond o leia ro'n i'n cael mynd i redeg am hir efo Lea bron bob bore, ond yna dechreuodd hithau fynd i ffwrdd mewn dillad smart bob dydd hefyd, ac ro'n i fwy neu lai ar fy mhen fy hun yn yr ardd nes bydden nhw'n dod yn ôl yn sŵn ac egni ac aroglau difyr i gyd.

Cysgu fyddwn i bron drwy'r amser fyddwn i hebddyn nhw, a chysgu'n sownd hefyd, achos doedd gen i ddim cweit gymaint o egni erbyn hynny, ac roedd fy nghymalau i wedi dechrau mynd yn boenus. Ro'n i wedi trio cuddio'r ffaith honno yn ogystal â'i hanwybyddu, ond un diwrnod, ar ôl bod am dro hyfryd efo Lea, mi ges i drafferth neidio dros y ffens i'r ardd, ffens ro'n i wedi gallu hedfan drosti mor hawdd filoedd o weithiau. Glaniais ar fy mol ar y weiren denau, filain; rhoddodd hynny dipyn o fraw i mi, heb sôn am boen, ond y peth gwaetha oedd y cywilydd deimlais i. Do'n i erioed wedi methu fel'na o'r blaen, erioed wedi cael achos i deimlo mor lletchwith a thrwm, ac er bod Lea wedi brysio tuag ata i i fy helpu, do'n i ddim isio iddi wneud hynny; ro'n i'n benderfynol o gael fy hun allan o'r blerwch fy hun, a thrwy grafangu a sgrafangu, llwyddais i godi fy mhen ôl drosodd a glanio braidd yn flêr ar y gwair. Roedd fy mol yn brifo am sbel wedyn, ond mi wnes i drio esgus mod i'n berffaith iawn.

Ond doedd Lea ddim yn dwp; roedd hithau wedi

cael tipyn o fraw o 'ngweld i'n methu fel'na, ac wedi i mi gael trafferth dringo allan o'r afon lle fyddwn i'n cael bath dyddiol, aeth hi â fi at yr adeilad drws glas eto. Roedd hwnnw wedi ei beintio'n lliw tywyllach erbyn hyn – i drio'n twyllo ni anifeiliaid, dwi'n siŵr. Ond ro'n i wedi gweld ac arogli'r ceir a'r pic-yps budron, ac yn nabod y drws yn iawn. Ro'n i'n ofni'r gwaetha ac yn gyndyn tu hwnt o fynd drwyddo, ond roedd fy ffydd yn Lea yn gryfach yn y diwedd, ac roedd hi'n sibrwd yn fy nghlust i mai yno i fy nhrwsio i oedden ni.

'Cricmala,' meddai'r ddynes fu'n fy modio nes ro'n i'n gwichian, a rhoddodd focs i Lea.

'Mi fyddi di rêl boi ar ôl hwn, Mot,' meddai Lea wrtha i wrth yrru am adre. 'Gei di beth efo dy fwyd heno, a fyddi di ddim yr un un.' Ro'n i fymryn yn amheus o hynny, ond doedd Lea erioed wedi fy siomi i – wel, ddim ers blynyddoedd, ddim ers iddi ddilyn canllawiau'r Prawf Mot, felly ysgydwais fy nghynffon.

Er hynny, ro'n i'n cadw llygad barcud arni hi'n ffidlan efo'r botel a'r tiwb rhyfedd ddaeth hi o hyd iddyn nhw yn y bocs, ac wedyn yn chwistrellu'r hylif dros fy mwyd i. Aroglais yn ddwfn cyn mentro, ond doedd o ddim yn gwneud i mi synhwyro unrhyw berygl, felly sglaffiais y cwbl achos ro'n i'n llwgu.

Ychydig ddyddiau yn ddiweddarach, wrth i ni nesáu at y ffens ar ôl bod am dro, sylweddolais bod fy nghoesau'n teimlo reit sionc. Tybed?

'Ty'd, Mot! Dros y ffens!' meddai Lea, gan drio swnio'n gwbl naturiol ond ro'n i'n gallu synhwyro ei bod hi chydig yn nerfus. Diolch byth, llwyddais i neidio dros y ffens yn rhyfeddol. Nid fel ci ifanc, ond ddim yn ddrwg o gwbl am gi deuddeg oed. Er hynny, ro'n i'n falch pan osododd Abeo giât fechan yno. Ac mi wnes i ddarganfod pwll efo ochrau llai serth i gael bath ynddo fo.

Ro'n i'n meddwl y byddai bob dim yn iawn wedyn, ond ar ôl rhyw flwyddyn arall, mi wnes i sylwi bod y postmon wedi dechrau cyrraedd heb i mi ei glywed o. Ro'n i wastad wedi gallu clywed y fan yn dod o bell ac yn cyfarth i rybuddio pawb cyn rhedeg allan i'w groesawu o a chael bisged am fy nhrafferth. Wel, yn dibynnu pwy oedd y postmon. Roedd un yn aros yn y fan ac yn osgoi edrych arna i nes i Lea neu Abeo fynd ato, a doedd o byth yn rhoi bisged i mi.

Byddai'r plant yn cyrraedd adre o'r ysgol yn ddirybudd hefyd. Ro'n i'n meddwl i ddechrau mai wedi aeddfedu a thawelu oedden nhw, neu wedi mynd ati i gripian i mewn yn dawel i chwarae tric arna i, ond na, do'n i byth yn clywed y bws chwaith. Dechreuodd pawb ddefnyddio llawer mwy ar eu dwylo i siarad efo fi. Ac wedi un digwyddiad anffodus efo car wrth fynd am dro ar hyd y ffordd gefn, a phawb yn gweiddi a chwifio dwylo ar ei gilydd, ro'n i'n gorfod bod ar dennyn yn llawer amlach. Doedd dim osgoi'r peth: ro'n i'n colli fy nghlyw.

Un bore braf, pan welais i'r teulu'n llwytho beics ar gefn y car, ysgydwais fy nghynffon a gwenu ar bawb, gan edrych ymlaen at gael trotian efo nhw rownd y llyn neu ar hyd yr afon, fel roedden ni wedi ei wneud laweroedd o weithiau. Ond y tro hwn, mi ges fy ngadael yn y cenal yn yr ardd, a doedd Ema Fflur ddim yn gallu edrych yn fy llygaid yn iawn wrth fy arwain yno a bachu'r gadwyn yn fy ngholer. Ro'n i'n meddwl mod i wedi gwneud rhywbeth o'i le, ond wedyn wnes i gofio eu bod nhw wedi gorfod aros amdana i gryn dipyn y tro diwethaf i ni fynd ar y beiciau. Roedd y plant, fel eu beiciau, wedi tyfu a chyflymu ac ro'n i'n amlwg yn rhy araf iddyn nhw.

Mi dorrodd hynny fy nghalon i.

Ro'n i'n dal i gael mynd am dro efo Rhys a Storm a Haf a Kate a rhai o ffrindiau'r plant o'r ysgol oedd â chŵn, ond byth yn bell iawn. Ro'n i'n boenus o ymwybodol eu bod nhw'n gorfod disgwyl amdana i o hyd, a bod Storm a Kate, er eu bod yn trio bod yn garedig, yn bownsio efo egni a rhwystredigaeth ac yn gyndyn iawn o droi'n ôl.

Gwnaeth Abeo ryw fath o gerbyd bach i mi eistedd ynddo oedd yn ffitio ar gefn ei feic, ac er bod gen i gywilydd y tro cynta i mi gael fy rhoi ynddo, roedd hi'n hyfryd gallu symud yn gyflym a theimlo'r gwynt yn chwipio fy wyneb i eto. Ond doedden nhw ddim yn gallu mynd â'r cerbyd efo nhw i bob man, ac yn amlach na pheidio, cael swsus a chwtshys fyddai fy hanes wrth iddyn nhw i gyd ddiflannu a 'ngadael adre ar fy mhen fy hun. Wedyn cysgu fyddwn i am oriau yn fy nghenal neu yn y tŷ, yn breuddwydio am fod yn ifanc eto, yn rhedeg i fyny ac i lawr mynyddoedd a neidio dros fonion coed a ffosydd. Ro'n i'n dal i gael y ffisig gan Lea, ond doedd o'n amlwg ddim yn gweithio cystal bellach. Felly do'n i ddim chwaith.

Un diwrnod, aethon nhw â fi i weld gast sbaniel oedd wedi cael cŵn bach. Doedden nhw ddim yn debyg iddi, ond *beagle* oedd y tad, felly *sbeagles* oedd y plant, meddai'r ddynes oedd pia nhw. Roedd Efa a Toni'n meddwl bod hynna'n ddigri a 'cŵl', ond do'n i ddim. Ac roedd y diawliaid yn symud mor gyflym, roedd fy mhen yn troi, ac roedd y cnonod bach yn neidio arna i a 'nghripio i a 'mrathu i bob munud, felly mi wnes i gydio yn yr un mwya digywilydd a'i ddal i lawr gan chwyrnu arno i beidio â meiddio gwneud hynna eto. Aeth y fam yn benwan, a thrio cydio yn fy ngwar i, ac aeth pethau braidd yn hyll. Mi ges i fy rhoi yn ôl yn y car, a phan ddaeth y plant yn ôl i'r sedd gefn ata i o'r diwedd, roedden nhw'n drewi o'r cŵn bach a chynnwrf a hwyl, ond pan fydden nhw'n sbio arna i, ro'n i'n gallu gweld y siom yn eu llygaid nhw.

Ro'n i'n gwybod yn iawn be roedden nhw wedi ei obeithio.

Ceisiais resymu efo mi fy hun: byddai'n braf cael cwmni, byddai'n dda cael ci arall i sgwrsio efo fo neu hi pan fyddai'r teulu yn yr ysgol neu'r gwaith, ond un ifanc, llawn egni fel'na? Byddai fel byw efo corwynt bob dydd, drwy'r dydd, a doedd gen i mo'r egni na'r amynedd. Sylweddolais bod yr amser wedi dod. Roedd Lea a'r teulu angen ci newydd i gael gwneud y pethau ro'n i'n arfer gallu eu gwneud ac i edrych ar eu holau nhw. Os nad o'n i'n gallu clywed y postmon, sut gebyst o'n i'n mynd i glywed lladron a dihirod? Doedd hyd yn oed fy llygaid ddim yn gweithio'n iawn bellach, na fy mhledren. Y peth calla fyddai i mi adael, i wneud lle i gi newydd, efo bob dim yn gweithio. Roedden nhw wedi rhoi cyfle i mi ddewis a hyfforddi un, ond ro'n i wedi gwneud smonach ohoni.

Felly pan gyrhaeddon ni adre, gwyliais nhw'n mynd i'r tŷ i roi'r tecell ymlaen ac agor yr oergell a throi at eu sgriniau a'u llyfrau a'u papurau newydd. Gwyddwn yn iawn mai'r peth calla fyddai mynd yn syth, cyn iddyn nhw sylwi, ond roedd raid i mi ffarwelio yn gynta. Es at y plant a llyfu eu coesau, ond ar ôl giglan a rhoi mwythiad sydyn i mi, roedden nhw'n gaeth i'w sgriniau eto, wedi anghofio amdana i. Sbio ar luniau o *sbeagles* oedden nhw, mae'n siŵr. Ond fel'na mae plant, yn gwibio o un peth i'r llall fel gwenyn mêl. Ro'n i'n gwbod eu bod nhw â llai o ddiddordeb ynof fi ers i mi heneiddio ac arafu; roedd Cara a Caio yr un fath, ond mae plant fel'na efo dwygoesiaid hefyd o be wela i. Maen nhw wrth eu boddau efo ni pan dan ni'n hwyl ac yn gallu chwarae efo nhw a'u diddanu, ond unwaith dan ni â llai o egni, mae eu diddordeb nhw'n diflannu, a dan ni'n troi'n 'ddyletswydd'. Do'n i ddim yn eu beio nhw, fel'na ro'n i pan o'n i'n ifanc, ac ro'n i'n eu caru nhw beth bynnag.

Syllais arnyn nhw am hir, a'u harogli'n ddwfn. Ro'n i wedi llwyddo i gadw'r ddau yn ddiogel, ro'n i wedi cyflawni fy ngwaith, a gweddïais y byddai'r ci nesaf yr un mor gydwybodol.

Es at Abeo wedyn a rhoi fy mhen ar ei goes. Mi ges i fwythiad sydyn ganddo yntau, ond roedd ganddo fwy o ddiddordeb yn ei bapur newydd a'i baned. Ond mae o'n ddyn pwysig, clyfar, yn ddyn lwyddodd i basio Prawf Mot, ac ro'n i'n ei garu o. Ro'n i'n ei garu'n fwy na dim am garu Lea. Aroglais yn ddwfn cyn troi at Lea.

Roedd hi'n paratoi bwyd, yn torri'r hen beth 'nionyn' 'na sy'n gwneud iddi grio. Cymerodd oes i mi ddeall nad crio oherwydd ei bod yn drist roedd hi ar adegau felly. Syllais arni am hir, ac astudio pob un darn ohoni. Roedd hi mor brydferth, mor osgeiddig, mor gwbl berffaith. Ro'n i wedi bod yn lwcus. Gallwn gofio'r tro cynta hwnnw i mi ei gweld yn gwbl glir: y car bach gwyn yn cyrraedd y buarth; Robin a hithau a'i gwallt hir browngoch yn dod allan a mynd am y tŷ, a finnau'n cyfarth i gael gwybod pam roedd Robin mor welw. A dyna pryd drodd hi, a dyna pryd welais i ei llygaid gleision hi am y tro cynta. Ro'n i wedi gwneud y dewis gorau posib, doeddwn? Lea oedd y cyfaill gorau allwn i fod wedi ei chael.

Trodd i edrych arna i.

'Helô Mot! Ti'n iawn, boi? Gei di fwyd yn y munud, dwi'n addo. Jest isio ffrio hwn i gyd a'i roi yn y popty.' Trodd yn ôl at y llysiau a'r cig a thorri a ffrio nes bod arogl cyw iâr hyfryd yn llenwi'r gegin. Daliais ati i wylio pob symudiad roedd hi'n ei wneud heb symud modfedd fy hun. Trodd yn ôl ataf.

'Isio peth o'r cig 'ma wyt ti, ia? Iawn, dyma i ti'r croen, yli.' Estynnodd ddarn o groen iâr i mi, fel roedd hi wedi ei wneud filoedd o weithiau. Do'n i fawr o angen nac isio bwyd, ond er mwyn ei phlesio, derbyniais y croen yn ofalus, dringar, a'i lyncu, a throdd hithau'n ôl at y badell. Ro'n i'n ysu i lyfu ei hwyneb, a rhoddais wich fechan, rwystredig.

'Isio mwy wyt ti? Ocê 'ta,' meddai gan estyn darn arall i mi. Ond anwybyddais y croen a dal ati i syllu arni. 'Be sy, Mot?' meddai gan grychu ei thalcen. Dwi isio sws, meddyliais a thrio deud hynny, ond y cwbl ddaeth allan oedd rhyw sŵn rhyfedd. Ond mi weithiodd. Aeth ar ei chwrcwd a chwpanu fy wyneb.

'Isio sws wyt ti?' Ia! O'r diwedd! Llyfais ei hwyneb yn araf, heb dynnu fy llygaid oddi ar ei llygaid hi. Ro'n i methu stopio, ond crychodd ei thrwyn ar ôl sbel, a thynnu ei hwyneb yn ôl gan chwerthin. 'Diolch yn fawr, Mot, ond dyna ddigon, dwi'n meddwl, neu fydd gen i ddim gwyneb ar ôl!' Ochneidiais. Dyna ddigon meddai hi, ac roedd hi yn llygad ei lle. Trois, gan drio peidio gwingo, a mynd at y drws. Er ei fod yn brifo, ro'n i'n dal i fedru estyn fy mhawen yn ddigon uchel i'w agor. Es drwyddo a throi yn ôl i sbio arnyn nhw i gyd am y tro olaf. Ond doedden nhw ddim yn sbio arna i. Caeais y drws y tu ôl i mi ac anelu am waelod yr ardd a'r giât. Llwyddais i agor honno, ond llwyddais i dynnu rhywbeth yn fy nghoes yn y broses. Roedd fy nghoesau ôl i'n dirywio mor gyflym, drapia nhw. Llusgais fy hun yn araf i fyny'r cae. O'r diwedd, cyrhaeddais y twll yng ngwaelod y wal gerrig. Roedd gwasgu fy hun drwy hwnnw yn ofnadwy o boenus, ond ro'n i'n benderfynol. Ro'n i yn y goedwig rŵan, yn arogli'r mwsog a'r dail, a'r llwynog a'r wenci a'r wiwerod oedd wedi bod yno'n lled ddiweddar. Ro'n i'n gwybod yn iawn lle ro'n i am fynd… at fy hoff goeden dderwen oedd â thwll maint ci yn ei gwreiddiau. Stwffiais fy hun i mewn iddo, a chau fy llygaid.

Mi fyddwn i wedi licio ffarwelio efo pawb: Rhys a Storm a Haf a Kate; Cara a Caio a Bryn – Leri, hefyd, er ei bod hi wedi bod yn cwyno ers blwyddyn a mwy mod i'n drewi'n waeth nag arfer; Mrs Roberts lawr y ffordd fyddai wastad yn rhoi bisged i mi; llwyth o bobl a chŵn oedd wedi llenwi fy mywyd gyda hapusrwydd. Ond doedd hynny ddim yn bosib.

Ro'n i'n berffaith fodlon i fy nghyfnod i ddod i ben, a do'n i ddim isio bod yn niwsans a dal arni'n rhy hir, ac roedd gen i deimlad y byddai Lea'n cael trafferth gadael i mi fynd a thrio gwneud i mi aros yma yn hirach na ddylwn i. Roedd hi'n well fel hyn.

PENNOD 28 *Lea*

Dim ond pan oedd hi'n amser rhoi bwyd a Metacam iddo fo wnes i sylwi bod dim golwg o Mot, a bod neb wedi ei weld o ers i ni ddod yn ôl o'r trip anffodus i weld y cŵn bach.

'Paid â phoeni, mi fydd yn ei ôl cyn iddi dywyllu,' meddai Abeo.

'Mae o'n mynd am dro i weld Mrs Roberts lawr y ffordd weithiau,' meddai Ema Fflur, 'bosib bod o yn fanno?' Felly mi wnes i ei ffonio hi, ond na, doedd hi ddim wedi ei weld o ers dyddiau. Ro'n i'n dechrau poeni o ddifri rŵan.

'Naethon ni frifo fo,' meddai Toni. Edrychais yn hurt arno. Allwn i ddim credu fy nghlustiau; fy mhlant fy hun wedi brifo Mot? Mi wylltiais yn syth.

'Y? Naethoch chi rioed? Pam? Pryd?'

'Pan aethon ni i weld y cŵn bach,' meddai Ema. 'Naethon ni frifo'i deimladau o.'

Caeais fy llygaid.

'Dyna pam oedd o'n flin,' meddai Toni.

'Roedd o'n gwbod bod ni'n meddwl cael ci newydd,' meddai Ema.

'Achos bod o'n hen ac wedi torri,' meddai Toni.

'Dydi o ddim wedi torri!' meddai Ema'n syth. 'Dydi cŵn ddim yn torri, siŵr!'

'Dwi'n meddwl eu bod nhw'n iawn,' meddai Abeo. 'Dylen ni fod wedi cael ci ifanc blynyddau yn ôl, pan oedd o'n dal yn…'

'Yn gweithio,' meddai Toni.

'Mae o'n dal i weithio!' meddai Ema. 'A blynyddoedd, ddim blynyddau, Dad.'

Ro'n i isio chwydu. Roedden nhw'n iawn. Dyna pam roedd o wedi sbio arna i mor ddwys a llyfu fy wyneb i fel'na. Roedd o'n gwbod, ond doedd o ddim isio i mi deimlo'n euog. O, Mot.

'Rhaid i ni fynd i chwilio amdano fo,' meddwn gan gicio fy slipars i ffwrdd a mynd i chwilio am fy sgidiau cerdded.

'Dwi'n siŵr bod dim angen panicio,' meddai Abeo. 'Wedi mynd am dro i deimlo'n well mae o. *To lick his psychological wounds*. Bydd o'n ôl cyn bo hir.'

'Ond be os ydi o wedi brifo neu wedi mynd yn sownd yn rhywle?' meddwn. 'Neu'n sâl? Nath o wrthod darn o groen y cyw iâr gen i… os fyddwn ni'n aros nes iddi dywyllu, fyddwn ni methu ei weld o!'

'Iawn,' meddai Abeo gan ochneidio wrth godi o'r soffa. 'Awn ni i chwilio amdano fo.'

'Mae'r chwiban gen i fan hyn,' meddai Toni. Roedden ni wedi ei phrynu ar ôl sylweddoli nad oedd o'n gallu'n clywed ni'n gweiddi.

'Well i ni fynd â golau hefyd rhag ofn,' meddai Ema

Fflur, oedd yn gallu chwibanu'n uchel heb gymorth unrhyw declyn.

Penderfynwyd creu dau dîm i fynd i ddau gyfeiriad gwahanol. Es i efo Ema i fyny'r cae, ac aeth Toni efo Abeo ar hyd y ffordd am yr afon. Ro'n i'n gallu clywed Abeo a Toni'n gweiddi a chwibanu am hir, ac roedd chwiban Ema bron â hollti fy nghlustiau, ond chlywson ni mo gyfarthiad Mot, dim ond ambell ddafad yn brefu a brain yn crawcian. Mi fuon ni'n archwilio pob cornel o'r cae, wedyn penderfynodd Ema y gallai fod wedi stwffio ei hun dan y twll isel efo llechen uwch ei ben nad oedden ni rioed wedi penderfynu'n derfynol pam ei fod o yno. I adael dŵr drwadd oedd eglurhad Abeo, ond ches i byth wybod yn iawn. Roedd Ema'n gallu gwasgu drwyddo fo'n iawn, ond doedd gen i ddim gobaith, felly dringais yn ofalus dros y wal. Ar ôl sbel, roedden ni yn y goedwig, ond roedd hi wedi dechrau tywyllu, ac roedden ni'n gweld cysgodion a phentyrrau allai fod yn Mot ym mhobman, dim ond i weld mai gwrychoedd neu hen fonion wedi mwsogli oedden nhw.

Canodd fy ffôn a neidiodd fy nghalon a fy stumog yr un pryd. Abeo. Mae'n rhaid eu bod nhw wedi dod o hyd iddo fo, meddyliais. Ond doedden nhw ddim.

'Dan ni wedi dilyn yr afon i'r dwyrain tan y bont a fyddai o byth wedi gallu dringo i fyny'r waliau yma,' meddai. Oni bai ei fod o wedi mynd efo'r dŵr, meddyliais. 'Felly dan ni am groesi a brysio'n ôl i fyny yr ochr arall,' meddai, 'a mynd i'r gorllewin nes bydd hi'n rhy dywyll. Neu nes bydd Toni wedi blino gormod,' ychwanegodd.

'Dwi byth yn blino!' clywais lais bach Toni'n protestio.

Dywedais ein bod ni yn y goedwig ond nad oedd golwg ohono fo eto.

'Rown ni hanner awr arall iddi,' meddwn. Ond do'n i ddim yn siŵr be fydden ni'n neud ar ddiwedd yr hanner awr chwaith. Mynd adre? Rhoi'r ffidil yn y to? Allwn i byth! Ond mi allai Mot fod wedi cyrraedd adre ar ei ben ei hun ac yn chwilio amdanon ni. Damia, meddyliais, dylen ni fod wedi gadael rhywun yn y tŷ.

Sylwais toc fod Ema yn cropian drwy'r goedwig ar ei phedwar.

'Ema Fflur? Be goblyn wyt ti'n neud?' gofynnais yn ddiamynedd.

'Fel hyn mae ci yn chwilio, ynde?' meddai. 'Efo'u trwynau nhw'n agos at y ddaear, fel bod nhw'n gallu ogleuo petha.'

'Ond dwyt ti ddim yn gi,' meddwn, gan gofio ei bod hi wedi dynwared Mot fel yna am fisoedd pan oedd hi'n fychan.

'Ond dwi'n gallu ogleuo'n dda,' meddai, 'ac mae Anti Leri'n iawn, mae Mot yn drewi dipyn bach ers dipyn.' Roedd hynny'n wir. Ro'n i wedi gorfod mynd â siswrn at ddarnau o'r 'sgert' hir o gwmpas ei ben ôl o fwy nag unwaith gan nad oedd o'n gallu cyrraedd i lanhau ei hun, ac roedd 'na lympiau a chaglau reit annifyr yno weithiau, y creadur. Ond roedd trio rhoi bath call iddo fo fel trio cael Toni i aros yn llonydd am ddau funud.

Allwn i ddim peidio â gwenu. Roedd Ema Fflur yn gariad. Roedd Tomi'n gariad. Ro'n i mor falch o fy mhlant a fyddai Abeo a finna byth wedi eu creu nhw oni bai am Mot.

Camais yn fy mlaen efo egni newydd.

Ugain munud yn ddiweddarach, ro'n i'n gorfod rhoi fy ngolau pen ymlaen. Gallwn weld golau pen Ema yn bobian i fyny ac i lawr i'r chwith i mi. Roedd hi'n dal i fynd ar ei phedwar. Yn sydyn, clywais waedd:

'Mam! Dyma fo! Dwi wedi ffendio fo! Mam! A mae o'n fyw!'

Gaethon ni chydig o drafferth ei gael o allan o'r twll yn y gwreiddiau; roedd o wedi cyffio a dwi'm yn siŵr sut wasgodd o'i hun i mewn yna yn y lle cynta. Roedd o hefyd yn wan, a phan driais i ei gael i sefyll, roedd ei goesau ôl o'n syrthio oddi tano fo.

Dydi o ddim yn gi ysgafn, mae o wastad rhywle o gwmpas 24 kilo, ond mi wnes i lwyddo i'w gario fo at y wal, ac erbyn hynny, roedd Abeo hanner ffordd i fyny'r cae. Yn y tŷ, wnaethon ni ei lapio mewn blanced a rois i ddŵr iddo fo, a chracio wy i mewn i'w fowlen. Doedd o ddim yn cael wyau'n aml, ond roedd o wrth ei fodd efo nhw. Edrychodd i fyny arna i. Roedd blew ei lygaid wedi troi'n wyn ers blwyddyn a mwy, ond ychydig fisoedd yn ôl ro'n i wedi sylwi bod ei lygaid o wedi troi fymryn yn gymylog, arwydd o gataracts, mae'n debyg, ond roedden nhw'n dal yn llawn emosiwn, ac roedd 'na gymaint o gariad ynddyn nhw, es i'n ddagreuol. Do'n i ddim wedi crio ar ôl i ni ddod o hyd iddo fo, am mod i'n canolbwyntio gymaint ar drio mynd â fo adre am wn i.

Roedd fy ysgwyddau i'n brifo; nid oherwydd y cario,

roedd o'n fath cwbl wahanol o boen, oedd yn mynd ar draws top fy nghefn, o un ysgwydd i'r llall. Maen nhw wastad yn mynd yn rhyfedd pan fydda i'n teimlo emosiynau cryfion. Euogrwydd oedd y teimlad cryfa yn fy ysgwyddau i y noson honno.

'Mot, dan ni ddim isio i ti'n gadael ni,' meddwn wrtho, 'a dan ni ddim yn mynd i gael ci bach yn bownsio o gwmpas y lle a gneud dy fywyd di'n uffern, dwi'n addo.' Ond roedd o'n dal i sbio'n dorcalonnus o drist arna i. Mi nath o hyd yn oed ysgwyd ei ben, fel tasa fo'n anghytuno.

'Dydi o ddim yn coelio ti,' meddai Ema Fflur wrth fy ochr i. 'Mot; go iawn, dan ni wedi newid ein meddyliau. Dan ni ddim isio ci bach, iawn?' sibrydodd yn ei glust. Trodd ei lygaid i edrych yr un mor drist arni hithau, ochneidio ac ysgwyd ei ben eto, a chau ei lygaid.

'Mae o'n dallt chi,' meddai Toni, gan osod ei ben ar asennau Mot. 'Ond dydi o ddim isio hynna.'

'Dan ni ddim chwaith!' meddwn.

'Na, ddim isio i ni beidio cael ci bach,' meddai Toni. 'Mae o isio i ni gael un.'

'Toni…' meddai Abeo. 'Paid.'

'Ond dwi'n deud y gwir!' meddai Toni. 'Dyna pam nath o fynd.'

Mi wnes i fynnu cysgu lawr grisiau efo Mot y noson honno. Do'n i ddim wedi gwneud hynny ers blynyddoedd, ac ro'n i wedi anghofio teimlad mor braf oedd o, ond ches i fawr o gwsg. Roedd fy meddwl yn troi a throsi drwy'r nos ac er na fyddwn i prin yn ei glywed pan oedd o'n iau, roedd Mot yn chwyrnu'n drwm yn ei gwsg bellach.

Aethon ni â fo at y milfeddyg ben bore, ond roedd ei goesau ôl o'n dal wedi cyffio, felly mi fu'n rhaid i ni ei gario i mewn. Dafydd oedd yno, diolch byth, ffrind da i ni sy'n chwarae rygbi efo Abeo. Mae'r ddau yn yr ail dîm erbyn hyn, gan nad ydyn nhw'n gallu dal i fyny efo olwyr ifanc y tîm cynta.

Roedd o'n gwbl onest efo ni: nid wedi cyffio oedd o. Fyddai coesau ôl Mot byth yn gweithio'n iawn eto. Felly roedd gynnon ni ddewis: creu neu brynu rhyw fath o declyn efo olwynion er mwyn iddo fo fedru dal ati i symud (ro'n i wedi gweld pethau felly ar y teledu), achos os na fyddai o'n cael rhywfaint o ymarfer corff, fyddai o ddim yn para'n hir; y dewis arall oedd ei roi i lawr.

'Be mae hynna'n feddwl?' gofynnodd Ema Fflur. 'Ei ladd o? Naaaa!' Dechreuodd grio ac wedyn roedd Toni'n udo hefyd, ac ro'n i wir yn difaru dod â nhw efo ni.

Ro'n i wedi trio paratoi fy hun ar gyfer y diwrnod hwn ers y dechrau. Mae pawb yn gwybod mai dyna'r broblem efo cadw anifail: maen nhw'n mynd i farw o'ch blaen chi. Ac yn amlach na pheidio, mi fyddwch chi'n gorfod penderfynu pryd i adael iddyn nhw eich gadael chi. O'n i'n mynd i ddal fy ngafael arno fo er ei fod o mewn poen? Oedd o isio byw cyn hired â phosib hyd yn oed os byddai hynny'n golygu methu cerdded na mynd i wneud ei fusnes tu allan heb help un ohonon ni?

Ro'n i wedi deud wrth Abeo mod i'n bendant isio mynd i'r Swistir taswn i'n cael rhyw salwch creulon fyddai'n golygu bod raid i mi ddiodde am hir a cholli fy annibyniaeth. Ond doedd o ddim mor siŵr. Doctor ydi o, ynde, ac mae'r rheiny wedi eu weirio i achub bywydau, nid eu diweddu nhw. Mae milfeddygon fymryn yn wahanol; maen nhw wedi arfer helpu anifeiliaid i farw, ac yn casáu gweld anifail mewn poen, anifail sy'n methu deud wrthan ni be mae o isio.

Ond be oedd Mot isio? Ro'n i'n siŵr mod i'n gweld yr ateb yn ei lygaid, ond roedd y plant yn dal i grio ac ro'n inna'n beryg o chwalu.

'Gawn ni fynd â fo adre i feddwl?' gofynnais.

'Wrth gwrs,' meddai Dafydd. 'Gewch chi ffonio fi unrhyw adeg.' Roedd o ar fin deud mwy, ond mi stopiodd ei hun. Nid o flaen y plant, mae'n siŵr.

Doedd taith yn y car efo'r pedwar – naci, pump – ohonon ni erioed wedi bod mor dawel. Roedd hi'n fore Sul braf; perffaith ar gyfer mynd am dro neu ar y beics, ond… wel.

Gosododd Abeo Mot ar y gwely 'orthopedic' brynon ni iddo fo ar Amazon. Doedd o ddim hanner cystal gwely â'r lluniau na'r disgrifiad – na'r adolygiadau pum seren – ond roedd o'n well na'i hen wely o. Aeth i gysgu bron yn syth, diolch byth. Wedyn eisteddodd pawb rownd y bwrdd i drafod.

Roedd Ema Fflur isio i Abeo wneud cert fach efo olwynion iddo fo, a dyna fo. Roedd Abeo'n hapus i wneud be bynnag ro'n i'n meddwl fyddai orau.

'A be amdanat ti, Toni?' gofynnais. Ochneidiodd yn drwm a syllu am hir i gyfeiriad Mot cyn ateb.

'Nath o ddangos be oedd o isio,' meddai yn y diwedd.

'Be ti'n feddwl?' gofynnodd Ema.

'Nath o drio penderfynu drostan ni, yn do? Mynd i ffwrdd yn dawel bach.'

'Dim ond achos ein bod ni wedi brifo'i deimladau o!' meddai Ema'n syth. 'Rŵan bod o'n gwbod bod ni ddim yn mynd i gael ci bach, a'n bod ni'n ei garu o'n ofnadwy, mi fydd o isio aros efo ni, ac mi fydd o'n dysgu sut i ddefnyddio'r gert yn gyflym, mae o'n gi clyfar.'

'Gallwn ni roi cynnig arni…' meddai Abeo. 'Ond dwi ddim yn siŵr am greu un. Be am i ni weld be sydd ar y we?'

A dyna fu. Pan welson ni'r fidios o gŵn yn amlwg wrth eu boddau'n cerdded a hyd yn oed rhedeg o gwmpas efo'u holwynion, estynnais fy ngherdyn credyd yn syth.

Daeth Leri a'r teulu draw y diwrnod wedyn a gan eu bod yn gallu gweld faint roedd Mot wedi dirywio, allwn i ddim peidio â sôn am y gert. Roedd Bryn a'r plant o'i blaid o'n syth ond dim ond sbio arna i wnaeth Leri.

'Paid… jest paid,' meddwn wrthi.

'Jest meddwl am Mot ydw i, ei hunan-barch o,' meddai hi. 'Gwneud i mi feddwl am y ffilm 'na efo John Hurt, *The Elephant Man*. "I am not an experiment" ddwedodd o, ynde?'

'Ym… wel, i ddweud y gwir, naci, "I am not an elephant",' meddai Abeo. Ond ro'n i'n gwbod be roedd hi'n ei feddwl.

Cyrhaeddodd y gert o fewn tridiau, ac roedd Mot yn anniddig iawn i ddechrau. Roedd angen ffidlan ac addasu'r strapiau i'w ffitio fo ac roedd yr ofn yn ei lygaid yn gwneud i mi deimlo'n sâl. Ond yn y diwedd, mi gymerodd gwpwl o gamau efo'i bawennau blaen, a sylweddoli ei fod o'n gallu symud, a hynny ar ei ben ei hun. Yn anffodus, roedd o methu ei reoli o ac yn igam-ogamu fel meddwyn, ond ar ôl rhyw bum munud digon annifyr, mi gliciodd. Roedd o'n gallu symud ei goesau ôl yn y strapiau ac roedd hynny'n gwella ei falans a'i gyfeiriad o rhywsut.

Yr eiliad sylweddolodd o ei fod o'n gallu cerdded yn ddi-boen yr holl ffordd o'r drws at y giât, mi sionciodd drwyddo. O fewn dim, roedd o'n rhedeg! Ro'n i'n crio wrth redeg wrth ei ochr o, ac roedd y plant yn bownsio.

'Fi oedd yn iawn, ynde!' meddai Ema Fflur, ac roedd Toni'n ddigon o ddyn i gytuno efo hi.

Roedd o hyd yn oed yn gallu gwneud dŵr heb wlychu gormod arno'i hun. Gawson ni i gyd ein llyfu'n rhacs gan Mot ar ôl hynna. Edrychais yn ei lygaid a gweld ei fod o wir yn falch ei fod o wedi cael cyfle arall. Pan aethon ni â fo i'r cae drannoeth i weld allai o symud dros hwnnw hefyd, mi lwyddodd yn rhyfeddol.

Ond doedd o ddim yn gallu bod ar ei olwynion drwy'r adeg. Llusgo'i hun o gwmpas y tŷ fyddai o, ac roedd hynny'n troi fy stumog yn glymau. Roedd o'n 16 oed bellach ac roedden ni i gyd yn gwbod na fyddai o efo ni lawer hirach. Felly mi wnaethon ni benderfynu gwneud rhestr 'bwced' o brofiadau fyddai o'n eu mwynhau cyn iddo fo fynd.

PENNOD 29 *Mot*

Ro'n i'n dal ati er eu mwyn nhw, ond rhaid i mi gyfadde, roedd fy nghert fach i'n fendith. Mi ges i ambell ddamwain fach, ond dim byd rhy boenus. Roedd o werth o i gael symud yn gyflym eto. Ac roedd pawb yn rhoi cymaint mwy o sylw i mi.

Byddai Toni, yn enwedig, yn gorwedd efo fi ar fy ngwely am hir, yn mwmian siarad yn fy nghlust i wrth gosi fy mol i neu frwshio fy nghôt i. Byddai'n agor ei galon i mi yn aml.

'Ro'n i'n dallt sut o't ti'n teimlo, ti'n gweld, Mot. Mae pobl yn gallu brifo teimladau heb feddwl, tydyn? Fel yn yr ysgol. Nath Jason a Mali ddeud mod i ddim yn gallu bod yn Joseff yn y Sioe Nadolig achos mod i ddim y lliw iawn, bod un o'r Tri Brenin o bell i ffwrdd yn siwtio fi'n well. Sy'n stiwpid, achos dwi wedi gweld pobl Palesteina ar y teli, ac maen nhw bron i gyd yr un lliw â fi. Ond wnes i'm deud hynna, a nath Miss Davies jest cytuno y byswn i'n gneud brenin da. Ond mi nath hi roi row i Dewi Wyn a Liam am alw fi'n enwau amser chwarae. Enwau hyll oedden nhw,

277

oedd yn gneud i mi fod isio crio. Ond wnes i ddim. Ond mi wnaeth Dewi Wyn grio y diwrnod wedyn pan wnes i hitio fo. Roedd o wedi deud mod i'r un lliw â pw, a 'ngalw i'n "poo-face", a wnaeth y plant eraill i gyd chwerthin. Felly wnes i jest gwylltio. Wedyn ges i row am hitio Dewi Wyn.'

Roedd fy nghalon yn gwaedu drosto. Mae rhai dwygoesiaid yn greulon, dwi'n gwybod hynny, a wna i byth anghofio'r ddau hogyn cas 'na yn y parc. Dwi hefyd wedi cyfarfod plant bach sy'n fy mhinsio'n slei bach pan dydi'r rhieni ddim yn sbio. Be sy'n gwneud iddyn nhw fod isio fy mrifo i? A gwaeth fyth, brifo plant bach eraill? Ai arbrofi maen nhw, i weld pa mor gas gawn nhw fod cyn i oedolion neu blant eraill roi stop arnyn nhw?

Ydan, dan ni gŵn yn gallu chwarae'n eitha brwnt pan dan ni'n fach, ond dan ni'n cael ein dysgu lle mae'r ffin, un ai gan ein gilydd neu'r oedolion. Wedyn, waeth faint ein hoed, dydan ni ddim yn pigo ar gŵn dim ond oherwydd eu bod yn edrych yn wahanol i ni. A sbïwch pa mor wahanol ydi cŵn! Dwi'n cofio meddwl mai cath oedd un ci bach braidd yn ddiolwg i ddechrau, ond unwaith wnes i sylweddoli mai ci oedd o, wnes i ddim rhedeg ar ei ôl o. Mae cŵn bach weithiau'n pigo ar gŵn mawr jest i drio profi cymaint o fois ydyn nhw, ac mae 'na rai cŵn sydd jest ddim wedi arfer efo cŵn eraill. Ond troi ar gi oherwydd ei liw? Na. Byth.

Ro'n i'n ysu am fedru siarad efo Toni fel dwygoesyn, ond roedd ei lyfu a syllu i fyw ei lygaid yn ei helpu o, dwi'n gwybod. Mae o wastad wedi fy neall i'n dda, a dwi'n ei ddeall o. Mae o fymryn bach yn fwy sensitif nag Ema Fflur, yn cymryd ato a gwylltio'n haws na hi ac angen cysur yn amlach. Dwi'n gwybod bod Lea ac Abeo yn ymwybodol o hynny hefyd, ond mae Toni'n gyndyn o ddeud bob dim wrthyn nhw. Dydi o ddim isio iddyn nhw boeni, ac mae o'n meddwl bod gan Lea ddigon ar ei phlât a hithau mor brysur yn gwneud arholiadau i fod yn athrawes. Mae o'n ei chael hi'n haws i ddeud wrtha i, efallai oherwydd mai dim ond gwrando fedra i neud.

Mae Ema Fflur yn deud bob dim wrth ei rhieni, a phan ddwedodd hi tua blwyddyn yn ôl bod un o'r athrawon wedi deud rhyw jôc wirion am liw ei chroen hi o flaen y dosbarth, roedd hi wedi deud:

'Sori, Miss, ond dwi ddim yn dallt. Allwch chi egluro i fi pam bod hynna'n ddoniol?' Roedd pawb wedi mynd yn dawel meddai Ema, ac wedyn roedd yr athrawes wedi cochi ac ymddiheuro.

'Da iawn ti, Ema,' meddai Abeo. 'Wnes i ddeud bod hynna fel arfer yn gweithio, yn do?'

'Do, dwi'n mynd i neud o bob amser rŵan, achos weithia dydi bobl jest ddim yn gwbod bod be maen nhw'n ddeud yn brifo, nacdyn?' meddai Ema. 'Achos wedyn wnaethon ni i gyd siarad am sut dan ni'n teimlo pan mae pobl yn gwneud hwyl am ben pwy ydan ni. Nath Mari ddeud bod hi'n drist pan fydd pobl yn galw hi'n Ginger Nut, a nath Jamie ddeud bod o ddim yn licio pan fydd plant eraill yn trio dynwared siâp ei lygaid o, ac o'n i'n teimlo'n gas achos ro'n i wedi gneud hynna hefyd. Felly dan ni i gyd yn mynd i stopio gneud petha fel'na rŵan.'

'Gwych, Ema, dan ni'n falch iawn ohonot ti,' meddai Lea wrthi a'i chofleidio.

'Cofia,' meddai Abeo, 'mae'n siŵr bydd angen i ti ddelio efo pethau fel'na drosodd a throsodd, yn yr ysgol uwchradd ac yn y gwaith, a byddi di'n blino, achos mae o fel tap yn dripian, ond dal ati. Mae o'n bwysig.'

'A chofia ddeud wrth Toni ei fod o'n gweithio,' meddai Lea wrthi. 'Does gynno fo ddim cweit gymaint o hyder â ti.'

Taswn i'n iau, mi fyddwn i wedi claddu fy nannedd i mewn i unrhyw un oedd yn brifo Toni neu Ema, a'u hysgwyd nes bod eu pennau gwirion yn clecian, ond ar ôl yr holl flynyddoedd o redeg a neidio ar ôl darnau o blastig a phren, roedd ambell ddant wedi diflannu. Ond ro'n i'n dal i fedru cyfarth a chwyrnu, ac er mod i'n gwybod mai chydig iawn o blant fyddai ag ofn hen gi efo'i goesau ôl ar olwynion, mi fyddwn i'n cyfarth a chwyrnu ar Dewi Wyn a Liam bob tro y byddwn i'n eu gweld nhw. Weithiau, mae angen gwneud sŵn cas er mwyn i bobl stopio bod yn gas. Ac roedd o'n gwneud i mi deimlo mod i'n gallu gwneud rhywbeth.

Mi wnes i wir fwynhau ein tripiau dros y misoedd olaf, nid yn unig oherwydd ein bod i gyd efo'n gilydd bob tro, ond oherwydd mod i wir yn gallu gwneud rhywbeth. Aethon ni i gyd ar y traeth pan oedd y môr allan yn bell, a ges i redeg efo Storm a Kate efo fy olwynion, yn ôl a mlaen ac i fyny ac i lawr am hir. Roedd o'n deimlad gwych.

Dro arall, aethon ni ar gwch cyflym ar y môr, ac mi ges i eistedd yn y blaen efo'r plant, a theimlo'r gwynt yn chwipio drwy fy nghôt a chael chwerthin efo nhw pan fyddai'r dŵr yn tasgu drostan ni. Wedyn, pan wnaethon nhw stopio a diffodd y sŵn a jest eistedd yno'n edrych ac arogli, daeth morlo aton ni a ges i roi fy mhen drosodd i ddeud helô wrtho fo. Roedd o'n glên tu hwnt, ac arogl difyr iawn arno fo.

Pan ddaethon ni adre a molchi a sychu nes roedd pawb yn sgleinio, cariodd Abeo fi i fyny'r grisiau a fy rhoi i orwedd ar ei wely o a Lea. Do'n i ddim wedi bod arno ers o leia dwy flynedd, tair siŵr o fod, ac ro'n i wedi gwirioni. Wedyn daeth pawb i mewn yn eu pyjamas ac mi fuon ni i gyd yn gorwedd yno am hir, yn cwtsho a chosi ein gilydd yn dawel braf.

Ro'n i methu credu fy lwc pan aethon ni i gyd i ffarm un o ffrindiau Ema Fflur. Mi ges fy rhoi efo fy olwynion mewn cae yn llawn o ddefaid. Edrychais yn hurt ar Lea.

'Cei, mae'r ffarmwr wedi deud gei di eu hel nhw,' meddai hi wrtha i. 'Mae o'n meddwl ein bod ni'n boncyrs, ac ydan, mi rydan ni, a bosib bydd hyn yn llanast, ond ro'n i jest isio i ti gael tro arni. Wyt ti'n meddwl fedri di eu hel nhw i mewn i'r gorlan draw fan acw? Lle mae Toni a Mr Edwards y ffarmwr?' Gallwn weld braich Toni mewn côt lachar yn chwifio ei law arna i, a rhywun mawr, llydan wrth ei ochr. 'Mi wna i 'ngorau i dy helpu di,' aeth Lea yn ei blaen. 'Mi wna i weiddi "aros" pan fydd raid, a ti'n cofio be ydi "cym bei" ac "awê", dwyt?'

Wrth gwrs mod i! O'r diwedd… cyfle i brofi fy hun eto. Byddai wedi bod yn haws pan o'n i'n iau a heb olwynion, pan oedd fy nghlyw a fy ngolwg yn well, ond ro'n i'n dal i fedru clywed pobl yn gweiddi'n uchel a gweld siapiau, yn enwedig os oedden nhw'n symud. Ac ro'n i'n dal i fedru arogli'n berffaith, ac roedd 'na arogl cryf ar ddefaid, arogl oedd yn gwneud i'r gwaed bwmpio drwy fy ngwythiennau, ac i 'mhawennau gosi. Ro'n i'n ysu i gael dechrau arni, ond roedd Lea'n fy nal yn ôl gerfydd fy ngholer.

Gollyngodd ei gafael gan weiddi 'Helia nhw, Mot!' yr un pryd. Saethais yn fy mlaen a rhedeg nerth fy nwy goes ar hyd ochr y cae. Ro'n i'n gallu clywed Lea'n gweiddi 'Cym bei!' ond ro'n i'n gwybod hynny, siŵr. Rhedodd y defaid yn ufudd o fy mlaen i, a llwyddais i'w troi i gyfeiriad y gorlan a'r gôt oren. Ond do'n i ddim am iddyn nhw saethu heibio iddi, felly rhedais mewn hanner cylch o'u blaenau er mwyn eu rhwystro rhag gwneud hynny. Do'n i ddim yn gallu rhedeg fel Storm nac yn gallu troi'n sydyn efo'r olwynion, felly roedd angen i mi fod yn ofalus a meddwl ymlaen llaw. Cyfarthais yn uchel er mwyn gwneud yn siŵr bod y defaid yn fy neall i, ac yn gwybod fy mod i o ddifri ac yn gallu troi'n gas os oedd angen. Ro'n i'n gwybod na fyddai cŵn defaid cyffredin yn cyfarth fel'na wrth hel defaid, ond ci Cymreig o'n i, ac mae cŵn Cymreig yn cyfarth!

Ro'n i'n gallu gweld agoriad y gorlan, a chôt oren Toni a'r ffarmwr y tu ôl i'r giât yn barod i'w chau. Roedd Lea'n gweiddi 'Aros!' nerth ei phen, ond ro'n i'n gwybod hynny, debyg iawn. A ph'un bynnag, ro'n i wedi blino ar ôl rhedeg fel'na, ac angen cael fy ngwynt ataf. Pan o'n i'n barod, ac yn teimlo bod y defaid yn union lle ro'n i am iddyn nhw fod, camais yn fy mlaen yn bwyllog. Do'n i ddim isio'u dychryn nhw. Trois i'r dde am chydig, yna'n ôl i'r chwith, jest i'r rhai oedd yn ystyried dianc feddwl eto. A dyna ni, roedden nhw i gyd yn llifo mewn i'r gorlan yn daclus, a chaeodd y ffermwr y giât.

Rhedodd pawb tuag ata i o bob cyfeiriad gan chwerthin a gweiddi a fy llongyfarch. Dwi'n siŵr mod i wedi tyfu'n dalach o ryw led pawen neu ddwy. Dyna ni, ro'n i wedi profi fy mod i'n gi defaid go iawn.

'*I could have been a contender*, ia Mot?' chwarddodd Abeo. Do'n i erioed wedi clywed yr ymadrodd, ond ro'n i'n dallt be roedd o'n ei feddwl yn iawn.

Roedd 'na wên ar fy wyneb i yr holl ffordd adre, a'r holl ffordd i mewn i'r tŷ, ac roedd 'na brofiad newydd arall i mi y noson honno. Do'n i erioed wedi cael blasu'r siocled y bydden nhw i gyd yn ei fwynhau gymaint. Ro'n i wedi cael botymau siocled ar gyfer cŵn ond do'n i ddim yn meddwl llawer ohonyn nhw a bod yn onest. Doedden nhw'n sicr ddim wedi gwneud i mi gau fy llygaid a gwneud synau rhyfedd, isel fel byddai Lea'n eu gwneud pan fyddai hi'n gorwedd ar y soffa efo bar o'i hoff siocled hi. Ond y tro yma, roedd ganddi far mwy nag arfer efo £1 ar y papur.

'Wyt ti'n siŵr?' meddai Abeo. 'Mae o'n gallu lladd cŵn, medden nhw.'

'Dros amser, ia? A does gan Mot ddim llawer ar ôl, felly...' Cynigiodd ddarn i mi, gan oedi i roi cyngor i mi: 'Paid â jest ei lyncu o, Mot, llyfa dipyn arno fo, i ti gael gwerthfawrogi'r blas.' Felly llyfais yn ufudd, a gwnes sŵn isel, hir, gyda fy llygaid ynghau, yn union fel Lea. Nid actio ro'n i. Roedd o fel darn o'r nefoedd, darn barodd am hanner awr dda, achos bu Lea'n rhoi un darn i mi, ac un iddi hi neu Abeo am yn ail nes roedd y pecyn cyfan wedi mynd.

Do, mi ges i fy nifetha'n rhacs. Ro'n i wastad wedi bod isio gwybod be oedd yr holl ffŷs fyddai'r plant yn ei wneud bob tro y bydden ni'n pasio'r cwt efo'r ddwy glust cwningen. Lle bwyd oedd o, ac er mod i wedi cael ambell ddarn bychan o'r cig, dim ond cig digon cyffredin oedd o, a do'n i jest ddim yn dallt pam ei bod hi'n aml yn mynd yn ffrae rhwng y plant a'r rhieni ar gownt y lle. Doedd 'na ddim ffraeo y tro yma, a mynnodd Toni mod i'n cael byrgyr cyfan i mi fy hun, y bara a'r stwff gwyrdd, bob dim. Roedd ei lygaid o'n sgleinio wrth fy ngwylio i'n ei lowcio, ac mi wnes i drio dangos mod i wedi ei fwynhau'n arw, ond mae o'n fy nabod i'n rhy dda.

'Ddim cweit be oeddet ti'n ddisgwyl, na?' meddai. Ysgydwais fy mhen a chwarddodd pawb, hyd yn oed Toni. Mae sbarion cinio dydd Sul gymaint gwell – a siocled.

Roedd cael fy nhrin fel brenin yn hyfryd wrth reswm, ond ro'n i'n gwybod yn iawn na fyddai'n para. Ro'n i'n blino mwy bob dydd, yn clywed a gweld llai, yn drysu weithiau ac yn teimlo'n wannach bob dydd ac wedyn do'n i fawr o isio bwyd. Wel, ro'n i isio fo, ond doedd fy stumog i ddim, felly dyna ran arall ohona i oedd yn cau i lawr. Roedd fy mhledren i'n anodd ei rheoli ers tro, ac roedd gen i gymaint o gywilydd pan fyddwn i'n cael damwain arall eto fyth, a Lea'n gorfod fy ngolchi a fy sychu i. Roedd hi'n amser mynd, ond y broblem oedd cael Lea i dderbyn hynny.

Doedd hi mo f'angen i bellach; roedd ganddi Abeo a'r plant i gadw cwmni iddi ac edrych ar ei hôl hi, ond roedd hi'n dal i wrthod gadael i Abeo ffonio'r milfeddyg. Ro'n i'n falch ei bod hi'n fy ngharu i gymaint, ond dwi ddim yn meddwl ei bod hi'n syniad da i garu rhywbeth gymaint fel eich bod chi methu gollwng gafael.

Toni helpodd fi. Roedd o'n gorwedd ar fy ngwely efo fi, ei drwyn yn erbyn fy nhrwyn i, pan riddfanais i. Edrychodd i fyw fy llygaid, a cheisiais ddeud wrtho bod yr amser wedi dod. Mae'n siŵr mai rhyw wichian pathetig oedd fy ymgais i siarad ei iaith o, ond mae'n rhaid ei fod wedi dallt. Cusanodd fy nhalcen a chodi, gan alw am ei fam. Daeth hi draw, a gofyn: 'Be sy?' Pwyntiodd Toni ata i heb ddeud gair, ac ro'n i'n gallu gweld bod ei lygaid o'n wlyb.

Aeth hi ar ei chwrcwd wrth ymyl fy ngwely i. Do'n i ddim yn gallu codi fy mhen ond codais fy llygaid, a defnyddio pob owns o egni oedd gen i ar ôl i ymbil arni. Aeth ei llaw yn syth at ei brest, ac ro'n i'n gwybod ei bod hi wedi deall o'r diwedd. Gorweddodd ar y llawr fel bod ei hwyneb yn agos ata i, a chyffwrdd fy wyneb efo'i llaw. Llyfais hi'n araf, heb dynnu fy llygaid oddi ar ei llygaid hi. Dwedais wrthi mod i'n ei charu yn fwy na dim erioed, a diolch iddi am gael bod yn rhan o'i bywyd hi, ac am roi bywyd mor hapus i mi. Roedd ei llygaid hi'n glawio a cheisiais lyfu'r diferion oddi ar ei hwyneb hi. Do'n i ddim isio iddi fod yn drist, ond ro'n i'n gwybod y byddai'r boen yn mynd unwaith byddai hi wedi gadael i mi fynd.

'Dwi'n dallt, Mot,' sibrydodd. Trodd at Toni a gofyn iddo nôl ei dad. Pan ddaeth hwnnw draw, gofynnodd iddo ffonio Dafydd. Wnes i ddim ei glywed o'n cyrraedd, a do'n i prin yn gallu gweld ei wyneb o pan blygodd i lawr wrth fy ochr i. Ond ro'n i'n gallu clywed ei lais clên o ac arogli ei fysedd glân o, a'r stwff cryf roddodd o ar fy nghoes flaen i. Ochneidiais yn ddwfn efo rhyddhad pan deimlais i'r pigiad sydyn. Roedd fy nghylch i'n dod i ben, ac ro'n i'n berffaith fodlon efo hynny. Ceisiais wenu ar y pedwar wyneb oedd o fy mlaen i: Ema Fflur a Toni, oedd yn haeddu ci newydd, ifanc yn eu bywydau; Abeo, yr un basiodd y prawf efo seren aur – a Lea; y ffrind gorau ges i rioed.

Ro'n i'n gwybod y byddai hi'n drist am hir wedi i mi fynd, ond roedd hi'n mynd i ddysgu un wers olaf gen i.

'Daw cŵn i'n bywydau i'n dysgu am gariad,
a'n gadael er mwyn ein dysgu am golled.
Dyw ci newydd byth
yn cymryd lle hen gi.
Y cwbl mae'n ei wneud
yw ehangu'r galon.'

Awdur anhysbys